D0504598

AESGUDI MENI

Gemis

Gemis is deel 2 in de serie over Grace Byler en het vervolg op *Geheimenis*.

Andere boeken van Beverly Lewis:

Dochters van het verbond
Verbroken verbond
Verloren dromen
Verdwaalde harten
Voltooid verleden

Onrustig hart
De vreemdeling
De broeders

Katie Lapp-trilogie

De breuk
Verboden wegen
Diepste verlangen

Beverly Lewis

Gemis

Roman

Vertaald door Lia van Aken

Voor Virginia Campbell, wier grootmoedigheid en toewijding aan de afdeling Pikes Peak van the National League of American Pen Women een vreugdevolle inspiratie voor me zijn.

© Uitgeverij De Groot Goudriaan – Kampen, 2010
Postbus 5018, 8260 GA Kampen
www.kok.nl

Oorspronkelijk verschenen onder de titel *The Missing* bij Bethany House Publishers, a division of Baker Book House, 11400 Hampshire Avenue South, Bloomington, Minnesota 55438, USA
© Beverly M. Lewis, 2009

Vertaling Lia van Aken
Omslagillustratie Bethany House Publishers
Omslagontwerp Prins en Prins vormgevers
ISBN 978 90 8865 146 5
NUR 302

Alle rechten voorbehouden. Niets uit deze uitgave mag worden verveelvoudigd, opgeslagen in een geautomatiseerd gegevensbestand, of openbaar gemaakt, in enige vorm of op enige wijze, hetzij elektronisch, mechanisch, door fotokopieën, opnamen, of op enige andere manier, zonder voorafgaande schriftelijke toestemming van de uitgever.

All rights reserved. No part of this publication may be reproduced, stored in a retrieval system, or transmitted, in any form or by any means, electronic, mechanical, photocopying, recording, or otherwise, without the prior written permission of the publisher.

Proloog

Vanmorgen vroeg stuitte ik in het maïsveld op mijn moeders zakdoekje. Halverwege de rij zag ik het liggen: wit maar besmeurd lag het in het slijk van de regenbuien van de laatste tijd. Er was maar één kant van de gestikte zoom zichtbaar, de letter *L* stak uit de voor alsof hij mijn aandacht wilde trekken. Ik staarde ernaar… en alle emoties van de afgelopen drie weken dreigden omhoog te komen en me ter plekke te verstikken.

Ik bukte en klemde het modderige zakdoekje in mijn hand. Toen legde ik mijn hoofd in mijn nek en keek omhoog naar de lucht in het oosten, naar de frisheid van deze nieuwe dag.

Twee keer heb ik nu door het veld gelopen waar mama soms 's avonds laat dwaalde, al weken voordat ze het huis verliet. Net als onze schapen volgde ze steeds hetzelfde spoor tot er groeven ontstonden. Ik vroeg me af waar het platgetreden pad haar bij het licht van de eenzame maan naartoe had geleid. Maar eerlijk gezegd word ik er alleen overdag naartoe getrokken door de gedachte aan haar en de hoop op nader bericht, wanneer dat ook mag komen.

Ik schudde de modder van het zakdoekje en trok met mijn vinger de geborduurde initiaal na; wit op wit. Zo eenvoudig, maar zo mooi.

Mijn hand bleef op het zakdoekje rusten en de tranen stroomden over mijn wangen. 'Mama… waar *bent* u?' fluisterde ik in de wind. 'Wat weten wij allemaal niet?'

★

Later, toen we al een heel eind op weg waren met de voorbereidingen voor het ontbijt, ging mijn jongere zusje Mandy naar boven om de slaapkamer van onze ouders te doen. De eenzame plek waar nu alleen pa sliep.

Nog geschokt door de vondst van mama's zakdoekje dwaalde ik door de keuken en duwde de hordeur open. Ik leunde tegen de deurpost en staarde uit over het glanzend groene veld, met de rijen net zo recht als die van de telefoonpalen verderop langs de weg, bij Route 340. Waar de stadse mensen wonen.

Ik reikte onder mijn lange werkschort naar het besmeurde zakdoekje in de zak van mijn jurk. *Mama's eigen zakdoekje.* Had ik zonder het te weten gesmacht naar zo'n aandenken? Iets tastbaars om me aan vast te houden?

Zuchtend snelde ik door de middengang de trap op. Verscheidene dingen wezen erop dat mama's eerste *beau* van vroeger een mogelijke reden was voor haar vertrek. Maar ik had besloten dat ik bleef geloven dat mama trouw was aan pa, hoe verdacht het allemaal ook leek.

Ik ging de grote slaapkamer van onze ouders binnen, met zijn blinkende vloerplanken en handgemaakte commode en dekenkist aan het voeteneind van het bed. 'Ik wil je iets laten zien, Mandy,' zei ik.

Mijn zus greep de plank aan het voeteneind vast. '*Jah?*'

Ik stak mijn hand in mijn zak, langs mama's zakdoekje heen en vond het strookje papier. 'Het is maar dat je het weet, maar ik heb het al aan pa laten zien.' Ik haalde diep adem. 'Ik wil je niet van streek maken, maar ik heb een adres in Ohio… waar mama misschien logeert.' Ik liet haar zien wat onze grootmoeder me had gegeven.

'Wat is dat?'

Ik vertelde haar zo voorzichtig als ik kon dat ik toevallig een brief had gevonden die *Dawdi* Jakob had geschreven toen mama nog jong was; toen zij en onze grootmoeder naar het westen waren gereisd om een ziek familielid te helpen.

'Waarom denken *Mammi* en jij dat ze daarheen gegaan kan zijn?' Mandy's bruine ogen waren groot geworden.

'Gewoon, een gevoel.' Maar in werkelijkheid had ik niet het flauwste idee wat mama bezielde om waar dan ook heen te gaan. Laat staan met een gedichtenbundel van Samuel Graber op zak. 'Ik hoop het binnenkort zeker te weten,' voegde ik eraan toe.

Ze staarde me ongelovig aan. 'Hoe dan?'

'Dat is eenvoudig. Ik ga dat hotel bellen.'

Mandy reikte naar het papiertje en hield het in haar trillende hand. 'O, Grace… denk je echt dat ze daar kan zijn?'

Ineens kon ik makkelijker ademhalen. 'Het zou me de moeite besparen om iemand te zoeken die met me op reis kan om het te weten te komen.' Ik beet op mijn lip. 'En pa zegt dat dat moet… anders mag ik niet weg.'

'Dat kun je hem niet kwalijk nemen.' Mandy zuchtte diep. Toen schudde ze herhaaldelijk met gefronste wenkbrauwen haar hoofd.

Ik legde mijn hand op haar schouder. 'Wat is er?'

Ze haalde zwijgend haar schouders op.

'Wat, Mandy?'

'Het is zo verschrikkelijk gevaarlijk… in die moderne wereld.'

'*Ach*, zusje…' Ik trok haar naar me toe. 'Mama kan wel voor zichzelf zorgen. Daar moeten we op vertrouwen.'

Ze knikte traag, er blonken tranen in haar bruine ogen. Toen veegde ze even vlug haar ogen en gezicht af met haar schort. Weer schudde ze haar hoofd. 'Nee, we moeten erop vertrouwen dat God over haar waakt.'

Met een glimlach stemde ik daarmee in.

Mandy liet haar hoofd tegen mijn wang rusten. 'Ik hoop dat jij niet ook ineens bij ons weggaat, Gracie.' Ze deed een stap naar achteren en keek me smekend aan. 'En als je mama aan de telefoon krijgt, zeg dan alsjeblieft hoe erg ik haar mis. Dat we haar allemáál zo missen.' Mandy vrolijkte op bij het vooruitzicht. 'Dat we willen dat ze naar huis komt.'

Ik gaf een kneepje in haar mollige elleboog en herinnerde me hoe pa's ogen hadden opgelicht toen ik hem vanmorgen vroeg het adres had laten zien. De manier waarop hij zich naar het keukenraam had omgedraaid en met een dromerige glans in zijn ogen naar het zwaluwenhuis had gekeken. Ik vroeg me af of hij soms bang was om te veel te hopen. Of zat er meer achter dan wij allemaal wisten?

Maar dit was niet het moment om bij zulke dingen stil te staan. Ik moest nadenken over wat ik moest zeggen tegen degene die de telefoon opnam. Hoe ik duidelijk moest maken wie ik was, en waarom ik belde.

Mandy liep om het bed heen en trok het bovenlaken strak. Daarna de deken. Ze schonk me een droevig glimlachje en toen we klaar waren in pa's kamer ging ze zonder iets te zeggen naar beneden om roereieren te maken voor het ontbijt.

Ik ging naar mijn eigen slaapkamer verderop in de gang. Daar haalde ik mama's modderige zakdoekje uit mijn zak. *Zult u wel aan de telefoon willen komen… als u te weten komt wie er belt?*

Toen legde ik met een gebed in mijn hart het zakdoekje zo voorzichtig in de lade van mijn kast alsof het een baby'tje was.

Schenk me de moed, God.

Voor alles wat je hebt gemist,
heb je iets anders verworven...

Emerson

Hoofdstuk 1

Adah Esh gleed uit haar warme bed. Ze had langer geslapen dan anders. Op haar tenen liep ze naar het eind van de gang, naar de ongebruikte ruimte die ze bestemd had als naaikamer. Het gezellige plekje op de eerste verdieping had twee ramen op het noordoosten. Adah trok de donkergroene jaloezieën omhoog en keek uit over het onbelemmerde weidse uitzicht. Flarden geel waaierden al onder de horizon uit.

Sinds Letties vertrek bijna een maand geleden, voelde Adah zich gedrongen om hier te komen en de dag met zijn zegeningen op te dragen aan God. Vroeger had ze deze daad van overgave bij Lettie zelf opgemerkt, die als tiener de dag begon voor haar slaapkamerraam, terwijl haar schouders soms zwoegden onder het geheim dat ze droeg. Andere keren trof Adah haar dicht tegen het raam aan gedrukt terwijl ze naar buiten keek, smachtend naar troost in de luister van de dageraad.

Op dagen dat haar dochter een weg vond om te spreken, wees Lettie soms op het zonlicht dat schitterde op de windmolen van de buren aan de overkant van het veld. 'Net een geschenk,' zei ze dan, het geringste spoor van schoonheid aangrijpend. Alles wat haar aandacht voor even kon afleiden van haar verdriet. Haar schande.

In Adahs hart knaagde opnieuw de oude pijn van de ontdekking dat haar kleine Lettie in verwachting was, en nog wel van de jongeman aan wie Jakob en zij zo'n hekel hadden gehad. Arme Lettie, zo radeloos van verdriet dat Adah noch iemand anders haar kon opvrolijken… Haar terneergeslagen dochter had voor haar raam gehuild als een gevangen musje in een kooi.

Maar tot voor kort hadden die donkere, droevige dagen allang tot het verleden behoord. Adah verfoeide Samuel Graber niet meer omdat hij haar dochter zo had gekwetst, noch koesterde ze wrok tegen Lettie wegens haar bevlieging voor hem... of wegens hun gruwelijke zonde. En nooit was ze het kind vergeten dat ze Lettie had gedwongen op te geven – haar eigen kleinkindje – noch de adoptieregeling die achteraf was getroffen.

Nu liet Adah haar hand rusten op de vensterbank van het raam aan deze kant van het grote, drie verdiepingen hoge huis van schoonzoon Judah. Ze wijdde de dag aan de almachtige God, Die hem had geschapen. De Ene Die Lettie ook kende en haar zag, waar ze ook mocht zijn.

Het uitzicht door dit bijzondere raam beviel Adah uitstekend, hoewel het anders was dan het uitzicht uit het eerste huis van Jakob en haar. In de laatste jaren was het bezit van dat huis overgegaan op hun jongste getrouwde zoon en zijn vrouw: Ethan en Hannah. Adah zelf stelde zich ermee tevreden haar levensavond hier door te brengen, onder de oppassende zorg van Letties echtgenoot. *Was Lettie hier ook maar. O God, laat het zo zijn!*

Ze liep dichter naar het raam en keek toe hoe de aarde tot leven kwam. De dag fonkelde in de zon. Het gonsde in Bird-in-Hand al van drukte; boeren bewerkten met hun muilezelspannen de groene velden die zich in alle richtingen uitstrekten. Straks kwam haar Jakob in beweging en ze zou haar dagdroom achterlaten om zijn gerimpelde wang te gaan kussen terwijl hij wakker werd. Dan zouden ze zich aankleden en naar beneden gaan om te ontbijten als hun kleindochter hen aan tafel riep, waarop Lettie altijd een feestmaal had uitgestald. Deze verantwoordelijkheid was nu toegevallen aan de plichtsgetrouwe Grace, die pas eenentwintig was en de laatste tijd steeds meer op haar moeder ging lijken in haar ijver om te koken en het huishouden te doen.

'Wat zal deze dag brengen?' fluisterde Adah voordat ze zich van het raam afwendde. 'Zou Grace Lettie met één enkel telefoontje kunnen vinden?'

Ze liep zwijgend naar de grote kamer die ze deelde met

Jakob en zag vanuit de deuropening dat hij nog steeds sliep. Op dat moment vroeg ze zich af of het een goed besluit was geweest dat ze Grace het adres hadden gegeven van het hotel in Kidron, Ohio, waar Lettie en zij zo lang geleden hadden gelogeerd. Zachtjes liep ze naar de kant van haar man en ging zitten wachten tot zijn opgezette ogen trillend opengingen.

Zo lang hebben we Letties geheim beschermd. Bevend dacht Adah aan Grace' vastbeslotenheid om haar moeder te vinden en aan wat ze in plaats daarvan zou kunnen vinden.

Ach, heb ik een vergissing begaan?

★

Diezelfde dinsdag, na een ontbijt van gebakken aardappels, roereieren en crackers in warme melk, hoorde Grace tot haar verrassing dat Mandy de naam van Henry Stahl noemde.

Mandy was de vloer aan het vegen en ze stopte abrupt om op te kijken van het hoopje kruimels. 'Ik vind het heel vervelend om het te zeggen, maar Priscilla Stahl is er niet blij mee dat je het uitgemaakt hebt met haar broer.'

Er vormde zich een knoop in Grace' maag. *Daar heeft Prissy niets mee te maken...*

'Heeft ze dat gezegd?'

'*Jah.*' Mandy veegde het vuil in het blik.

'Prissy is gewoon van streek,' verzekerde Grace haar zus. Het was uitgesproken lastig geweest om het afgelopen zondag na de zangavond met Henry uit te maken, maar ze had het niet ondoordacht gedaan. *Had Henry er echt met zijn zus over gepraat? Niets voor hem om zoiets te vertellen.* Ze dacht aan haar oudste broer Adam; Grace had het ook al aan *hem* verteld.

'Prissy zegt dat je Henry de bons hebt gegeven.' Mandy leegde het blik in de afvalemmer onder de gootsteen.

'Hoe moet zij dat weten?'

Mandy haalde haar schouders op. 'Nou ja, ze viel tegen me uit – en tegen Adam, neem ik aan – dat je zijn wonder-*gute* geschenk hebt versmaad.'

Grace kon er niets aan doen; ze lachte. 'Wat er tussen Henry en mij is gebeurd heeft niets met die klok te maken, dat was mijn verjaarscadeau.'

'Bedoel je niet je verlovingsgeschenk?'

Grace zuchtte. Adams bemoeizuchtige verloofde kon toch wel begrijpen dat Henry niet geschikt was geweest voor Grace; zoals Henry zelf beslist had beseft. Lieve help, toen Grace had gezegd dat ze uit elkaar moesten gaan, had hij niet eens bezwaar gemaakt of het voor hun liefde opgenomen.

Misschien is liefde een te sterk woord, dacht ze toen. In de maanden dat ze verkering hadden, had zijn zwijgzaamheid in het algemeen haar het meest gestoord. Toen was mama thuis weggelopen en het was Grace duidelijk geworden dat pa en zijn afstandelijke manier van doen de reden moest zijn. Nee, het was duidelijk dat Grace niet met iemand als Henry kon trouwen.

Te bedenken dat mama al bijna een maand weg is. Het leek veel langer geleden dat ze in het donker was weggeglipt. *Hoe komt een dochter over zoiets heen?*

Pa praatte er nooit meer over, sinds hij enkele dagen lang zo vreselijk ziek was geweest. Hij had het zo druk; misschien wist hij het op die manier te redden. Adam en Joe en ook Mandy schenen hun verdriet ook diep weggestopt te hebben, begraven ergens in hun gebroken hart. *Net als ik…*

Mandy vertrok naar de zitkamer en verzamelde de lappenkleedjes, die ze naar buiten droeg om uit te kloppen.

Intussen nam Grace een kijkje onder het deksel van de koekjespot, waar haar moeder een telefoonkaart bewaarde voor noodgevallen. Maar ze vond helemaal niets. *Had mama hem meegenomen?*

Ze vroeg zich af of haar grootmoeder er eentje in reserve had die ze kon lenen, en snelde door de zitkamer naar de middengang met de houten planken en haken aan weerskanten naar de keurige keuken van *Mammi* Adah. Toen ze zag dat *Mammi* aan de andere kant van de keuken *Dawdi's* grijzende ponyhaar knipte, bleef ze in de deuropening staan wachten zonder een kik te geven, terwijl de schaar erop los knipte.

Grace leunde tegen de deurpost en was zich er pijnlijk van bewust dat ze al haar hoop gevestigd had op het telefoongesprek dat ze voelde dat ze moest voeren. Ze voelde de spanning in haar borst.

Ze kermde onbewust, zodat *Mammi* geschrokken omkeek en haar schaar uit haar handen liet vallen. '*Ach, Mammi...* het spijt me,' zei Grace toen ze de hap uit zijn pony zag.

Dawdi protesteerde klagend in Pennsylvania Dutch.

Mammi smoorde een lach toen ze de schade zag. '*Ach*, Jakob, het zal weer aan moeten groeien,' zei ze met haar hand voor haar mond. 'Hè, Gracie?'

Het was maar goed dat haar grootvader *Mammi's* brede glimlach niet kon zien.

'Had je iets nodig, kind?' vroeg *Mammi* Adah.

'Onze telefoonkaart is weg. Mag ik er misschien eentje van u lenen? Ik zal u terugbetalen als ik mijn volgende loonstrookje krijg.' Ze wilde er niet bij zeggen dat ze naar Ohio wilde bellen. Dat begreep *Mammi* Adah vast wel.

'Ik zal eens kijken.' *Mammi* fronste haar wenkbrauwen toen ze opnieuw taxerend naar *Dawdi's* verknoeide haar keek. Toen maakte ze vlug de handdoek los die ze met een houten knijper om zijn nek had gebonden, zoals ze altijd deed voor de maandelijkse knipbeurt. 'Je moet je hoed maar een paar weken diep over je ogen dragen, lief,' zei ze voordat ze naar de trap liep. Ze wenkte dat Grace haar moest volgen.

Eenmaal op de overloop trok *Mammi* Adah een plechtig gezicht. 'Heb je gehoord dat Willow gewond is?'

Grace had haar lievelingspaard gisteravond nog wortels gevoerd. 'Wat is er gebeurd?'

'Tja, Willow is in paardenjaren ouder dan ik en je kunt ouderdomsproblemen verwachten.' Er gleed een grijze schaduw over *Mammi's* gezicht toen ze stilstond naast de werktafel in de naaikamer. 'Ze is waarschijnlijk hoefbevangen. Volgens je vader heeft ze vanmorgen op de weg haar been bezeerd.' *Mammi* zweeg even en friemelde aan een berg stof die al in vierkantjes was geknipt voor een quilt. 'Misschien moet ze…'

'Misschien moet ze wat?' vroeg Grace.

Mammi zuchtte, met haar hand aan haar keel.

De tranen sprongen Grace in de ogen. 'Nee, nee… ik kan niet geloven dat ze in zal moeten slapen.' Ze schudde haar hoofd. 'O, *Mammi*…'

Haar grootmoeder pakte haar hand. '*Ach*, dit is nooit makkelijk.'

Nee, dat klopt! Ze slikte haar tranen in. 'Hoe is het gekomen?'

'Je vader ging in alle vroegte bij een van de broeders op bezoek. Willow maakte een misstap op de weg en op de terugweg liep ze kreupel. Ze heeft haar rechtervoorbeen bezeerd.'

'Nou, we kunnen het toch insmeren? Dat helpt toch wel?' De knoop van angst in haar buik werd groter toen *Mammi* uit het raam naar de schuur keek.

'Dat zul je aan je vader moeten vragen, kind.'

Dus pa had het al met *Dawdi* en *Mammi* besproken?

'Ik ga zeker met pa praten, reken maar.'

'Ik weet dat je vader alles heeft gedaan wat in zijn macht ligt. Hij was naar Willows zere been aan het kijken toen *Dawdi* na het ontbijt naar buiten ging,' zei *Mammi* zacht. 'We weten allemaal hoe dierbaar dat paard jou is.'

'Ons allemaal… *jah*?'

In *Mammi's* ernstige grijze ogen zag Grace de pijn van de afgelopen weken. Al voor mama's vertrek was *Mammi* Adah erg uit haar doen geweest. De spanning tussen pa en mama was al veel te lang te snijden en daar konden haar grootouders niet overheen stappen.

Grace had zin om meteen naar de schuur te snellen, maar ze pakte de donkerblauwe en groene vierkanten van de naaitafel. *Het heeft geen zin om te tobben over wat je niet kunt veranderen.* Ze legde de vierkantjes uit terwijl *Mammi* in een van haar naailaden naar een telefoonkaart zocht. 'Het wordt hier nog droeviger dan het al is als Willow uit haar lijden wordt geholpen,' zei Grace harder dan haar bedoeling was.

'Dat is waar,' erkende *Mammi* terwijl ze haar de kaart aan-
reikte.

'*Denki, Mammi.*' Nu kon Grace langs de weg naar de telefooncel gaan om op te bellen naar het verre hotel. Grace had
geen idee wat dat hotelletje in Ohio te maken had met mama's
afwezigheid, maar er scheen een verbinding te zijn met het
verleden. Het pure feit dat *Mammi* Adah haar het adres had
gegeven, wees op het belang ervan.

Met haar kaartje in haar hand haastte ze zich naar de trap,
waar ze haar grootvader beneden nog kon horen mopperen.
'*Dawdi* is erg boos,' riep ze over haar schouder, in de hoop dat
haar grootmoeder de hint oppikte en naar beneden ging om
hem te troosten. Wie wist met wat voor nieuws Grace straks
terugkwam?

Met een onrustig voorgevoel liep ze terug naar *Mammi's*
keuken. *Dawdi* zat met zijn gezicht van de deur afgekeerd en
zijn nek was rood aangelopen van frustratie. 'Adah, breng me
eens een handspiegel,' zei hij.

Grace voelde zich verantwoordelijk voor de hap uit zijn
pony en glipte naar buiten. Ze keek naar de schuur en had zin
om haar vader te vragen wat er nog voor Willow gedaan kon
worden. Maar haar vader kennende, zou het niet lang meer
duren voordat de dierenarts kwam. Op dit moment had haar
vermiste moeder haar aandacht harder nodig dan de vroeger
zo gezonde vosmerrie. Grace tilde haar rok op en rende langs
het windscherm van bomen naar de weg.

Nu maar gauw bellen voordat er weer een dag voorbij is...

Hoofdstuk 2

Toen ze over Beechdale Road liep, was Grace zich bewust van de ochtendstilte, die alleen nu en dan verbroken werd door een windvlaag of het eenzame blaten van een lam achter het hek van haar vader. Het grind en de steentjes prikten scherp in haar blote voeten onder de lange groene jurk. Over ditzelfde stuk weg had ze in het donker van de vroege ochtend roepend achter haar moeder aangerend.

Achter de stenen boerderij van prediker Smucker in de verte zweefde een eenzame witte havik en boven haar hoofd scheerde geluidloos een tiental roodborstlijsters. Ze schermde haar gezicht af voor een nieuwe windvlaag en herinnerde zich hoe griezelig sereen het op het uur van haar moeders vertrek was geweest.

In de zak van haar jurk vond ze het strookje papier dat *Mammi* Adah haar gisteren had gegeven... en de telefoonkaart van haar grootmoeder. De meiwind speelde met de zoom van haar rok en de bandjes van haar *Kapp* vlogen over haar schouder toen ze naar het handschrift van haar grootmoeder keek: *Hotel Kidron*.

Bent u daarheen gegaan, mama? Er was maar één manier om erachter te komen, maar Grace werd vreselijk verlegen bij de gedachte met een vreemde te moeten praten. Zelfs in het vooruitzicht straks misschien de stem van haar moeder te horen, aarzelde ze om te bellen. Ze kon het trieste feit niet uitwissen dat haar moeder op die bittere dag niet op haar smeekbeden had gereageerd.

Misschien heeft ze me niet gehoord...

Grace gaf de mensen graag het voordeel van de twijfel. Mama wilde vast niet dat zij of iemand anders zag dat ze wegging. Maar wilde dat zeggen dat mama haar nu ook niet zou laten uitpraten? Grace wilde graag iets weten – wat dan ook – maar ze wilde haar familie niet nog meer pijn doen. Ze hadden al te veel geleden.

Verzin ik smoesjes?

Ze zette de pas erin toen ze verderop de houten telefooncel zag staan. Goed verstopt achter een groepje bomen ver van de weg aan de linkerkant, was hij daar door de Gemeenschap van Eenvoud neergezet. Volgens *Mammi* Adah had de bisschop in eigen persoon een poosje geleden de plek uitgekozen, omdat hij het verkeerd vond om te pronken met de moderne verbinding met de buitenwereld, vooral tegenover de *Englischers* die er elke dag langsreden.

Ze kreeg een brok in haar keel bij de gedachte in zo'n afgelegen omgeving naar de buitenwereld te kunnen bellen. Ze hoefde deze telefoon zelden te gebruiken, behalve om een chauffeur te bestellen.

Ik moet het doen!

Ze vond het smalle zandpaadje en dook met haar hoofd onder de laaghangende takken van een oeroud bosje door naar de gammele deur. Ze wenste net dat ze geoefend had op wat ze moest zeggen, toen ze abrupt stil bleef staan omdat ze verderop een hond hoorde blaffen… en iemand hoorde huilen.

Ze keek over haar schouder en zag door de bladeren heen Jessica Spangler, die met gekruiste benen en gebogen hoofd zat te snikken. De goudblonde labrador van de familie kwam aanrennen en drentelde om Jessica heen alsof hij haar wilde troosten.

Wat is dit?

Vlug liet Grace de telefooncel voor wat hij was en haastte zich over de weg naar haar *Englische* buurmeisje dat ze al zo lang kende. Verloren bleef Jessica zitten op het glooiende gazon voor haar mooie roodstenen huis met de witte luiken terwijl Grace op haar toesnelde.

Het hotel bel ik later wel, als God het wil…

★

Het gonsde in het koffiehuis van de klanten, maar Heather Nelson voelde zich onverwacht ontspannen toen ze op deze mooie morgen weer in haar hoekje zat te internetten. Op hetzelfde knusse plekje als gisteren. Afgelopen zondag had ze er zelfs ook gebruik van gemaakt – op 'de dag des Heeren' zoals de familie Riehl zei. Ze had gewacht tot Andy en Marian met twee grijze rijtuigen vol kinderen naar de samenkomst van de gemeenschap waren gereden voordat ze was vertrokken naar deze comfortabele hoek. Waar ze de troostende blauwe lucht kon zien.

Vandaag was ze te veel afgeleid om aan haar scriptie te kunnen werken; de schrikwekkende gedachten aan wat er met haar lichaam aan de hand was, voerden de boventoon. Heather voelde zich aangetrokken tot een bijzonder interessante chatroom over gezondheid. Geboeid las ze het verhaal van iemand met de gebruikersnaam Willeven, die openhartig vertelde dat hij besloten had zich tot de natuurgeneeswijze te wenden. Nieuwsgierig mengde Heather zich in het gesprek. Eerst was het raar om met vreemden over zoiets persoonlijks te chatten, maar na een uur merkte ze dat de relatie met andere kankerpatiënten een pleister was op de wond die ze had opgelopen toen Devon Powers haar voor een ander aan de kant had gezet. Nou en? Dat hij hun verloving had uitgemaakt zei meer over hem dan over haar; ze was beter af zonder hem. Heather geloofde dat ze over de eerste schok heen begon te komen. Ze werd tenminste niet meer midden in de nacht huilend wakker.

En ik heb hem tenminste nooit alles verteld… Ze was cynisch geworden en chatten met iemand als Willeven kon een productieve manier zijn om met haar eenzaamheid af te rekenen. Ze was zo verstandig om deze man geen relevante informatie te geven. Je wist per slot van rekening maar nooit met wie je online contact had. Maar vermoeid als ze was van haar eigen gedachten kon Heather goed begrijpen hoe iemand verslaafd kon raken aan chatrooms. Niet dat ze geloofde dat deze nieuwe vriend echt om haar gaf. Maar hij *was* er, en dat was heel wat meer dan je van haar vroegere verloofde kon zeggen. Of van de paar studievrienden die ze had.

Toen hij zijn blog noemde, *stof tot nadenken*, klikte Heather die aan omdat ze alles over hem wilde lezen. Achterovergeleund verslond ze de laatst geschreven stukjes. Toen ze klaar was, keerde ze terug naar de chatroom om nog meer stukjes te lezen voordat ze besefte dat ze al veel te lang online was; meer dan twee uur.

Nou ja, ik heb toch de tijd?

Ze keek uit het raam en fluisterde: 'Toch?' Haar blik dwaalde over het heuvelige groene landschap en ze werd overvallen door het verlangen met haar moeder te praten. Kon haar moeder haar zien vanuit de hemel, worstelend met haar eigen angstaanjagende diagnose?

Ze trommelde met haar vingers op tafel en hoopte dat haar vader inderdaad eerder op bezoek kwam dan de bedoeling was geweest, zoals hij laatst op haar voicemail had ingesproken. Wilde hij echt dat ze meehielp een bouwtekening te ontwerpen voor het huis dat hij zo graag wilde neerzetten? Ze dacht aan een moderne boerderij midden in Amish land, met 'elektriek' zoals de familie Riehl het noemde... en een volledig moderne keuken en badkamers. Kon het hem wel iets schelen wat zijn Amish buren ervan zouden vinden, die alles van auto's tot tv's verre van zich hielden? Ze verstootten zelfs hun eigen mensen als die zich niet haarfijn aan de kerkelijke ordinantie hielden.

Ze huiverde als ze eraan dacht dat je je familie kon kwijtraken door zulke rigide praktijken. Een groot deel van hun levensstijl stelde haar voor een raadsel, vooral de notie van volledige overgave, het opgeven van de eigen wil omwille van God en een afgezonderde maatschappij – het tegenovergestelde van de zelfexpressie waartoe zij was opgevoed. Maar voor het Amish arbeidsethos viel veel te zeggen.

Ze vroeg zich af of de Amish' voorkeur voor werken op het land haar vader in zijn greep had gekregen. 'We krijgen meer tijd om van de natuur te genieten, we gaan samen een tuin aanleggen,' had hij in zijn laatste voicemail verklaard, alsof dat al genoeg reden was om te verhuizen. Maar om de wortels van hun hele leven uit te trekken? De staat Virginia was inderdaad stampvol; tenminste waar zij woonde, in de buurt van Williamsburg. Maar waarom zouden ze hun geliefde huis verkopen en hierheen verhuizen?

Heather stelde zich haar vader voor bezig met tuinieren – zichzelf had ze nooit als een buitenmens beschouwd. Afgezien van middagen aan het strand met studiegenoten of lange wandelingen met mam, voordat de kanker kwam en haar moeders krachten afnamen, had ze een groot deel van haar tijd tevreden binnen gezeten. En haar masterprogramma Amerikaanse Studies had al haar uren opgeslokt. *Tot vorige maand…*

Sinds de diagnose had ze online bijna alles gelezen over non-Hodgkin lymfomen en de behandelingen, zowel conventioneel medische als alternatieve geneeswijzen. Dat laatste had haar hierheen gebracht, naar de plaats waar ze voor het laatst echte vrede had gevoeld, de vrede die haar wegdreef van de stress van het gewone leven. *Ah, Lancaster County… een liefde die mam en ik zo lang hebben gedeeld.*

Sinds ze twee weken geleden aangekomen was in het pension van de familie Riehl had ze vaak langs de molenkreek gewandeld. Ook had ze genoten van ongewone activiteiten zoals eieren rapen met de oudste dochter van de Riehls, Becky van twintig. En voordat ze zich enigszins had losgemaakt van Becky en haar familie had Heather in de tuin gewerkt en geleerd uitgebloeide bloemetjes uit de kleurrijke planten langs het pad te knijpen.

Maar zelfs in deze schitterende omgeving voelde Heather zich heen en weer geslingerd; ze ervoer tegelijkertijd een knagende rusteloosheid en een onverklaarbaar gevoel van tevredenheid. Meer dan op de historische campus van Williamsburg, omringd door het uiterlijk vertoon van de academische wereld die ze zo bewonderde. Ze voelde zich haast gelukkiger dan ze zich zelfs bij Devon Powers had gevoeld. *Voordat hij uitgezonden werd naar Irak.*

Ze zuchtte. Ze moest de herinnering aan hun breuk en de tactloze manier waarop Devon het had aangepakt opzijzetten. Nee, ze moest zich bevrijden van al die onzin, om haar energie te richten op de hoop een natuurlijke geneeswijze te vinden. Haar oncoloog, dokter O'Connor, had haar ziekte 'goed te genezen' genoemd. Maar aan die medische behandeling hing het prijskaartje van een chemokuur en waarschijnlijk bestraling, wat ze vastbesloten had geweigerd. Ze wilde de weg niet gaan die haar moeder het leven had gekost, als er een andere haalbare behandeling gevonden kon worden.

Gelukkig stond ze op de wachtlijst van dokter Marshall; de natuurgenezer die haar moeder had willen raadplegen. Als er eerder een gaatje vrijkwam, zou Heathers afspraak van over een paar weken naar voren geschoven worden.

Heather leunde achterover in het zitje en rekte haar hals. Daarbij voelde ze de grote veiligheidsspeld waarmee ze de tailleband van haar spijkerbroek had ingenomen. *Kan ik deze ziekte verslaan?* Ze dacht even dat ze het hardop gezegd had.

Ze keek een beetje beschaamd om zich heen, maar aan de tafels in haar buurt scheen niemand notitie van haar te nemen. Ze richtte haar aandacht weer op haar laptop. Dankzij de aansporing van Willeven was ze vastbslotener dan ooit om eerst de natuurlijke aanpak te proberen.

Zou dokter Marshall me kunnen helpen?

Hoofdstuk 3

Jessica zat nog in elkaar gedoken op het voorgazon toen Grace bij haar kwam. Haar schouderlange kastanjebruine haar waaide in haar knappe gezichtje toen ze haar tranen wegveegde. *Waarom heeft ze zo'n verdriet?*

Grace ging vlak naast haar zitten. 'Ik hoorde je huilen.'

'Mijn ouders hebben weer ruzie,' bracht Jessica uit. De tranen glinsterden in haar ogen. 'Mam zit nu aan de telefoon met pap.'

Grace drukte haar blote tenen in het gras. 'Wat erg voor je.'

'Ze maken heel vaak ruzie… en pap is de laatste tijd haast nooit thuis. Ik word er zo bang van.'

'Om je ouders?'

'Nou ja, dat ook…'

Grace legde haar hand op Jessica's arm. 'Wat nog meer dan?'

'Ik durf haast niet te trouwen.' Jessica streek haar dikke haar achter een oor. 'Als je dan ziet wat er gebeurt na zoveel jaren huwelijk… dat mensen gewoon uit elkaar drijven!'

Omdat Grace wenste dat haar eigen moeder op haar plaats was gebleven, begreep ze wel iets van Jessica's zorgen. 'Nou ja, je moet niet vergeten dat er ook meer dan genoeg echtparen zijn die goed met elkaar kunnen opschieten,' zei ze zacht.

'Maar *mijn* ouders niet,' antwoordde Jessica mistroostig.

Op dat moment kwam haar moeder, Carole Spangler, naar buiten. Ze droeg een lange, witte tuniek over haar verschoten spijkerbroek. Zonder een woord te zeggen pakte ze een rubber balletje op en gooide het met kracht naar de mooie labrador. De wind nam het balletje mee, maar de hond ving het behendig op in zijn bek. Toen kwam hij over het brede gazon aanrennen en liet het balletje vallen in Grace' schoot.

'Hij vindt je aardig,' zei Jessica met een zwak lachje.

Grace pakte het balletje op en gooide het weg, starend naar het huis van haar vader in de verte. Kon ze haar vriendin maar bemoedigende woorden bieden. Maar ook zij had met die zorgen geworsteld in haar verloving met Henry.

De hond joeg achter het balletje aan, maar bleef hijgend staan toen hij beneden het weiland vol schapen ontdekte. Zijn staart ging de lucht in en hij spitste zijn oren. Verbaasd vroeg Grace zich af hoe een langzaam voortbewegende kudde schapen de aandacht van zo'n energieke hond kon vasthouden.

Toen Grace vond dat ze naar huis moest, vroeg Carole of Jessica een doos eieren wilde gaan kopen bij de Riehls. 'Het schijnt dat je tijd in overvloed hebt,' zei ze, waarop Jessica zachtjes kreunde.

'O, ik haal die eieren wel even,' bood Grace aan, omdat ze medelijden had met haar vriendin.

'Gracie... nee. Dat hoeft echt niet,' zei Jessica vlug.

'Ik wil het graag.' Grace rees overeind van het gazon en klopte haar lange jurk en schort af.

Carole knikte en haalde een biljet van vijf dollar tevoorschijn. 'Houd het wisselgeld maar voor de moeite. Ik heb het veel te druk om zelfs maar een paar minuten het huis uit te gaan,' zei ze. 'Ik moet nog een paar taarten bakken voor de bazaar van de kerk.' De vrouw was altijd een beetje gehaast, herinnerde Grace zich. Zelfs toen Carole pa's hartslag en ademhaling kwam controleren nadat hij kortgeleden was ingestort, had ze haast gehad om naar huis terug te gaan.

Haar hele leven had Grace gezien hoe hun *Englische* buren geneigd waren in een gejaagd tempo te leven. Zelden bleven ze rustig thuis.

'Ik ben zo terug met de eieren,' zei Grace.

Carole bedankte haar. 'Als ik ze na de lunch maar heb.'

'Weet u het zeker?'

'Ik heb er genoeg voor de taarten. Vanmiddag is goed,' zei Carole met een blik op Jessica, die in het gras gezeten haar tranen droogde.

'Goed dan.' Grace schermde haar ogen af voor het meedogenloze zonlicht en nam het geld aan. Tegen Jessica zei ze: 'Je komt maar langs wanneer je wilt, hoor.'

Jessica keek even op en knikte. 'Dank je, Gracie.'

Met een bezwaard hart liep ze naar de weg, waar ze links afsloeg naar huis. Toen ze weer in de buurt van de telefooncel kwam, bedacht ze dat pa en *Mammi* Adah net als Mandy gretig wachtten op bericht van mama.

'Wat moet ik ze vertellen?' zei ze hardop. *Dat Jessica's ouders ook in de knoei zitten?*

Eigenlijk wilde haar hele familie meer dan alleen bericht van mama. Het was nog beter als mama gewoon naar huis kwam, minder was niet genoeg. Grace had daar elke dag minder hoop op en vulde haar dagen met hard werken, ze deed haast meer dan iemand van de vroege ochtend tot de late avond voor elkaar kon krijgen.

Nu haastte ze zich langs de bomen waartussen de telefooncel stond, met zijn ene raam op het noorden gericht, in de richting van de boerderij van de familie Riehl in de verte. *Morgen…*

Toen Grace langs haar huis snelde, zag ze de schapen van haar vader met z'n allen bij elkaar gekropen in een hoek van het weiland. Op de oprijlaan stonden paard en rijtuig van de dierenarts geparkeerd. Met een gebed voor Willow in haar hart liep ze rechtdoor naar de Riehls, in de hoop dat Mandy of *Mammi* Adah haar niet op de weg had zien lopen. Ze was niet in de stemming om nog meer verdrietige dingen uit de buurt te bespreken.

Ze sloeg de oprijlaan van de Riehls in en zag Becky bezig een van hun trekpaarden voor het grijze familierijtuig te spannen. '*Wie geht's?*' riep ze naar haar hartsvriendin.

'Goed… en met jou?' Becky stak met een verdrietig gezicht haar hand op.

Grace haastte zich naar haar toe. 'O, je huilt!' *Is iedereen vandaag in tranen?*

Becky knikte langzaam. '*Jah*, dom, hè?'

'Nee, nee. Het geeft niet.'

Becky verborg haar gezicht in haar handen. 'O, Gracie…'

Grace legde een hand op de schouder van haar vriendin en keek rond of iemand hen zag. 'Kom, dan gaan we ergens heen om te praten, goed?'

'Help me dan even met inspannen.' Becky veegde haar tranen weg. 'Ik heb het mama beloofd.'

Grace deed wat ze kon om het proces te versnellen, maar haar vriendin kon zich niet inhouden en ze begon te vertellen over haar verdriet om Yonnie Bontrager, de knappe jongen op wie ze haar hart had gezet. 'Ik dacht dat hij me leuk vond. Ik dacht het echt.'

'Ik dacht het ook.' Grace zei maar niet dat ze Yonnie afgelopen zondagavond na de zang alleen naar huis had zien gaan.

'O… ik weet niet wat er tussen ons aan de hand is.'

Daar dacht Grace over na. 'Dat is moeilijk te zeggen bij sommige jongens.'

'Zeg dat wel.'

Ze keek Becky vriendelijk aan. 'Heeft Yonnie je een aanwijzing gegeven… ik bedoel, heeft hij uitgelegd waarom…'

'Hij vraagt me gewoon ineens niet meer mee uit wandelen.' Becky haalde diep adem en knipperde tegen haar tranen. 'Tijdens de laatste zangavond is hij uit mijn buurt gebleven.'

'*Ach*, Becky… het spijt me dat te horen.' Grace had Yonnie en Becky vaak genoeg gadegeslagen om te geloven dat ze iets bijzonders hadden.

Becky stond op en klopte het paard een hele tijd op de hals voordat ze weer iets zei. 'Eerlijk gezegd vond ik hem leuker dan hij mij, denk ik.'

'Ik snap niet hoe dat kan.'

Becky legde haar hand op haar hart en staarde in de verte. 'Hij is heel anders dan vroeger…'

Sommige jongens verloren te snel hun belangstelling. 'Nou ja, beter dat je het te weten komt voordat je verloofd bent of…' Grace zweeg toen ze aan Jessica's ouders dacht.

'Of getrouwd?'

'Ik zeg alleen dat het misschien beter is als jullie uit elkaar gaan… nu hij zich zo gedraagt.' Ze legde haar hand op Becky's arm. 'Ik vind het heel erg dat hij je zo verdrietig maakt.'

Ze liepen samen het huis binnen en Becky's moeder, Marian, begroette Grace met haar gewone opgewekte glimlach. Ze veegde haar handen af aan haar schort. 'Ik ben blij dat je langskomt. Wat voor lekkers kan ik jullie aanbieden?'

Grace herinnerde zich ineens waarvoor ze kwam. Ze stak haar hand in haar zak en haalde het vijfdollarbiljet van mevrouw Spangler tevoorschijn. 'Onze *Englische* buren verderop willen graag een doos eieren hebben.' Ze stak haar het geld toe.

'Dat kun je gerust wegstoppen. Ik hoef geen geld te verdienen aan onze buren. Ze hebben zoveel voor ons gedaan!' Marian liep prompt naar de op benzine lopende koelkast en haalde er een doos eieren uit. 'Deze zijn gistermiddag geraapt.'

'*Des gut.*' Grace nam de eieren aan en bedankte Marian, terwijl ze de achterdeur opendeed. In de wind meende ze een paard treurig te horen hinniken. Verlangend om bij Willow te kijken en te horen wat de dierenarts had gezegd, liep ze zo hard als ze kon zonder de eieren te breken.

Alstublieft, God, laat Willow beter worden.

★

'Zoals je weet is Willow niet zomaar een tuigpaard voor ons,' zei Judah Byler tegen de dierenarts, Jerry Wilder. 'Ze is eigenlijk een huisdier geworden.' *Vooral voor Grace.*

Jerry onderzocht de kniegewrichten van de merrie aan alle vier de benen, op zoek naar een zwelling. Hij was een flinke vent met donkerbruin haar en een bril, en hoewel hij beslist een *Englischer* was, droeg hij als een Amish man een stemmig grijs overhemd met lange mouwen en donkergele bretels. Al meer dan dertig jaar lang kwam Jerry bij al het vee van de boeren in Bird-in-Hand en Judah stelde de bedachtzame manier waarop hij beslissingen nam op prijs; er was niets impulsiefs aan de man.

28

Judah streelde Willows hoofd om haar te kalmeren. Ze hield Jerry met haar ogen in de gaten nu hij met zijn handen op zoek was naar ongewone bulten, sneden of warme plekken, terwijl hij intussen uitlegde wat hij deed. Hij streek met zijn handen langs de schouders en heupen van de merrie en tilde elke voet op om de straal en de zool te onderzoeken. 'Ik zoek naar zwellingen of vreemde voorwerpen… en ik kijk of de straal vol vuil zit. Tot zover ziet het er allemaal goed uit,' zei hij over de eerste twee benen.

Hij vroeg Judah om Willow stil te laten staan terwijl hij een stap naar achteren deed om te zien of ze haar gewicht gelijk over haar vier voeten verdeelde. 'Zoals je zei, rechtsvoor is de boosdoener,' merkte hij op. 'Die ontziet ze.'

Jerry richtte zich op en schudde zijn hoofd. 'Tenzij ik me compleet vergis, lijdt Willow aan hoefbevangenheid, en dat kan de verwonding veroorzaakt hebben. Dat is niet best, gezien haar leeftijd.'

Judah bleef Willow vasthouden; de merrie was alert, maar hij wist dat ze niet bang was. 'Haalt ze het?'

'Nou, dat zou eerlijk gezegd een wonder zijn.' De dierenarts legde zijn hand op de neus van het paard en streelde haar zacht. 'Ik stel extra aandacht van familieleden voor. Als ze lopen vervelend gaat vinden moet je me bellen, dan maken we een röntgenfoto van haar hoef. Ik zal voor vandaag pijnstillers voorschrijven.' Hij bekeek de stal. 'Maak maar een lekker zacht bedje van zaagsel of walnootspaanders… dat is prettiger voor haar.'

'Goed,' zei Judah.

'Ik hoop dat ik het mis heb, maar ik denk dat je haar uiteindelijk zult moeten laten inslapen.'

Judah huiverde bij de gedachte Willow uit haar lijden te helpen. Hoe zou Grace het opnemen? Ze leek sterk, maar hij was ervan overtuigd dat ze de moed erin hield omwille van haar broers en Mandy. *En voor mij ontegenzeggelijk ook.* Willow kwijtraken was als het verlies van een goede vriendin. *En ieder verlies was er een te veel…*

'Je weet waar je me kunt bereiken, Judah.'

Hij knikte.

Jerry zwaaide even. 'Veel succes.'

'Ik bel je wel… als het nodig is.'

De wind trok aan en blies afgevallen bladeren voor de voeten van de dierenarts. Judah stond op en keek hem na. Hij bracht zijn hand naar achteren en masseerde zijn zere nek. Toen draaide hij zich bezwaard om naar de stal, naar Willow.

'Het spijt me vreselijk, meisje.' Diep gebukt wreef hij voorzichtig het bezeerde been.

'Pa?'

Hij had Grace niet horen binnenkomen. 'Zeg, je besluipt me.'

'Dat was niet mijn bedoeling.' Ze knielde vlug en liet haar gezicht tegen een van Willows goede benen rusten. 'Ze haalt het toch, hè pa?'

Hij vertelde wat de dierenarts had gezegd, zijn hart ging naar haar uit. Hij liet weg wat hij geïnsinueerd had, maar zei: 'Ze is hoefbevangen.'

De tranen sprongen haar in de ogen. '*Ach…* nee.'

'Het zal een wonder zijn…' begon hij, en zweeg. Zijn dochter wist wat er op het spel stond.

'Ik bid voor haar, pa. Is dat kinderachtig, om God te smeken voor een dier?'

Mededogen welde in hem op. 'Dat is niet aan mij.' Hij glimlachte teder.

'Goed. Ik zal er niet mee ophouden.' Ze gaf Willow een kus op haar neus.

Even leefde Judah op door de warmte in zijn hart. Maar nadat Grace weer naar huis was gegaan, prikten de tranen achter zijn ogen en maakten zijn blik troebel. Toen rolden ze vrijuit over zijn wangen. *God geeft… en neemt.*

Hoofdstuk 4

Na Grace' warme maaltijd van gebraden vlees en aardappels, gestoomde worteltjes en bloemkool, zelfgemaakte appelmoes en bieteieren – en zelfgemaakte limonade om te drinken – bekende ze pa en de anderen dat ze nog niet naar Ohio had gebeld. Ze vertelde er niet bij waarom niet. *Mammi* Adah had verbazend opgelucht gekeken, herinnerde Grace zich toen ze de etensresten naar de composthoop achter de schuur bracht.

Genietend van het volle gras onder haar voeten dacht ze weer aan pa's lieve manier van doen toen ze daarstraks bij Willow in de schuur waren geweest. Ondanks het verdrietige moment had het haar gesterkt hoe vriendelijk hij haar het nieuws had verteld, van vader tot dochter. Nooit had ze hem zo vrijelijk tegen een vrouw horen praten.

Ze slenterde over het erf terug naar huis toen ze paardenhoeven hoorde op de oprijlaan. Ze keek wie eraan kwam. En daar zat levensgroot – en glimlachend van oor tot oor – Yonnie Bontrager hoog op zijn nieuwe open rijtuigje.

Wat doet die hier?

Denkend aan Becky's verdriet om hem zwaaide ze niet terug, ook niet toen Yonnie haar blik ving en glimlachte. *Net als zondagavond.* Ze dacht weer aan zijn vriendelijke grijns toen hij zonder Becky de zangavond verliet. Wat zou er gebeuren als het praatje rondging dat Yonnie was langsgekomen?

Wat moet Becky daarvan denken? Ontsteld haastte Grace zich om het huis heen het trapje op. Ze bereikte de keukendeur en glipte naar binnen voordat Yonnie iets tegen haar kon zeggen. Ze schoot naar de bijkeukenkast om de stokdweil en de emmer te pakken. Er was meer dan genoeg werk te doen om haar bezig te houden voordat ze naar Carole Spangler moest met de eieren uit het kippenhok van de familie Riehl.

Toen ze pa en Adam buiten vrolijk '*Willkumm!*' tegen Yonnie hoorde roepen, nam ze aan dat hij een stuk gereedschap kwam lenen. Ze schudde het beeld van de knappe Yonnie in zijn rijtuigje met de teugels nonchalant in de hand van zich af. Inderdaad had ze erg van zijn gezelschap genoten, voordat ze regelmatig met Henry Stahl uit was gegaan. Maar dat was vorig jaar, toen Yonnie en zijn familie net uit Indiana hierheen waren verhuisd en Yonnie had haar maar een paar keer na de zang mee uit wandelen gevraagd. Hij had uitgebreid uitgelegd dat hij met opzet geen eigen open rijtuigje wilde hebben voordat hij beslist had met wie hij verkering wilde, als om te testen hoe ze reageerde. Hij was serieus en zorgvuldig met het onderwerp verkering omgegaan. En dan te bedenken dat Grace er zo zeker van was geweest dat hij haar vriendin zou kiezen.

Grace bukte om goed met de slierten van de dweil in de hoekjes te komen. Lieve help, Yonnie was vlak langs het huis van de familie Riehl gereden om hierheen te gaan! Had hij wel enig idee hoe dol Becky op hem was? *Het is niet aan mij om dat te zeggen.* Bovendien was Becky haar eerste zorg. *Boven een of andere sufkop van een jongen!*

Toen Grace de vuilste loopgebieden had gedweild, gooide ze het grijze water naar buiten, spoelde haar dweil uit en waste haar handen. Een snelle blik leerde haar dat het rijtuig nog op het terrein stond.

Toen zag ze ineens Yonnie zelf bij de schuurdeur staan, met een jong lam in zijn armen zoals pa soms deed. Geschokt nam ze aan dat pa hem een uitleg had gegeven hoe hij voor de lammeren moest zorgen. Een volwassen schaap zou hem zien als een vreemde en schichtig terugdeinzen.

Maar waarom was Yonnie gekomen?

★

Judah zette zijn strohoed af en krabde op zijn hoofd. Hij had geen idee wat hij moest denken van die snotjongen, die zo spontaan voor zijn neus had gestaan. Het liet zich aanzien dat Yonnie was gekomen om te helpen met de pasgeboren lammeren, maar nadat hij de jongen een paar aanwijzingen had gegeven, kreeg hij sterk het gevoel dat er iets anders aan de hand was.

De vader van de jongen, Ephram Bontrager, was vorig jaar in Bird-in-Hand komen wonen om de rijtuigmakerij van zijn ouder wordende oom over te nemen. 'Omdat er op dit moment geen werk voor me is op de boerderij, kom ik maar even langs om te zien of u mijn hulp kunt gebruiken,' had Yonnie gezegd. 'Ik verwacht geen beloning.' Yonnie legde vervolgens uit dat zijn vader hem niet nodig had in de rijtuigmakerij tot Ephram hem in zijn eentje dreef. 'Tot mijn oom met pensioen gaat.'

Judah grinnikte. Hij vroeg zich af wat Grace ervan vond, vooral als de jongen brutaal genoeg was om te blijven eten. Hij stond er nog verbaasd van dat deze jongeman hem kortgeleden aangehouden had in de tuighandel, waar hij toestemming had gevraagd om Grace het hof te maken. Hij vroeg zich af wat zijn dochter vond van Yonnies merkwaardige manier van doen.

Judahs oog viel op slordig werk bij het ligstro en hij riep Adam en Joe. Bossen stro waren rondgestrooid die niet genoeg uitgeschud waren of losgemaakt uit de strakke baal.

'*Guck emol datt* – moet je dat zien!' Hij wees naar de rommel en bukte om een bundel stro op te pakken. 'Daar is geen excuus voor.'

Adam knikte als eerste; hij was de oudste. Maar het was Joe die opbiechtte: 'Mijn schuld, pa, ik had haast.'

'Nou, dat loont nooit.' Judah veegde met de rug van zijn hand over zijn voorhoofd. Hoofdschuddend zuchtte hij en dacht ineens aan Lettie. Dezelfde oude spijt speelde in zijn hoofd.

Achteraf was het makkelijk praten, dat wist hij. Maar hij had geen kans gekregen om het met haar goed te maken… en geen tijd om haar uit te laten praten.

Over zijn schouder zag hij dat Adam en Joe de ligboxen van de niet-drachtige ooien netjes opstrooiden. De jongens praatten snel in Pennsylvania Dutch. Hij had geen zin om hen af te luisteren; dat gebeurde thuis al genoeg. Gisteravond had hij Letties moeder Adah betrapt bij de deur toen ze stond te kijken hoe hij met zijn kinderen uit de Schrift las. Hij had geen idee waarom. Eerlijk gezegd waren Adah en Jakob allebei behoorlijk prikkelbaar de laatste tijd, sinds Letties vertrek. Het was erg vreemd – alsof ze ergens hun mond over hielden.

Weer viel zijn oog op Yonnie. Net zo stug volhardend als zijn eigen jongens probeerde de knaap een mager lammetje te verleiden om uit een babyflesje te drinken. *Alsof hij ook schapenboer wil worden.*

Maar nee, Judah wilde zijn gedachten niet die kant uit laten dwalen. Hij ging ervan uit dat Grace al een *beau* had. Al liep ze dan ook met een lang gezicht rond, zoals Yonnie die dag in de tuighandel had gezegd, dat wilde nog niet zeggen dat ze ongelukkig was met haar aanstaande. *Haar moeder is nota bene verdwenen!*

'Judah!' riep Yonnie. 'Dit lam neemt de fles niet.' Hij trok de speen uit het bekje. 'Ziet u? Geen zuiging.' Hij schudde zijn hoofd, zijn blauwe ogen stonden bezorgd. 'Wat ik ook doe, ik krijg het niet zo ver dat het drinkt.'

Hoe meer Judah met schapen werkte, hoe minder hij wist, voelde hij. *Dat is zo met alles… een mens leert altijd tot de dag dat hij sterft.*

'Blijf met de speen over zijn tandvlees wrijven,' opperde hij.

Yonnie knikte en liep weg met de kop van het lam knus tegen zijn overhemd gedrukt. Hij ging weer naar buiten en trok de schuurdeur achter zich dicht.

Niet zozeer lammetjes, maar schapen waren de behoedzaamste dieren die God geschapen had. Ze waren angstig voor onbekenden, daarom had Judah Yonnie meteen een van zijn oude werkbroeken gegeven om Yonnie aan de kudde voor te stellen. Schapen stonden er ook om bekend dat ze wegdwaalden. Judah had meer dan genoeg van onrustige schapen die door het hek ontsnapten. En het ergste was dat ze dezelfde gewoonten doorgaven aan hun nakomelingen. Een slecht voorbeeld voor de hele kudde.

Ach, *net als Lettie*, dacht hij en vroeg zich af of ze ooit positief zou reageren op zijn zoektocht naar haar. *Als de Goede Herder en dat ene verloren schaapje…*

Op weg naar de andere kant van de schuur, naar de stallen van de muilezels en paarden, keek Judah even bij Willow. Ze was kalmer nu, na de pijnstiller van de dierenarts.

Met nog een blik op de oude merrie pakte hij zijn favoriete greep en begon de stallen uit te mesten. Na al die jaren had hij amper last van de stank. Kon je zo ook aan kokend heet water wennen? Door gewoon te blijven zitten, zonder te merken dat de temperatuur heel langzaam omhoogging?

Zoals een huwelijk door de jaren heen langzaam kan verslechteren…

Bij elke schep mest dacht hij aan de strenge opmerkingen van de broeder vanochtend. Had hij inderdaad op zoek moeten gaan naar zijn eigenzinnige vrouw, zoals de bisschop had geopperd? Had Judah soms naar Ohio moeten bellen in plaats van Grace?

Tot nu toe had hij nog geen vinger uitgestoken om contact te zoeken met Lettie of haar terug te halen. Niet dat het hem niet kon schelen, maar omdat hij wilde dat ze uit zichzelf terugkwam, omdat ze van hem hield. En diep vanbinnen was hij bang dat ze weigerde thuis te komen als hij het vroeg.

Er is zoveel veranderd… Als jongeman had hij achter haar aangezeten toen Lettie de verkeringsleeftijd bereikte. Maar later, na haar terugkeer uit Ohio met haar moeder, waren ze voornamelijk door toedoen van zijn schoonvader getrouwd. Jakob had de weg gebaand voor Judah om snel met Lettie te trouwen.

Hij keek om en zag dat Yonnie nog steeds het lammetje in zijn armen wiegde als een kindje. '*Ach…* ik had je niet gezien.'

'Sorry, maar deze heeft meer aandacht nodig.' Yonnie bekeek het lam. 'De ribbetjes steken helemaal uit.'

Judah leunde op zijn mestvork en veegde zijn handen af aan zijn werkbroek. 'Geef hem eens hier.'

'Het is geen jongetje,' zei Yonnie met twinkelende ogen.

Judah nam het lam en de fles over en bewerkte zachtjes het snoetje van het dier met de speen. Toen liet hij een paar druppels melk op het tongetje vallen. Judah hield zijn adem in en hoopte dat de vriendelijke aanpak succes had, al voelde hij zich slecht op zijn gemak nu hij van nabij werd gadegeslagen.

'Ze is verschrikkelijk teer,' zei Yonnie, die nog dichterbij kwam. Gelukkig raakte de jongeman het kopje van het lam niet aan. Eén beweging en deze ondervoede pasgeborene kon makkelijk worden afgeleid... en de lichte zuiging op de fles verliezen.

Judah hoorde het gestage, ritmische slikken voordat hij het bekende klikgeluid van het zuigen hoorde. Tot zijn opluchting ontspande het lam zich in zijn armen. Deze kon waarschijnlijk gered worden.

'Ik geloof dat u een speciale handigheid hebt,' zei Yonnie. 'Een geschenk uit de hand van de Vader, zou mijn pa zeggen.'

Yonnies onverwachte bewondering maakte Judah zowaar zenuwachtig. Hij wou maar dat de jongen zijn mond hield.

★

Toen ze eindelijk de eieren had bezorgd bij de Spanglers, besefte Grace dat ze veilig aan de andere kant van de weg bleef toen ze de telefooncel naderde. Ze voelde zich schuldig omdat ze het telefoontje uitstelde. *Waar ben ik zo bang voor?*

Ze dwong haar gedachten naar dit laatste bezoek en dacht aan Jessica's verlangen om verder te praten, wat Grace had aangemoedigd. 'Laten we een keer gaan wandelen,' had ze gezegd.

Jessica's moeder had het ongebruikte vijfdollarbiljet op tafel zien liggen. Ze had er een pijnlijke opmerking over gemaakt dat Grace het weleens nodig kon hebben 'als appeltje voor de dorst'.

Vlug op weg naar huis fluisterde ze: 'We kunnen wel voor onszelf zorgen.' *Met of zonder mama.*

Ze schudde haar hoofd toen ze de oprijlaan naderde en Mandy op de voorveranda bij de brievenbus zag staan. Ze hield de post omhoog en riep: 'Ik geloof dat er een brief van mama is! O, Grace, kom vlug!'

Ze pakte haar rok op en rende naar de voortuin. *Is het echt waar?*

Mandy stond de brief af aan Grace en samen gingen ze op de schommelbank zitten. Toen ze zag dat hij in hun moeders handschrift geadresseerd was aan de *familie Judah Byler* scheurde Grace met trillende vingers en bonzend hart de envelop open... *Wat een blijdschap!*

Ze moest denken aan de vele fijne keren dat ze met mama hier op de veranda had gezeten, brieven schrijvend aan Hallie Troyer, haar nicht in Indiana, of het verslag van de week schrijvend in een van de vele rondzendbrieven die door het land circuleerden.

Vlug las Grace in stilte:

Mijn lieve gezin,
Ik wil jullie laten weten dat ik gezond en veilig ben. Ik heb jullie zo vaak willen schrijven of bellen. Ik verlang ernaar jullie stemmen weer eens te horen.
Ik wou dat ik kon uitleggen waarom ik van huis ben weggegaan, zo ver van jullie allemaal. Dat is heel moeilijk op dit moment. Vertrouw er alsjeblieft op dat ik elke dag voor jullie bid, mijn geliefden.
Ik mis jullie vreselijk.
Veel liefs,
mama

Wij missen u ook, dacht Grace, vechtend tegen haar tranen. Maar ze was in de war. Wat kon er zo moeilijk zijn?

Met een blik op Mandy, die zo dicht tegen haar aan gekropen was dat ze haar badzout kon ruiken, gaf ze haar zus de brief.

Mandy hield hem teder vast, haar ogen glinsterden. Toen las ze de brief van haar moeder en vormde geluidloos de woorden met haar mond. Toen ze klaar was, vouwde ze hem weer dicht en stopte hem voorzichtig terug in de envelop. 'Hier, bewaar jij hem maar,' zei ze terwijl ze hem in Grace' hand legde.

'Heb je het poststempel gezien?' Grace wees naar het stempel van het postkantoor: *Kidron, Ohio.* Maar mama had er geen afzender op geschreven. 'Dezelfde stad als het adres van het hotel.' Ze stak haar hand in haar zak en haalde *Mammi's* briefje eruit. 'Zie je?'

Mandy tuurde naar *Mammi* Adahs handschrift. 'Dus *Mammi* had gelijk: mama is ergens in Kidron, misschien zelfs in dat hotel.' Ze keek naar Grace.

Ik mis jullie vreselijk, had mama geschreven.

Het zien van haar moeders handschrift maakte dat Grace in actie kwam. 'Ik ga nu meteen bellen... mama logeert daar vast.'

'Waar anders?' beaamde Mandy.

Ze zuchtte en begreep niet helemaal waarom ze vandaag niet had willen bellen.

'Zal ik met je meelopen?'

Grace kon niet uitmaken of de aanwezigheid van haar zusje naast de kleine telefooncel haar de morele steun zou geven die ze nodig had of haar alleen maar zenuwachtiger zou maken. Maar Mandy stond op en volgde haar over het pad door de zijtuin. Bij elke stap voelde Grace een dreigende mengeling van onrust en verwachting. Zou ze straks een moeder vinden die misschien liever niet gevonden werd?

Hoofdstuk 5

De ringtoon van haar iPhone gaf een riedel en waarschuwde Heather dat er iemand anders dan een familielid of studiegenoot belde. Ze nam op en hoorde tot haar verrassing een sympathieke receptioniste zeggen dat er de volgende ochtend onverwacht een gaatje was in de praktijk van dokter Marshall.

'Fijn. Ik kom, bedankt.' Eén vluchtig ogenblik was Heather helemaal opgetogen. Maar terwijl de receptioniste uitlegde hoe ze moest rijden en het nummer van de praktijk doorgaf, zonk de moed haar in de schoenen. Nadat ze de vrouw nogmaals had bedankt, hing ze op. Die wolk van verdriet had ze niet verwacht. Alsof ze een deur op een kier had gezet waar ze doorheen was geduwd naar een onbekend land.

Ze ademde langzaam in en probeerde over haar schouder te kijken naar de vele verleidelijke lekkernijen in de vitrine tegenover haar. Iets vertelde haar dat dit haar laatste kans kon zijn om zich tegoed te doen aan het 'Standaard Amerikaans Dieet', zoals het op internet soms werd genoemd. In één artikel had zelfs gestaan dat de typisch Amerikaanse manier van eten uiteindelijk je dood kon worden.

Lekker is dat, had ze gedacht.

Ze richtte haar aandacht op haar laptopscherm en sloeg haar scriptie op. Toen opende ze een ander Wordbestand en voegde een nieuw stukje toe aan haar dagelijkse dagboek. Ze typte een kopje: *Het leven zoals ik dat binnenkort zal kennen.*

★

Grace was blij dat Mandy niet teleurgesteld was toen ze haar vroeg buiten de telefooncel te wachten. Toch vond ze het vervelend dat ze haar zusje zo buitensloot. Maar het was beter dat

Mandy het gesprek niet hoorde. Wie wist wat er te gebeuren stond? Bovendien was het toch al benauwd in de cel als Grace de deur achter zich dichtdeed. Of misschien ademde ze de aanwezige lucht te snel in.

Trillend pakte ze de hoorn en hield hem tegen haar oor, luisterend naar de automatische aanwijzingen. Toen toetste ze het nummer van de telefoonkaart in.

Eindelijk ging de telefoon aan de andere kant over. Daarna klonk een vrouwenstem.

'Hotel Kidron, met Tracie Gordon.'

Grace kon niet meer denken.

'Hallo? Is daar iemand?'

'O… pardon.' Ze slikte. 'Ik ben naar iemand op zoek.'

'Ja?'

'Nou, naar mijn moeder. Is ze er toevallig?' Ineens voelde Grace zich zo dwaas, als een verlegen kind. '*Ach*, haar naam is Lettie Byler.'

'Nee, op dit moment niet. Maar… ze is hier wel geweest.'

Grace' hart sprong op. 'O, dat is wonder-*gut*, echt.' Ze wist niet wat ze nog meer moest zeggen.

'Lettie is hier zelfs een paar weken geweest.'

Een paar weken?

'Ik wou dat je eerder gebeld had, kind.'

'Ik ook. En ik had mijn naam moeten zeggen. Ik ben Grace Byler, ik bel uit Bird-in-Hand, Pennsylvania, waar mijn moeder woont.' *Waar ze vroeger woonde…* Grace verstevigde haar greep om de hoorn. 'Heeft ze toevallig gezegd waar ze heen ging?'

'Nee, dat weet ik niet meer.' Even was het stil.

Ach, probeer het alstublieft te bedenken…

'O, wacht,' zei de hotelhoudster ineens. 'Ze zei dat ze op zoek was naar een vroedvrouw.'

Grace' adem stokte in haar keel. *Een vroedvrouw?* 'Dus mijn moeder is nog in de buurt?'

'Dat kan heel goed zijn.'

Grace' keel zat dicht. *Zo dichtbij en toch…* 'Kunt u zich nog iets herinneren? Ging ze soms op bezoek bij haar nichten in een andere staat?' Ze moest gewoon nog meer weten.

'Tja, nu je het zegt, je moeder had het inderdaad over een nicht in Indiana, dat herinner ik me nog.'

'Goed dan. *Denki*.'

'Heel graag gedaan, Grace. En als ik nog iets voor je kan doen, aarzel dan alsjeblieft niet te bellen.'

'Dat is aardig van u. Tot ziens.'

Het woord *vroedvrouw* tolde rond in Grace' hoofd. En al stikte ze zowat in de telefooncel, ze bleef nog even staan nadat ze de hoorn had opgehangen. 'Wat kan dat betekenen?' mompelde ze, door het kleine raampje starend naar de lucht. En hoe moest ze dit aan Mandy uitleggen, die een paar passen van haar af stond te wachten?

En pa… hij zou het toch weten als mama op haar leeftijd nog een kind verwachtte?

Grace legde haar hoofd zo ver in haar nek dat haar *Kapp* naar voren geduwd werd en besloot dat deel van het gesprek niet te onthullen. *Om wat voor andere redenen zou mama naar een vroedvrouw op zoek kunnen zijn? O, lieve help… wat staat ons nog te wachten?*

Ze worstelde om haar frustratie niet te laten blijken. Diep ademhalend opende ze de deur en stapte naar buiten.

Mandy kwam aanrennen. 'Wat ben je te weten gekomen?'

'Mama is er niet, maar ze is er wel geweest. Het is mogelijk dat ze op bezoek is gegaan bij haar nicht Hallie Troyer.'

Mandy staarde haar aan alsof ze er ziek uitzag. Stond de verwarring zo duidelijk op haar gezicht te lezen? 'Dus mama trekt van plaats naar plaats. Waarom zou ze dat doen?'

Grace kon niet anders dan instemmen met de opmerking van haar zusje. Maar waarom zou mama hun een brief schrijven waarin stond dat ze hen miste, als ze niet naar huis kwam?

'Ga je niet Hallie schrijven?' vroeg Mandy.

'Tja, ik betwijfel of de Troyers telefoon hebben, dus misschien zal het wel moeten.' Maar eigenlijk zou ze erheen willen gaan om zelf te kijken.

'*Mammi* Adah heeft vast het adres van de Troyers wel,' hield Mandy aan. 'Toch?'

'Ik heb nog niet besloten wat ik doe.' Ze kwamen onder de schaduw uit van het dichte bosje met lage takken.

Mandy schudde haar hoofd en wierp Grace een scherpe blik toe terwijl ze koers zetten richting huis. 'Ik snap niet waarom alles aan jou wordt overgelaten, Grace.'

'Dat is niet zo.' Ze liet zich niet boos maken. Mandy had ten slotte het volste recht om het te vragen. 'Het is duidelijk dat pa niet in staat is naar mama op zoek te gaan. Nu niet ten-minste.'

'Maar als hij wel kon, geloof ik niet dat hij zou gaan,' flapte Mandy eruit.

'Dat mag je niet zeggen,' vermaande Grace haar. Maar in stilte had zij hetzelfde gedacht.

★

'*Jah*, ik heb de tijd,' zei Yonnie toen Judah met hem meeliep de schuur uit. 'Mijn werk bij de diaken heb ik voorlopig in-gehaald.'

'Nou, hier is meer dan genoeg te doen,' antwoordde Judah.

'En de gewonde merrie moet verzorgd worden, *jah*?'

Als Grace bij Willow is. Judah boog zijn hoofd. 'Ik zie nog niet dat Willow het haalt.'

'Mijn familie heeft ook een keer een moeilijk besluit moe-ten nemen over een paard,' zei Yonnie. 'Pa zegt dat sommige boeren te snel opgeven. Zijn motto is gewoon vol te houden.'

'Dat lijkt me niet goed... als Willow lijdt.'

Yonnie keek hem recht aan. 'Kunt u haar meer tijd geven?'

Judah dacht weer aan de arme Grace. 'Goed dan. We zullen zien wat de dag van morgen brengt.' Yonnie was wel een vol-houder. Maar hij was opgegroeid tussen de paarden en had zijn vader en zijn oom geholpen op de fokkerij in Indiana, voordat ze hierheen verhuisden.

Yonnie tikte aan zijn strohoed en snelde weg om zijn paard voor zijn rijtuig te spannen. 'Morgenvroeg ben ik er weer!'

Judah stond versteld van zijn optimisme. Maar hij kon niets op Yonnie aanmerken vanwege zijn behulpzame karakter. Toen hij voor zich uit stond te staren naar de weg, zag hij Grace en Mandy al pratend zijn kant opkomen. Er vormde zich een glimlach om zijn lippen en hij werd nieuwsgierig naar wat er zou gebeuren als Yonnie zijn oudste dochter tegenkwam voordat hij naar huis vertrok.

Wetend dat hij zich daar het beste buiten kon houden, mompelde Judah: '*Ach*, ouwe man... laat ze met rust.'

★

Na alle onderbrekingen van die middag was Grace blij dat ze een avondmaaltijd had bedacht van gebraden kip en noedels met bruine boter. 'We moeten maar aan pa laten zien wat mama in haar brief schrijft,' zei ze tegen Mandy terwijl ze de tafel dekten voor het eten.

'Doe jij dat maar,' drong Mandy aan terwijl ze de papieren servetten vouwde. 'Hij zal ook wel graag willen weten hoe je telefoongesprek verlopen is.'

Grace wond zich op. Werkelijk, wat viel er te vertellen? Dat mama precies daar gelogeerd had waar *Mammi* Adah had geopperd dat ze heen was... maar nu weer op weg was ergens anders naartoe? 'In plaats van naar huis te komen,' mompelde ze.

'Wat?' Mandy keek om.

'Ik dacht even hardop.'

Mandy schonk haar een geruststellende glimlach en legde het bestek op tafel. 'Je bent zo gespannen. Komt dat door het telefoontje? Is er iets wat je niet hebt verteld?'

'Ik ben meer in de war dan boos. Ik kan niet begrijpen waarom mama maar wegblijft... en waarom ze ons niet gewoon vertelt wat haar dwarszit.'

'*Jah*.' Mandy keek ernstig. 'Er klopt niets van.'

Grace zuchtte. Ze konden het beter ergens anders over hebben.

Vlug vroeg Mandy:'Is het nog te vroeg om *Dawdi* Jakob en *Mammi* Adah te roepen voor het eten?'

'Nee, doe maar. Ik zal Adam en Joe zeggen dat we klaar zijn.' Grace liep naar de zijdeur en riep haar broers. Ze hoorde pa's voetstappen boven in zijn kamer vlak boven de keuken.

Ze stapte net weer naar binnen toen Yonnie Bontrager naar haar zwaaide. Hij stond naast de stal, waar hij zijn paard had ingespannen. Toen hij haar blik ving, richtte hij zich op tot zijn volle lengte. 'Een *guten* avond, Grace,' zei hij met een brede grijns.

Onzeker waarom ze bloosde, keerde Grace terug naar de keuken om het eten op tafel te zetten. Waarom was Yonnie zo lang gebleven? Ze betwijfelde of pa het uit zichzelf zou vertellen en ze wilde er niet naar vragen. Zeker niet onder het eten, als pa zijn hoofd bij mama's brief had.

Met een gebed in haar hart voor de veilige terugkeer van haar moeder legde Grace de envelop met het veelzeggende poststempel naast pa's witte etensbord.

Hoofdstuk 6

Nu hij alleen was, pakte Judah Letties brief op, hunkerend naar bericht van zijn vrouw. *Familie Judah Byler* had ze op de envelop geschreven – de enige keer dat ze zijn naam noemde. Hij las de korte brief en merkte op dat ze simpelweg ondertekend had met *mama*.

Niet met *liefs van Lettie.*

Hij legde de brief op de Bijbel en rees op uit de stoel bij het raam waar hij door de jaren heen soms met Lettie had gezeten. Hij bukte om zijn sokken uit te trekken. Morgen beloofde weer een lange werkdag te worden, de nieuwe lammeren volgden elkaar snel op volgens het geboorteschema dat hij nauwkeurig had opgesteld. Maar binnenkort nam het aantal geboorten geleidelijk af en zouden ze de lammeren vetmesten voor de markt.

In de afgelopen dagen was Grace niet weer begonnen over naar Ohio gaan om Lettie te zoeken. Hij kon alleen maar hopen dat ze die onzin uit haar hoofd had gezet. Wat zouden de mensen zeggen als twee vrouwen uit dit huisgezin op de loop waren? Judah kwam overeind, reikte naar de donkergroene jaloezieën voor het eerste raam en trok ze gelijk met de vensterbank. Hetzelfde deed hij met het tweede raam. Terwijl hij zijn bretels losmaakte, dwaalden zijn gedachten naar Willow en hij hoopte omwille van Grace – en van het paard – dat de behandeling van de dierenarts een ommekeer ten goede zou geven. *En Yonnies inspanningen, voor wat ze waard mogen zijn.*

Hij liep naar zijn kant van het bed en keek nog een keer naar Letties briefje. Waarom had ze eigenlijk geschreven? Dacht ze soms dat ze haar vergaten als ze niets van zich liet horen?

Hij opende de middelste lade van hun gezamenlijke ladekast en pakte een schone pyjamabroek. *Vraag je je weleens af wat wij ervan vinden, Lettie?*

Eén ding stond vast: hij was het zat om alleen wakker te worden. Het werd tijd dat zijn vrouw thuiskwam en opening van zaken gaf over haar verdwijning. 'En het wordt tijd voor een lang gesprek.'

Toen hij zijn werkbroek had uitgetrokken en zijn pyjama-broek aan, sloeg hij de quilt open en stapte in bed. 'Waarom mompel ik in mezelf?' *Het is belachelijk.* Hij pakte de Bijbel en de brief van zijn vrouw. Judah was erg moe, maar hij las twee psalmen achter elkaar voordat hij Letties brief nog een keer las. Waarom had ze niet alleen aan hem geschreven?

Vermoeid stopte hij de brief onder zijn kussen en viel prompt in slaap.

★

Woensdag werd Heather wakker met de gedachte aan een oud juweliersdoosje dat ze vorige maand had gevonden toen ze haar slaapkamerkast opruimde. Het doosje waar haar moeder al haar babytandjes in bewaard had en haar eerste afgeknipte lokjes babyhaar.

Ze rekte zich uit en glimlachte bij de herinnering aan die 'schatten' uit haar kindertijd. Ze gleed uit het bed in haar ge-huurde kamer; het was verstandig om de enige badkamer op de tweede verdieping vroeg te bezetten. Ze verzamelde haar borstel, shampoo en badjas en schoot de gang in.

Ze douchte in recordtijd en toen ze zich had aangekleed en haar haren handdoekdroog gemaakt, drong het tot haar door dat ze geen trek had. *Nul eetlust.* Ze was te zenuwachtig voor de doktersafspraak om Marians volgeladen ontbijttafel eer aan te doen. Het huis van de Riehls was tot de nok toe gevuld; alle gastenkamers waren bezet. 'Lente in Lancaster County is een grote trekpleister voor toeristen,' had Becky gisteren uitgelegd toen Heather en zij de kippen voerden. Het was niet zo schil-derachtig meer als in het begin, maar ze had Becky niet willen beledigen, die ongetwijfeld had gemerkt dat Heather zich na hun eerste contact had teruggetrokken.

Ze heeft me door… net als iedereen uiteindelijk, peinsde Heather terwijl ze de trap afliep.

Marian stond aan het aanrecht in een donkerrode jurk met bijpassend schort, haar blonde haar was in haar nek in een gladde knot getrokken. De bandjes van haar *Kapp* vielen over haar tengere schouders alsof ze ze naar achteren had geduwd en haar helderblauwe ogen straalden toen ze zich omdraaide van het pannenkoekenbeslag. 'Nou, jij bent vroeg op, Heather,' zei ze met een aanstekelijke glimlach. 'Kan ik wat vers gezette koffie voor je inschenken?'

'Koffie is goed, dank je.' Ze was niet in de stemming voor een praatje, maar ze moest het maar doorstaan als ze haar hoognodige dosis cafeïne wilde hebben.

'Ik serveer vanmorgen bosbessenpannenkoeken,' zei Marian vrolijk. Hoeveel de vrouw ook van eten hield, Marian was heel slank. 'Becky is gistermiddag naar nicht Emma gegaan, waar we een vriezer huren, en ze heeft een deel van de bosbessen meegebracht die we in augustus hebben ingevroren.'

'Klinkt heerlijk, maar ik moet weg, ik heb een afspraak vanmorgen.'

'Vorige zomer hebben we heel wat bessen geplukt… de dauw zat er nog op toen we ze opdienden voor het ontbijt.' Marians glimlach werd breder. 'We hadden vorig jaar zelfs meer bosbessen dan bramen.'

Heather keek uit het raam terwijl ze op haar koffie wachtte. Op zulke ochtenden miste ze haar moeder. De geur van pannenkoekenbeslag, een ontbijt dat haar moeder graag maakte, bracht veel gelukkige herinneringen terug. In het begin, vlak na de dood van haar moeder, had Heather zich tegen de herinneringen verzet. Ze had alleen maar overleefd, alsof ze in troebel, diep water zwom. Ze had zelfs alle foto's van haar moeder uit haar slaapkamer weggehaald; het verscheurde haar om haar moeder zo gezond en levendig te zien.

Maar de laatste maanden had ze het verleden welkom geheten en haar moeder was nooit ver uit haar herinnering. Met het besef van een groot verlies was een diep verlangen naar herinneringen gekomen.

'Hier is je koffie, kind... precies zoals je het lekker vindt.'

'Dank je.' Heather draaide zich met een dankbare glimlach om.

'Wil je verder niets? Iets om mee te nemen, misschien?' Marian klonk een beetje bezorgd.

'Nu niet, maar toch bedankt.' Ze ging niet zoals anders aan tafel zitten, maar nam de beker mee terug naar haar kamer en zette hem op het onderzettertje op de ladekast. In de spiegel bekeek ze haar geboende gezicht en begon eyeliner en mascara aan te brengen. Toen borstelde ze haar nog vochtige haar nog een keer.

Toen ze bij de dokterspraktijk aankwam, zag Heather tot haar genoegen dat er maar twee auto's op de parkeerplaats stonden. De vele keren dat ze met haar moeder mee was geweest naar de dokter, vooral de oncoloog, hadden de overtuiging bij haar doen postvatten dat artsen zich voornamelijk druk maakten om hun *eigen* tijdschema. Maar als je de eerste patiënt van de dag was, was je in het voordeel. En toen Heather naar het loket van de receptioniste liep, kon ze op de intekenlijst zien dat ze inderdaad de eerste was.

Een goed begin...

★

Grace vond mama's briefje onder pa's kussen toen ze die ochtend zijn bed opmaakte. Ze nam niet de moeite het nog een keer te lezen, maar legde het op het ronde tafeltje naast het bed. Zou pa – of *Mammi* Adah – enig idee hebben waarom mama een bepaalde vroedvrouw nodig had? En waarom eentje zo ver van huis? *Zou zo'n vrouw mama kunnen helpen met overgangsproblemen?* Grace was nog nooit zo van de wijs geweest.

Terwijl ze de bovenste quilt gladstreek, keek ze de kamer rond. Was hier iets van mama, in de slaapkamer die ze zo lang gedeeld had met pa, wat kon wijzen op haar behoefte om weg te gaan? Was er iets wat een aanwijzing gaf, naast de ontbrekende dichtbundels?

Aarzelend opende ze de kastlades die van mama waren geweest. Ze waren allemaal leeg en ze liep naar het voeteneind van het bed om het deksel van de dekenkist op te tillen. Er zat vast iets in wat ze eerst over het hoofd had gezien, verstopt in de spleten of onder de spreien.

Maar ze vond niets. Althans niets wat op een antwoord wees.

Toen ze het deksel sloot, streek ze opnieuw zuchtend met haar hand over de bedquilt. *O, pa,* dacht ze, *ik vind het zo erg voor u. Wat had ik anders kunnen doen?*

Beneden roerde Mandy, die gisteravond aangeboden had het ontbijt te maken, in het wafelbeslag. 'Dan heb jij tijd om bij Willow te kijken,' had ze gezegd. Grace gaf haar een kus op de wang en haastte zich naar buiten, onder de hoge bomen die pa jaren geleden had geplant. *Heerlijk, die schaduw,* dacht ze terwijl ze de frisse ochtendlucht inademde. De trompetbloemen vertoonden de eerste bloesem, hun feloranje bloemen klommen omhoog langs het fris geschilderde witte latwerk dat Adam jaren geleden tegen de achterkant van het huis had gespijkerd. Mama noemde het altijd kolibrieranken, omdat ze de levendige kleine vogeltjes aantrokken waar het hele gezin graag naar keek.

In de lente en de zomer zat mama graag in deze overschaduwde tuin te genieten van de vele soorten vogels die zongen en in de koele ochtend van tak naar tak vlogen. Als de avond was gekomen, als mama nog niet op de schommelbank op de voorveranda zat, droeg pa soms ook voor *Dawdi* en *Mammi* ligstoelen naar de achtertuin. Ze vonden het heerlijk om daar met z'n vieren op een rijtje te zitten en limonade of ijsthee te drinken, vermoeid van de dag maar met een voldaan gezicht. Altijd waren het mama en haar ouders die het woord voerden, met slechts nu en dan een knikje van pa – op z'n hoogst.

Het gemijmer over mama veranderde snel in ontzetting

toen ze de schuur binnenkwam en Willow op het bed van zaagsel zag liggen, haar gewonde been dicht tegen haar romp getrokken. De pogingen van de dierenarts hadden geen resultaat.

Grace slikte haar tranen weg en streelde Willows manen. 'Zo'n lief dier.' Zacht masseerde ze het zere been, lettend op de geringste reactie. Gisteravond hadden pa en zij de tijd genomen om het been te koelen en afwisselend koude en warme kompressen aan te brengen. Haar vader had haar verzekerd dat stalrust de beste manier was om Willows been te genezen.

Adam was ook bij Willow komen kijken, al was hij er speciaal op gebrand om over Yonnie te praten. Hij had zich hardop afgevraagd wat Grace ervan vond dat hij pa hielp.

Grace had Adam niet opgebiecht wat ze ervan vond. Ze vermoedde dat haar broer nog zijn wonden likte, bij wijze van spreken, na haar besluit om de verloving met Henry te verbreken. Maar het was duidelijk dat Adam ervan uitging dat Yonnie erg geïnteresseerd was in haar. 'Hij is smoor op je,' had haar broer haast beschuldigend gezegd.

Grace vroeg zich af wat hem op dat idee had gebracht. *Omwille van Becky kan hij die gedachten beter voor zich houden.* Ze was klaar met masseren en gaf Willow een klopje op haar schouder. Mandy had vast en zeker de wafels klaar. Op weg terug naar huis trok ze een keer aan het touw om de etensklok te luiden. Eén keer was genoeg, want de mannen zouden flink trek hebben.

Ze ging naar binnen om koffie in te schenken en opnieuw na te denken over mama's afwezigheid. Tientallen keren per dag betrapte ze zich erop dat ze haar moeder iets wilde vragen, even vergetend dat ze er niet was. Of vlak voordat ze naar bed ging dacht ze aan iets wat ze haar moeder wilde vertellen. *Waarom dwaalt ze in Ohio rond? En waarom kan ze hier niet met een vroedvrouw praten?*

Grace was blij toen ze haar vader en broers de voordeur binnen hoorde komen. Het vertrouwde bonzen van de werklaarzen die ze uittrokken in de gang gaf haar troost. Spoedig kwamen ze op kousenvoeten de keuken binnen voor Mandy's heerlijke warme ontbijt. Ze bleef terzijde staan en keek naar de tafel. Alles was zoals het moest zijn. En toen pa, Adam en Joe zich hadden opgefrist voor de maaltijd, zag ze tot haar verbazing een glimlach op pa's gebruinde gezicht.

'Jij en je zus hebben jezelf overtroffen,' zei hij zacht, terwijl hij aan het hoofd van de tafel ging zitten.

Ze wilde haar dankbaarheid tonen voor de onverwacht vriendelijke opmerking van haar vader, maar nam zonder iets te zeggen haar plaats in. De plek waar mama zo lang Grace zich kon herinneren had gezeten, bleef pijnlijk onbezet.

Na het stille gebed en hun eensgezinde 'amen' zei Grace dat ze had gezien hoe zwak en ziek Willow vanmorgen was. 'Kan er niets meer gedaan worden?'

'Er is vannacht niets veranderd,' zei pa met gedempte stem.

'Nou, Yonnie doet een poging met zijn kennis,' zei Joe vanaf de andere kant van de tafel. 'Gisteren heeft hij met haar gepraat en een hele tijd gewoon maar geaaid.'

'Wat weet hij van paarden dat wij niet weten?' Adam nam zijn broer op. 'Ik vind dat we niet te veel moeten hopen.' Hij keek Grace recht aan. 'Willow heeft veel *gute* jaren gehad. Dat is toch het belangrijkste?'

De moed zonk Grace in de schoenen, maar ze knikte.

Pa zei geen woord en iedereen genoot in stilte van zijn ontbijt. Pa en de jongens smakten waarderend. Ze was zich erg bewust van het verdrietige, meelijwekkende zachte hinniken dat uit de schuur kwam. Het was niet goed om het dier zo te laten lijden. *Arme, lieve Willow…*

Ze stond op om nog een kop koffie in te schenken voor pa, vechtend tegen de tranen. Toen ze terugkwam bij de tafel opperde Adam: 'Misschien kun jij opschuiven en op mama's plek gaan zitten… om de leegte een beetje op te vullen.' Aan de overkant van de tafel vulden Mandy en Joe opnieuw hun bord met roereieren, spek, geroosterd brood en warme havermout; ze schenen Adams schokkende opmerking niet gehoord te hebben.

Maar Grace was nog dieper geschokt toen pa met een snelle hoofdknik subtiel toestemming gaf. Zijn onmiddellijke goedkeuring vergrootte haar angst alleen maar. Om een onbekende reden geloofde hij kennelijk niet dat mama binnenkort thuiskwam.

Grace zei geen woord en keek strak naar haar moeders plaats op de houten bank tussen haar en pa. Waarom stelde haar broer dit nu voor, vlak na mama's brief? Ze had per slot van rekening geschreven dat ze hen miste. Dat zei toch iets?

Adam drong aan. 'Waarom niet, Grace?' De vraag ergerde haar. Ook Adam scheen niet te geloven dat hun moeder ooit nog terugkwam. *Daar klopt niets van...*

Eerlijk gezegd had ze weinig zin om op te schuiven, al had haar vader ermee ingestemd. Maar als ongetrouwde jonge vrouw werd van haar verwacht dat ze haar vader en oudere broer gehoorzaamde.

'Het herinnert gewoon zo erg aan haar afwezigheid,' legde Adam zacht uit.

'Pa?' Ze keek hem aan.

Hij haalde diep adem en wenkte met zijn hoofd. 'Mandy en jij kunnen allebei opschuiven... voorlopig.'

Zonder verder te aarzelen deed Grace wat haar gezegd werd. Ze verschoof haar bord en bestek en Mandy volgde en nam plaats op Grace' gewone plaats. Grace keek over de tafel heen naar Adam en toen naar haar vader. Ze voelde zich een beetje ontregeld, maar ze at door. Wat voelde het vreemd om hier te zitten.

Op dat moment kwamen *Dawdi* Jakob en *Mammi* Adah binnen, een beetje laat voor het ontbijt. *Mammi* voerde als excuus aan dat *Dawdi* zich niet goed had gevoeld. Toen ze plaatsnamen aan de overkant van de tafel, wierpen ze Grace een strenge blik toe.

'Waarom zit Gracie daar?' vroeg *Dawdi* met een afkeurende frons.

'Het kan geen kwaad, Jakob,' liet haar vader zich horen. 'Er is een lege plek aan deze tafel.'

'Zeg dat wel,' bromde *Dawdi*.

Later, toen het ontbijt achter de rug was en Grace met haar grootouders terugliep naar hun kant van het huis, werd er tot Grace' grote opluchting niets meer gezegd. Ze wilde niet dat er verder aan pa getwijfeld werd. Ze waren ten slotte in een overgangsperiode – 'nieuwe ontwikkelingen', had *Dawdi* Jakob pas nog gezegd. En niemand, zelfs hun vader niet, wist hoe de normale toestand teruggebracht kon worden.

Hoofdstuk 7

Grace en Mandy wasten de ontbijtboel af toen Yonnie met vliegende vaart in zijn open rijtuigje over de oprijlaan aan kwam rijden. 'Uitslover,' zei Grace fluisterend. Mandy moest het gehoord hebben, want ze haalde haar schouders op voor-dat ze het volgende bord pakte.

Het was duidelijk dat het pa niet verbaasde dat Yonnie te-rugkwam. Omdat ze allebei uit de schuur kwamen om hem te begroeten, leek het er zelfs op dat Joe en pa Yonnie verwacht hadden.

Grace wendde haar blik af, ze wilde haar verrassing niet laten blijken aan Mandy, die haar met nieuwsgierige bruine ogen aan stond te kijken. Grace wilde de keuken klaar hebben en haastte zich de gootsteen te schrobben en grondig uit te spoelen. Daarna ging ze het fornuis afnemen.

'Gaat het?' vroeg Mandy.

'Natuurlijk.'

Mandy perste lucht door haar opeengeklemde lippen. 'Je ziet er niet naar uit.'

Haar zusje dacht zeker dat Yonnies komst haar ergerde. Maar Mandy kon onmogelijk weten waarom, tenzij ook zij Yonnies belangstelling voor Becky had opgemerkt, en dat hij na de laatste twee zangavonden alleen vertrokken was. 'Er is niks aan de hand, heus niet,' hield Grace vol.

'Mij houd je niet voor de gek, Gracie.'

'Wil je een paar aardappels voor me meebrengen?' vroeg Grace, in de hoop dat haar zus de hint begreep en haar met rust liet. Bovendien was het hoog tijd om met de voorbe-reidingen voor het middagmaal te beginnen – een gevulde, stevige stoofschotel – zodat die kon sudderen terwijl ze haar andere werk deed.

Zonder nog een woord te zeggen liep Mandy naar de trap van de koude kelder. Opgelucht ging Grace naar het raam. Had ze haar emoties maar beter verborgen. Op dat moment zag ze dat de grote hond van de Spanglers, de blonde labrador waar ze gisteren mee gespeeld had, door de schapenwei rende. 'Lieve help, nee!' Ze snelde naar de keukendeur en zag als door de bliksem getroffen dat Yonnie over het erf liep. Hij glipte onder het hek door en terwijl hij zijn strohoed achter op zijn hoofd schoof, beende hij kordaat naar het midden van het veld.

De angstige schapen waren in de achterste hoek bij elkaar gekropen. De drachtige ooien konden zo bang worden dat ze te vroeg baarden en dat was niet best. Pa had dit seizoen alle nieuwe lammetjes hard nodig, net als altijd in de lente. De lammeren waren hun voornaamste bron van inkomsten.

Yonnie hurkte midden in het veld neer en stak zijn hand uit naar de opgewonden hond. Grace wist het niet zeker vanaf de plek waar ze toekeek, maar ze meende dat hij met de labrador praatte.

Ze drukte haar neus haast tegen de hordeur. 'Nou moe…' De hond hield op met blaffen en liep langzaam naar Yonnie toe tot hij zijn hand likte en toen zijn gezicht, zodat hij bijna zijn hoed van zijn hoofd stootte. 'Ongelooflijk,' fluisterde Grace.

'Wat?' vroeg Mandy, die tot haar schrik ineens achter haar stond.

'Daar.' Ze wees naar Yonnie, die de hond van de buren aan zijn halsband meevoerde, de heuvel op naar het huis van de Spanglers.

'*Ach*, die hond houdt de schapen al dagen in de gaten,' antwoordde Mandy. 'Ik vroeg me al af wanneer dit zou gebeuren.'

Ook Grace was het gisteren nog opgevallen dat de hond belangstelling had voor de schapen. 'Het is maar *gut* dat er iemand was om die labrador tot bedaren te brengen,' zei ze, denkend aan de ooien.

'De leeuwentemmer, bedoel je?' plaagde Mandy.

Grace lachte kort. 'Hij kan er goed mee omgaan.'

'Nou ja, met honden tenminste.'

Ze lachten. Toen zei Mandy dat ze Yonnie gisteren met een van de zieke lammeren in zijn armen had gezien. 'Pa zegt dat Yonnie juist de zwakste wil redden. Weet je welke?'

Grace wist het. Adam en Joe hadden het meelijwekkende wezentje verder met de fles gevoed toen Yonnie weg was. 'Mandy... heeft pa gezegd dat hij extra hulp nodig had?'

'Geen woord. Waarom?'

Nu was het Grace' beurt om haar schouders op te halen. 'Gewoon nieuwsgierigheid.'

'Het is lastig om Yonnie Bontrager hier te hebben... of niet?'

'Waarom zou je dat denken?' Maar het was inderdaad een vreemde situatie en Grace wist heel goed dat Mandy meer begreep dan ze losliet. Toch was Grace op haar hoede om te praten over de jongen die Becky zo'n pijn had gedaan. Ze vroeg zich af wat Becky er wel van dacht. *Ze heeft hem vast en zeker deze kant op zien komen.* Haar hartsvriendin mocht vooral niet denken dat Yonnie misschien gek op háár was. Voor geen goud!

Toen Mandy haar schort vol aardappels op het aanrecht had geleegd, vertrok ze om *Mammi* Adah te helpen met een berg verstelwerk. Grace zuchtte van verlichting en reageerde haar opgekropte frustratie af op het hakken van de aardappels voor de stoofschotel. *Die Yonnie. Wat een charmeur.* Becky was precies de juiste keuze voor hem. Hoe was het mogelijk dat hij dat niet inzag? Ineens besefte Grace dat hij ook háár hart had kunnen breken als ze hem een jaar geleden zijn gang had laten gaan.

Wat zou er gebeuren als het voorwerp van Becky's liefde bleef komen om pa te helpen in mama's afwezigheid? Grace hoopte maar dat Yonnie niet zo aanmatigend zou zijn om te blijven voor het middagmaal. *Alsof hij een gehuurde kracht is – of nog erger: familie!* Mandy's geplaag kon ze wel hebben; het was de duidelijke afkeuring van haar broer Adam die haar echt dwarszat.

De jonge receptioniste en later het verplegend personeel waren zo vriendelijk dat het Heather overrompelde. Als gevolg daarvan begon haar onrust langzaam af te nemen toen ze de zuster met bruin haar naliep door de gang naar de onderzoekkamer. In plaats van de gewone kale inrichting van een dokterspraktijk was de ruimte mooi gemaakt met aardekleuren en een dakraam, wat een rustig en opgewekt gevoel gaf. Heather liet zich in de comfortabele stoel zakken en probeerde zich te ontspannen.

Ze was ook onder de indruk van dokter Marshall, een knappe, levendige blondine met een aanstekelijke glimlach en twinkelende blauwe ogen. 'Ten eerste wil ik graag dat je me LaVyrle noemt,' begon ze. 'Ik hoop dat we goede vriendinnen worden.'

Heather knikte bemoedigd. 'Ik reken op jou om me te helpen,' zei ze. 'Er is een non-Hodgkin lymfoom bij me gevonden, stadium IIIA. Daarom ben ik hier.'

'Een akelige ziekte natuurlijk,' zei dokter Marshall. 'Rituxan is de conventionele medicatie voor B-cel lymfomen; het is een monocloon antilichaam dat zich richt op de c22 antigenen op het oppervlak van de lymfoomcel.'

'Een ingewikkelde naam voor chemo, hè?' Heather praatte over de verschrikkingen die haar moeder had doorstaan. Toen zei ze: 'Daar heb ik echt geen zin in.'

LaVyrle leunde achterover in haar stoel en glimlachte begrijpend. 'Je weet misschien dat ons lichaam het verbijsterende vermogen heeft om kankercellen te bestrijden, als we het juiste voedsel eten.' Vervolgens beschreef ze de effecten van een streng dieet.

'Kennelijk ben ik het product van de slechte eetgewoonten van mijn ouders,' bekende Heather.

'Dat geldt voor de meeste mensen. Maar denk erom, het is nooit te laat om opnieuw te beginnen.'

'Dat hoopte ik al te horen.' Ineens voelde Heather zich minder alleen.

LaVyrle gaf haar een brochure van een kuuroord. 'Misschien wil je eens nadenken over mijn gezondheidsprogramma. Het is de effectiefste manier die ik ken om te helpen het kwaad van voedsel van slechte kwaliteit en blootstelling aan omgevingsgiffen ongedaan te maken. Zie het als een duwtje in de rug voor je eigen persoonlijke programma tot gezondheid.'

Een verplichting van tien dagen? Ze las de informatie snel door en zag tot haar verrassing dat het oord in de buurt was van het gastenverblijf van de Riehls. 'Dank je. Ik zal het goed lezen.'

LaVyrle glimlachte. 'Voordat je een besluit neemt, moet ik een reeks bloedonderzoeken voorschrijven om een op maat gemaakt plan voor je op te stellen. Ik wil dat je precies weet waar je voor staat.'

Heather probeerde niet te laten merken hoe verbaasd ze was dat ze alweer aan een onderzoek werd onderworpen. *Naalden zijn allesbehalve natuurlijk.*

★

Na de afspraak zat Heather te wachten om naar het laboratorium geroepen te worden. De verpleegster had haar gevraagd bij het volgende bezoek aan de kliniek geen parfum of haarproducten te gebruiken. Naast verscheidene patiënten waren er enkele personeelsleden allergisch.

Ze bladerde in een tijdschrift over voeding, geboeid door een artikel over het versterken van het immuunsysteem.

'Heather,' riep de zuster om.

Ze stond op en nam het tijdschrift mee naar het lab, waar ze het artikel opnieuw opsloeg. Onwillig stroopte ze haar mouw op voor de bloedafname en wenste dat ze haar medische gegevens van thuis had opgevraagd. Alleen was deze kliniek op zoek naar dingen waar haar reguliere kliniek niet eens aan gedacht had, zoals schildkliertekort, potentiële onregelmatigheden van het leverenzym of een mogelijke toxische overbelasting van zware metalen. Zelfs kwikzilver uit eroderende tandvullingen kon het immuunsysteem in gevaar brengen.

Ze huiverde voor de prik, waarna de gestage stroom donker bloed in het buisje zou overgaan; ze had een afschuw van naalden. Maar ze was wel verrast door het krachtige optreden van de arts, die midden veertig was. Heather voelde hoeveel de optimistische vrouw van haar werk hield. En het mooiste was dat LaVyrle geloofde dat ze haar kon helpen de ziekte te verslaan. De weg naar gezondheid leek zich voor haar uit te strekken.

'Je kunt je eerst slechter gaan voelen voordat het beter wordt,' had de natuurarts gewaarschuwd. 'Misselijkheid, hoofdpijn, kramp, huiduitslag – al die symptomen kunnen zich voordoen als de aangetaste cellen en giffen het lichaam verlaten… maar dat zijn de eerste tekenen van herstel.'

Heather begreep dat van haar kant een ijzeren toewijding werd gevraagd. Een verblijf in het kuuroord betekende geen vast voedsel eten, om haar lichaamsenergie te richten naar herstel in plaats van spijsvertering. Sappen en bouillons op basis van planten zouden haar lichaam bevrijden van de opeenhoping van giffen. En naast dagelijkse lever- en darmreiniging, stoombaden en sauna's, zou ze een borsteltechniek leren om haar grootste orgaan – de huid – te ontgiften. Maar het sapvasten was cruciaal. 'Het eten van vers getrokken organische groenten zal je lichaam op cellulair niveau ontgiften,' had LaVyrle uitgelegd in een stoomcursus van een uur over gezondheid en welzijn.

'Troep erin, troep eruit?' had Heather schertsend gezegd toen LaVyrle sprak over de juiste soorten voedsel om ziekte te voorkomen en een optimaal welzijn te handhaven.

Na dit alles was Heather nog steeds vastbesloten om de natuurlijke manier een kans te geven, te beginnen met vandaag, door de lijst noodzakelijke kruidentheeën en voedingssupplementen aan te schaffen, plus zink en vitamine B en C.

Met LaVyrles bemoedigende opmerkingen nog in haar hoofd en een pleister in de kromming van haar elleboog verliet Heather het lab en liep naar haar auto. Ze wilde naar

Eli's Natuurvoeding gaan aan de oostkant van Bird-in-Hand, meteen na een lunch in een plaatselijk natuurvoedingsrestaurant... voordat ze de moed verloor of bedenkingen kreeg over LaVyrles holistische plan om te eten en te leven. Afgezien van de stukjes informatie die haar moeder voor haar overlijden had gegeven – waarvan de meeste afkomstig waren uit boeken over de bestrijding van slopende ziekten – had Heather nog nooit uit een betrouwbare bron zoveel informatie over natuurgeneeswijzen gekregen.

Ze minderde vaart toen ze het kuuroord zag liggen, dat het hele jaar door gedreven werd door LaVyrle en haar personeel. De buitenkant kende ze al goed, geboeid door de statige omgeving was ze er een paar keer langsgereden. Het gebouw stak af bij de schilderachtige hoeve van de Riehls, maar bij allebei prijkte een wit bord op het voorgazon bij de weg. De roodstenen boerderij die was omgebouwd tot kuuroord stond op loopafstand van het stuk land dat haar vader pasgeleden had gekocht. De voor- en zijkant van het huis werden gesierd door brede witte luiken en links van de zwarte voordeur was een grote erker. Overal stonden paarse seringen vol in bloei. De geelgroene tint van treurwilgen daarachter verlichtte de molenkreek, die over het grote stuk land heen liep.

Terwijl ze langzaam langs het kuuroord reed, verbaasde Heather zich opnieuw over haar geluk dat ze weken voor het aanvankelijk geplande bezoek bij de praktijk terecht had gekund. *Was het wel geluk?* De betekenis daarvan kon ze niet van zich afzetten nu ze een nieuwe weg was ingeslagen. *En dan te bedenken dat ik het aan mam te danken heb dat dit allemaal in gang is gezet...*

'Het is tijd om die c22-cellen op hun gezicht te slaan,' zei ze met een blik in de achteruitkijkspiegel. 'En tijd om pap over mijn diagnose te vertellen.'

Heather haalde diep adem en dacht aan het zinnetje dat Marian en Becky Riehl vaak zeiden terwijl ze hun dagelijks werk deden: 'Als God het wil.'

'Dat ook,' fluisterde ze.

Lettie Byler sloot de motelkamerdeur achter zich, deed haar lichtgewicht sjaal, blauwe cape en schort af en liet ze op een stoel vallen. Ze keek de kleine, maar schone kamer rond. De crèmekleurige muren waren nog helderder dan bij haar thuis, maar het grijze kleed en de bijpassende gordijnen gaven een deprimerende sfeer. Wat een contrast met haar gezellige kamer in Hotel Kidron. Tracie Gordon had zich verontschuldigd toen ze Lettie had verteld dat de hele bed-and-breakfast al gereserveerd was voor de afgelopen week. Gelukkig was het Lettie gelukt voor een groot deel van die tijd een andere kamer in de buurt van Kidron te bemachtigen, in elk geval tot ze alles had gedaan wat ze kon om Minnie Keim te vinden, de vroedvrouw die had geholpen bij de geboorte van haar eerste baby.

Voordat ze uit Kidron vertrok, was Lettie twee keer naar de wekelijkse veeveiling gegaan, waar boerenmensen boden op melkkoeien, varkens, schapen en geiten. Hoewel het er voornamelijk stampvol mannen was, was ze ook een paar vrouwen tegengekomen en ze had gehoopt iemand te kunnen spreken die Minnie of haar man Perry kende.

Zoals de Voorzienigheid wilde, was Lettie op een zaterdagmiddag op de terugweg van de veiling gestopt om een verdwaalde bal terug te gooien naar een blonde schooljongen. Hij stond naast de autowasstraat met zijn twee jongere broertjes, en alle drie hadden ze een breedgerande strohoed op. Het schattige drietal stond te wachten tot hun moeder klaar was met het afschrobben van hun zwarte rijtuig voor de kerkdienst van de volgende dag. Toen ze Minnies naam hoorde, was het knappe gezicht van de blonde vrouw opgeklaard. Ze wist zeker dat de vroedvrouw naar Baltic was verhuisd. 'Ik heb gehoord dat Minnie bij een oom en tante logeert.'

'Waarom dat?' had Lettie gevraagd.

'Haar man is pasgeleden ontslagen,' zei de vrouw met een blik vol medeleven. 'Een hoop mensen hebben het moeilijk de laatste tijd.'

En daarom was Lettie nu in het schilderachtige dorpje Baltic, een paar kilometer ten zuidoosten van Charm. Het was een echte meevaller dat ze dit betaalbare logeeradres had gevonden, waar ze korting kreeg op een langer verblijf. Toch had ze besloten dat ze hier misschien niet veel langer hoefde te blijven. Ze had de weinige sporen die ze in dit landelijke plaatsje had al bijna uitgeput, evenals de buitengebieden in het noorden en oosten. Ze had nog maar één kleine aanwijzing, die ze had gekregen van een Amish vrouw die ze in Kidron had ontmoet, een spraakzame bediende bij Lehmans IJzerhandel die Minnies enige dochter Dora had gekend. Ze had te horen gekregen dat Dora's verloofde werkte bij Green Acres Meubels, even ten noorden van Mount Eaton. Dus Lettie was er helemaal heen gesjouwd, en naar Apple Creek en omringende dorpen, verrast door de aanblik van veel rode schuren, iets wat ze in Lancaster County zelden had gezien. Ze had ook een mennonitisch meisje in de arm genomen om haar rond te rijden in Goose Bottom Valley, in Walnut Creek, maar ze was met lege handen teruggekeerd. Geen spoor van Minnie, Dora of Dora's verloofde.

Lettie was hevig van streek dat de mensen die ze was tegengekomen geen flauw idee hadden van Minnies huidige verblijfplaats. Sommigen zeiden dat ze misschien op bezoek was bij familie in Wisconsin, terwijl anderen aangaven dat ze soms zendingswerk deed in Zuid-Amerika. Zelfs het postkantoor had geen woonadres meer van haar. Lettie begon te denken dat Minnie Keim vermist was geraakt.

In haar hart weigerde ze de zoektocht op te geven, maar lichamelijk was ze moe van de voortdurende hindernissen. Ze vroeg zich af of de vroedvrouw zich uit noodzaak had teruggetrokken. Kon het zijn dat de welwillende Amish vrouw die de adoptie van Letties baby had geregeld tegenwoordig iets anders deed dan verloskunde? Minnie had de betrouwbare arts ingeschakeld, een man die hoog in aanzien stond bij haar en de plaatselijke Amish gemeenschap. Letties moeder en de aardige vroedvrouw hadden haar verzekerd dat alles netjes geregeld was. Kortom, Minnie was destijds allesbehalve onberekenbaar of ongrijpbaar geweest, maar het geheugen kon door de jaren heen verslechteren.

Ze herinnerde zich nog wel dat haar moeder had gezegd dat ze niet moest tobben, dat de dokter de wettige adoptie van de baby al had gearrangeerd met een plaatselijke jurist. *Maar bij welk advocatenkantoor?* vroeg ze zich nu af. *Heb ik zijn naam ooit te horen gekregen... of die van de dokter?*

Ze sjokte naar de spiegel, nam haar *Kapp* af en begon een voor een de spelden uit haar knot te halen om het haar dat tot haar middel kwam los te maken. *Ik moest van mijn moeder mijn gebedssluier afdoen en mijn knot losmaken voor de bevalling...*

De herinnering aan die angstige dag kwam terug en Lettie voelde zich weer net zo hulpeloos als in de uren voor en na de geboorte van haar eerste baby. Het geliefde kindje dat ze nooit had gezien en nooit had vastgehouden, was zo ver van huis geboren, in een hotel vol onbekenden. Zo anders dan haar kinderen met Judah, die thuis waren geboren, boven, in Judahs en haar eigen slaapkamer, waar ze gretig wachtten om de kreet van elke pasgeborene te horen. Wat waren dat een mooie bevallingen geweest, maar ze waren overschaduwd door de eerste.

'Het is beter zo,' had *Mamm* de woorden van de vroedvrouw herhaald, uren nadat haar eerstgeboren kind was weggehaald. 'Voor de baby en voor jou, kind.'

'Kind,' fluisterde ze nu. Ze schudde het onrecht van zich af en liet haar gedachten naar huis dwalen. Ze zag voor zich hoe Grace en Mandy haar brief in de bus vonden en hoe de meisjes hem met hun hoofden dicht bij elkaar gelezen hadden.

'Hoe kan ik dit dragen?' fluisterde Lettie. Voor haar geestesoog zag ze Judah uit de schuur naar huis komen om zich op te frissen. 'Mama heeft ons geschreven,' zou een van de kinderen zeggen en hem de brief overhandigen. Zou hij nieuwsgierig genoeg zijn om naar het poststempel te kijken, Ohio te zien staan en zich af te vragen waarom ze daarheen was gereisd?

Hij weet niet wat me overkomen is in Kidron, dacht ze met een mengeling van spijt en verdriet.

Soms wenste ze dat haar moeder niet had geëist dat ze hun geheim voor Judah verzwegen. De nietsvermoedende jongen had een meisje getrouwd met wie hij amper verkering had gehad. Ze was niet de onschuldige bruid die Judah Byler dacht te krijgen. En dat bedroefde Lettie nog steeds en het vervulde haar met spijt.

Toch had ze haar ouders nooit durven tegenspreken. Waarom had ze pa en *Mamm* alle beslissingen voor haar laten nemen en zich laten meevoeren? O, ze wist het wel. Als hun dochter werd van Lettie verwacht dat ze gehoorzaamde en akkoord ging met alles wat zij juist en goed voor haar achtten. Haar verering van Samuel had haar familie een wond toegebracht en het opgeven van haar baby was haar straf. Ze had haar ouders laten vallen en dat werd niet vergeven. Noch vergeten.

Wat was ze bang geweest, al die weken en maanden. Bang dat Samuel niet meer van haar hield, haar zou afdanken als hij ontdekte dat ze zwanger was. 's Nachts had ze vanuit haar bed omhoog gestaard naar de lucht, angstig dat haar toekomst tot mislukken gedoemd was… dat als Samuel haar verliet en het geheim uitkwam, geen enkele jongen in het kerkdistrict haar ooit nog wilde hebben. Ze zou haar leven slijten als *Maidel*, gevangen bij haar onbuigzame ouders.

En nu zit ik hier alleen, en door mijn eigen toedoen… Het verleden kwelde haar zonder ophouden, evenals een nieuwe en groeiende angst dat hoe langer ze wegbleef van huis, hoe kwader Judah zou worden. Had ze al te lang gewacht?

Lettie trok haar haar naar één kant en liet zich op de sprei zakken. *Word ik straks de kerk uitgezet?* dacht ze, bevreesd om verstoten te worden.

Ze kneep in de rand van het kussensloop en de tranen stroomden over haar wangen en de brug van haar neus. *O, God, help me*, kermde ze verloren. Ze moest Minnie Keim vinden. Het moest. En de dokter ook, die vast iets wist over haar baby.

Er ratelde een trein over de spoorwegovergang in het stadje en ze schrok van de fluit. Ze ging op het bed liggen en stopte haar mollige blote voeten onder haar lange rok. Doodmoe gaf Lettie toe aan de zoete en onweerstaanbare slaap.

★

Grace zag haar vijftien jaar oude broer lenig en soepel als een sabelsprinkhaan aan komen rennen over het erf. 'Ik hoop dat je genoeg gekookt hebt,' zei Joe. Hij keek over zijn schouder naar de schuur terwijl hij de keuken binnenstapte.

'Genoeg wat?'

'Eten, denk ik?' Joes lichtbruine haar zat in klitten onder zijn sjofele strohoed, die hij nu afzette om zich koelte toe te wuiven. 'Yonnie komt zijn voeten ook onder je tafel steken.' Zijn bruine ogen straalden verrukt.

'Nu?' Ze hield haar adem in.

'En elke dag, denk ik… behalve 's zaterdags en op de Dag des Heeren.' Hij krabde zijn vettige hoofd. 'Pa wil kennelijk dat hij hier werkt. Ten minste tot de lammertijd voorbij is.'

'Is dat zo?' zei ze moeizaam.

Joe knikte. 'Yonnie is heel *gut* met de tere lammeren. Dat is zijn werk, zorgen dat de pasgeborenen die verstoten zijn door hun moeder regelmatig de fles krijgen.' En zo bleef hij Yonnie prijzen alsof het zijn verloren broer was.

'Ga je maar wassen,' zei ze tegen hem en liep terug naar de tafel. Deze onvoorziene wending beviel Grace totaal niet. Haar handen trilden terwijl ze de glazen met water vulde. *Genoeg eten gekookt, jawel!*

Hoofdstuk 8

Om etenstijd kwam Yonnie met Adam en Joe binnenwandelen om zich te wassen. Grace vond het pijnlijk en verontrustend dat Yonnie bleef eten. En hij stond nog naar haar te kijken ook!

'Waar wil je me hebben?' vroeg hij zacht terwijl hij zijn handen afdroogde.

In je eigen keuken, dacht ze. Zijn vaste blik terwijl hij op antwoord wachtte, bracht haar van haar stuk. Werd ze verraden door haar gezichtsuitdrukking? Kon hij merken dat ze misnoegd was?

'Daar maar.' Ze wees naar een lege plek op de bank waar *Dawdi* Jakob altijd zat.

Hij gleed naast haar grootvader op de bank en babbelde er voor het stille gebed op los. Pa's blikken schenen erop te wijzen dat Yonnies geklep hem ook verbaasde.

Na pa's gebed liet Yonnie geen tijd verloren gaan om een gulle portie stoofschotel op te scheppen. Grace had ook warme broodjes gemaakt, die ze opdiende met ingelegde bietjes, ingemaakte groenten en mama's verrukkelijke zure bommen.

Maar ze kon nauwelijks wachten tot de maaltijd afgelopen was. Lieve help, afgezien van Adam en Joe had ze nog nooit een jongeman in deze keuken mee laten eten, haar voormalige verloofde niet eens.

Ze zat stijfjes naast pa op haar moeders plaats en haar handen friemelden onder het zeil. Ze plukte aan haar schort en probeerde Yonnies ogen te ontwijken. Die jongen trok zich niets aan van hun traditionele manieren – of hij was gewoon eigenwijs.

Net als haar vader en broers at Yonnie meerdere keren zijn kom leeg. Grace raakte de tel kwijt hoe vaak. Als er iets een beetje opluchting gaf, dan was het dat Yonnie zich volkomen op zijn gemak gedroeg, met een verbazend zelfvertrouwen dat ze nog nooit bij een jongen van zijn leeftijd had gezien.

Terwijl hij praatte met Joe en *Dawdi* Jakob, die erg aardig tegen hem deed, bedacht ze dat Becky in de naburige boerderij op dit moment om Yonnie treurde. Met opeengeklemde tanden pakte Grace haar waterglas. *Ik moet gauw met haar praten.*

Omdat Mandy had gezegd dat ze behoefte had aan iets lekkers, haalde Grace twee taarten van gedroogde appeltjes tevoorschijn. Haar zus kon haar verrukking niet verbergen; van eten knapte ze altijd op. En haar kookkunst was aan Yonnie al evenzeer besteed.

Toen de taarten op een paar puntjes na op waren, bedankte Yonnie haar vanaf de overkant van de tafel. '*Denki*, Grace… een wonder-*gute* maaltijd.'

Ze kon haar oren niet geloven. Wat merkwaardig om zoiets te zeggen! Al viel niet te ontkennen dat het fijn was om zo'n compliment te horen, in plaats van het slurpen en boeren dat de mannen traditioneel deden om hun waardering voor het eten te laten blijken.

Later, toen de keuken leeg was, op Mandy bij de gootsteen na, nam Joe Grace apart. Hij zette zijn vingers tegen elkaar. 'Je moet vandaag toch werken bij Eli's?'

'*Jah*, en ik moet zo weg.' Grace zag de ondeugende twinkeling in zijn bruine ogen en zuchtte diep. 'Joe… waarom vraag je dat?'

'Ik had alleen een *gut* idee,' zei hij.

'Hoor es, ik ga lopend naar mijn werk als *jij* niet degene bent die me brengt. Begrepen?'

Joes gezichtsuitdrukking werd ernstiger toen hij in de richting van de schuur – en waarschijnlijk Yonnie – keek. Hij streek met zijn hand door zijn lichtbruine haar, zodat zijn pony rechtop bleef staan. 'Goed dan.' Hij liep naar de gang om zijn strohoed te pakken. 'Ik hoor het wel als je klaar bent om te gaan,' riep hij over zijn schouder.

Mandy begon te giechelen. 'Wat was dat?'

'Pure onzin,' zei Grace tegen haar. Maar bij zichzelf vroeg ze zich af waarom haar jongere broer de rit naar Eli's op Yonnie af wilde schuiven. *Waarom, terwijl Joe weet wat Adam ervan vindt dat ik het uitgemaakt heb met Henry Stahl?*

★

Terwijl ze producten die over de datum waren uit de schappen haalde, dacht Grace na over haar volgende stap in de zoektocht naar haar moeder. Moest ze haar moeders nicht Hallie schrijven met de vraag of mama daar op bezoek was? Mama had zo geheimzinnig gedaan dat contact met Hallie een probleem kon vormen, zeker als mama niet naar Indiana was gegaan… of als haar nicht niet niet wist dat mama thuis weg was.

Het is niet verstandig om mama nog verder in verlegenheid te brengen, dacht Grace, *hoe graag ik haar ook wil vinden*. Ze was diep in gedachten verzonken en wenste dat ze een gemeenschappelijke telefooncel in Hallies buurt kon bellen om iets te weten te komen, toen ze ineens voelde dat er iemand bij haar stond.

Ze keek op en zag een lange, slanke jonge vrouw. '*Ach*, sorry. Ik stond te dagdromen.' Grace stond snel op.

'Geeft niet.'

Grace liet haar klembord balanceren op een paar blikken op de tweede plank. 'Kan ik u helpen? Ik hoop niet dat u al lang stond te wachten.'

'Helemaal niet.' De jonge vrouw leek van Grace' eigen leeftijd. 'Hebt u kruidenthee? Vooral Japanse groene thee. Ik heb begrepen dat die ontgift en werkt als antioxidant.'

Grace knikte. 'Ja hoor, loop maar mee.'

De klant knikte en keek om zich heen. 'Het is hier een beetje donker.'

'*Jah*. Onze *Englische* klanten vinden het soms lastig om te wennen aan de gaslampen.'

Het meisje hield haar hoofd schuin en trok een raar gezicht. 'Is er geen elektriciteit?'

'Nee.'

'Wauw.' De ogen van de klant lichtten op. 'Hoe houden jullie het eten koel?'

'Onze koelkasten werken op gas.'

De jonge vrouw keek verbaasd en zei toen: 'Ik zie dat u organisch wortelsap verkoopt. En grootverpakkingen, en organisch vlees en kaas. En eieren. Ik geloof dat ik de jackpot gewonnen heb.'

Grace schudde haar hoofd. 'Pardon?'

'Sorry, dat is maar een uitdrukking. Je weet wel, de pot met goud aan het eind van de regenboog?' Het meisje lachte. Haar bruine haar viel naar voren en ze reikte naar achteren, trok het hoog in een paardenstaart en bond het vast met een haarelastiekje uit haar zak.

'Ik weet niet veel over jackpotten en regenbogen.' Grace glimlachte. 'Hier hebben we het.' Ze wees naar een uitstalling kruidentheeën.

Het meisje boog zich naar haar toe en vroeg of ze wist welke ze het beste kon kiezen als anti-ontstekingsmiddel.

'O, dat durf ik niet te zeggen. Kijkt u maar in dat boek.' Grace wees naar het naslagmateriaal dat ze bij de hand hielden om vragen van klanten te beantwoorden. 'We kunnen geen product in het bijzonder aanbevelen.'

'Oké, bedankt.' Het meisje liep naar de tafel en pakte het boek op om erin te bladeren.

Nadat ze andere klanten had geholpen, zag Grace dat de jonge vrouw nog steeds in het boek stond te neuzen. Ze liep naar haar toe en vroeg of ze haar kon helpen.

Het meisje drukte het boek tegen haar borst. 'Hebt u weleens gehoord van een dieet als geneesmiddel voor ernstige ziekten? Ik bedoel, reiniging van de dikke darm, sapvasten... organische thee?'

Grace deed verrast een stap naar achteren. Behalve dat ze haast te mager was, zag deze jonge vrouw er niet ziek uit. Haar gezicht had een goede kleur, maar dat was misschien te danken aan cosmetica. 'Bedoelt u elke soort ziekte of...'

'Ik bedoel… hebt u hier weleens van gehoord?'

De jonge vrouw scheen erg verlegen te zitten om geruststelling. Maar het meeste wat Grace wist van huismiddelen had ze van *Mammi* Adah, die haar als jong kind alles geleerd had over de kruiden in hun tuin.

Zonder een antwoord af te wachten vervolgde de *Englische:* 'Ik heb vandaag te horen gekregen dat in de natuur een geneesmiddel te vinden is tegen haast elke bekende ziekte.' Ze zuchtte en keek even naar het plafond. 'De medische wereld ziet die richtlijnen als radicaal, belachelijk zelfs. En toch zijn er ondanks dat mensen die zijn genezen van… nou ja, ernstige ziekten.'

Het lijkt wel of ze een toverpil wil om gezond te worden. Grace durfde niet te vragen of ze het over zichzelf had. 'Schrijf gerust de informatie uit dat boek over,' zei ze tegen haar.

Het meisje stak haar hand uit naar een doosje groene thee met mango, perzik en ananas. '*Apart verpakt om de versheid te behouden,*' las ze voor. En ineens kreeg ze tranen in haar ogen. 'Het spijt me…'

Ineens begreep Grace dat dit de jonge vrouw was die ze een paar dagen geleden huilend op de weg had zien lopen. 'Er is iemand met wie u hierover kunt praten,' zei ze. Had ze maar een zakdoekje bij de hand. 'De vrouw van onze prediker is een tijdje geleden genezen van kanker. U zult haar vast aardig vinden. Ze heet Sally Smucker.'

'Echt waar?' Het meisje trok haar wenkbrauwen op. 'Ik wil haar niet lastigvallen.'

'Geloof me, Sally vindt u niet lastig.'

'Zou ze het niet erg vinden om bestookt te worden met vragen van… een buitenstaander, zullen jullie me wel noemen?' Ze zweeg even. 'Een *Englische*, toch?'

Grace lachte zacht. '*Ach*, sorry… ik bedoelde er daarstraks niets mee.'

'Nee… heel begrijpelijk.'

'Maar Sally zal u graag haar verhaal vertellen,' voegde ze eraan toe. 'Ze heeft heel veel mensen geholpen. Een paar jaar geleden heeft ze geprobeerd de eetgewoonten van mijn tante Naomi drastisch te veranderen... tevergeefs.'

'Noem eens wat?'

'O, het was een merkwaardig dieet, hoor.'

'Het kan niet veel merkwaardiger zijn dan wat ik vandaag heb gehoord.'

'Ze moest elke dag voornamelijk verse en rauwe vruchten en groenten eten. Heel weinig gekookt voedsel en helemaal geen vlees of melkproducten.'

'Dat is inderdaad extreem. En een radicaal dieet is natuurlijk moeilijk te houden.' Ze keek weer verdrietig en haar mond trok. 'Ik weet echt niet...'

'Ik wil u met plezier aan Sally voorstellen. Echt.'

'En u zegt dat ze aan de beterende hand is?' Er straalde een klein beetje hoop in de lichtblauwe ogen van het meisje.

Op dat moment wist Grace zeker dat ze al die vragen voor zichzelf stelde. *Ze moet ongeneeslijk ziek zijn...* Niemand die Grace kende veranderde zijn eetgewoonten drastisch, tenzij ze stervende waren. '*Jah*, om de drie maanden wordt haar bloed onderzocht en de uitslag is telkens goed.'

Er spreidde zich een trage glimlach over het gezicht van het meisje. 'Dank u wel. Ik wilde u niet van uw werk houden.' Ze stak haar slanke hand uit. 'Ik ben Heather Nelson, trouwens.'

'Grace Byler... ik help je met plezier.'

Heather maakte een opmerking over het warme weer terwijl ze samen naar de kassa liepen. Toen vertelde ze dat ze in een toeristenhuis logeerde. 'Met een heel aardige gastvrouw: Marian Riehl, op Beechdale Road.' Heather haalde haar portemonnee uit haar tas en keek glimlachend op. 'Ze is ook Amish.'

Grace was verrukt. 'Wel, allemensen... ik vroeg me al af of ik je eerder had gezien. Marian is onze buurvrouw! En haar dochter Becky is mijn beste vriendin.' Te bedenken dat dit de jonge vrouw uit Virginia was over wie Becky en *Mammi* Adah gesproken hadden. *Jah*, dezelfde!

Toen Heather de rekening had betaald en naar de deur liep,

vroeg ze Grace nog een keer naar Sally Smucker. 'Zou ze het echt niet erg vinden als ik bij haar op bezoek ga?'

'Absoluut niet.' Voordat ze wist wat ze deed, was ze haar naar buiten gevolgd. 'Je moet zo gauw mogelijk weer gezond worden.'

Heather keek haar doordringend aan.

Grace legde haar hand op haar arm en zei: 'Ik zal doen wat ik kan.'

'En... ik zou het erg op prijs stellen als je voor jezelf hield wat ik je verteld heb.'

'Dat spreekt vanzelf,' verzekerde Grace haar.

'Omdat Becky en jij goede vriendinnen zijn, bedoel ik. En de gemeenschap hier is... nou ja, nogal hecht.' Heathers stem brak af.

'Dat is zeker.'

'Mijn vader weet het nog niet eens,' voegde Heather er met een frons aan toe.

Grace verwonderde zich hierover, maar het was niet aan haar om aan haar nieuwe kennis te twijfelen. 'Je hebt mijn woord.' Ze zweeg even. 'En laten we gauw afspreken om naar Sally te gaan.'

Heathers gezicht lichtte op. Ze wuifde en liep naar de donkerblauwe auto die Grace bij de Riehls had zien staan, met de strakke zilveren lijn langs de zijkant.

'Tot ziens.' Ze kon nog niet weglopen en keek toe hoe Heather wegreed. Ze hoopte maar dat ze zich alle wonder-*gute* dingen kon herinneren die *Mammi* Adah haar had geleerd over genezende kruiden. En dat Sally Heather net zo goed kon helpen als zo vele anderen.

God vergiste zich niet, prediker Smucker noemde het Voorzienigheid. *Help Heather te vinden wat ze het hardst nodig heeft, God.*

Hoofdstuk 9

Later die woensdagmiddag zat Adah met haar vriendin Marian Riehl aan de werktafel, blij met de hulp bij haar stukwerk voor een uitzetkist van een nichtje. Tussen huishoudelijk werk en maaltijden in glipte ze graag naar de knusse naaikamer. Daar vond ze wat rust, vooral als Jakob een poosje buiten aan het werk was met Judah en de jongens. Eerlijk gezegd was haar man sinds Letties vertrek erg tobberig geworden.

Hoe gek ze ook op hem was, Adah leed onder zijn onophoudelijke bezorgdheid om Lettie. Zijn angst drukte haar en maakte dat ze er spijt van kreeg dat ze Grace het adres van het hotel in Kidron had gegeven. En hoewel Grace had verteld dat haar moeder inderdaad in het hotel had gelogeerd, vermoedde Adah dat haar kleindochter aan de telefoon meer te weten was gekomen dan ze losliet. Sinds het telefoongesprek keek Grace bezorgd uit haar ogen. Ook had ze de telefoonkaart gehouden, dus Adah nam aan dat ze van plan was haar moeder nog verder op te sporen.

'Je bent heel ver weg met je gedachten,' zei Marian, die zich over de tafel heen naar haar toe boog.

'*Ach*, ja. Ik zat aan Lettie te denken,' gaf ze toe. 'We hebben gisteren een brief van haar gekregen.'

Marian trok haar wenkbrauwen op. 'O, ja?'

Adah knikte.

'En… komt ze naar huis?'

'Dat weet God alleen.'

'Zei Lettie het niet in haar brief?' Marian was nu helemaal gestopt met naaien. 'Waarom heeft ze dan de moeite genomen om te schrijven?'

Dat had Adah zich ook afgevraagd. 'Om ons te laten weten dat het goed met haar gaat.' Langzaam schudde ze haar hoofd, ze wilde verder niets zeggen. Bovendien wist ze dat Jakob haar zou waarschuwen hun familiegeheim zelfs aan een goede vriendin als Marian niet te onthullen. De last woog zwaar na al die jaren.

'Nou, Lettie wordt hier erg gemist. Ik zie het aan Grace als ze bij ons komt om Becky te bezoeken. Ze smacht naar haar moeder.' Marian deed haar vingerhoed weer aan haar vinger en pakte de naald weer op. Ze stak hem door de stof en trok hem strak.

'*Jah*, we missen Lettie allemaal,' antwoordde Adah. Haar onderlip trilde. 'Heel erg.'

Marian reikte over de tafel, haar vingerhoed rustte op de rug van Adahs hand. 'Je hoeft het niet alleen te dragen, lieve vriendin.'

Adah slikte, op de rand van tranen. Knikkend bracht ze uit: 'Dank je, dat is erg lief van je.'

Een tijdlang naaiden ze verder. Toen sprak Marian weer. 'Wat ik niet begrijp, is hoe Lettie door het hele land kan zwerven en denken dat ze naar huis kan komen wanneer ze maar wil.' Haar woorden bleven in de lucht hangen.

Adahs adem stokte in haar keel en ze begon te hoesten. Zo erg dat ze op moest staan en naar beneden gaan om water te drinken.

In de keuken keek Jakob op van zijn zonnige middagplekje bij het raam. 'Och, lief, het lijkt wel of je stikt.' Vanuit zijn gemakkelijke stoel kon hij naar buiten kijken en de vogels gadeslaan. Soms stond hij op en dwaalde naar buiten om op het bankje op de achterveranda te gaan zitten voor wat frisse lentelucht, als hij niet in de schuur nodig was voor wat licht werk. Tegenwoordig deed Judah minder vaak een beroep op hem. Hoewel Adah het niet graag wilde toegeven, ging haar man achteruit.

Ze nam een paar slokjes en klopte op haar borst toen het water haar keel verzachtte. 'Het doet me pijn… dat Lettie niet speciaal aan Judah heeft geschreven.' *Onder andere…*

Jakob haalde diep adem en stemde met haar in. 'Soms heb

ik het gevoel dat ze haar man ontwijkt.'

'Daarom denk ik dat we eens een bezoekje moeten brengen...' Ze dempte haar stem tot een fluistering. 'Misschien aan die je-weet-wel, Samuel.'

'Waarom dat dan?'

'Ik stel mezelf elke dag dezelfde vraag.' Ze keek naar de trap en Jakob scheen haar te begrijpen, want hij knikte.

'Marian is boven vragen aan het stellen,' zei ze terwijl ze haar glas meenam door de keuken naar de trap.

'Iedereen zo ongeveer.'

Ze keek om. '*Ach*, Jakob?'

Hij streek zijn ongelijke pony glad. 'De bisschop laatst nog. Judah kwam van een vergadering met de broeders toen Willow haar been bezeerde.'

Er voer een rilling door haar heen. 'Ik hoop dat er nog niet over de *Bann* gesproken wordt.'

'Tja, dat zal beslist komen.' Hij keek ernstig. 'Als Lettie niet maakt dat ze thuiskomt.'

Adah draaide zich verdrietig om om weer naar boven te gaan. Jakobs woorden weergalmden in haar hoofd. Ze was bang dat het plan dat ze langgeleden in beweging hadden gezet nu een averechtse uitwerking kreeg. En er kon nog meer schade worden aangericht als ze Grace in de zoektocht naar haar moeder verloren aan de wereld.

★

Grace was opgelucht toen Mandy na de avondmaaltijd aanbood af te ruimen. Ze vloog de keukendeur uit en liet het schoonmaken aan haar over. Het was een paar avonden opmerkelijk warm geweest; het was haast onmogelijk om binnen te blijven. Ze liep langs de weg naar de Riehls en voelde aan de telefoonkaart in haar zak, terwijl de vroege avondwind door het weiland ruiste.

Ze genoot van de schemering, de lange schaduwen over het maïsveld naar het oosten en verder. Ze vroeg zich af hoe het vanavond met Heather ging. Ze had gevoeld dat het meisje anders was dan de meeste stadsmensen die bij Eli's kwamen. Heather was op haar hoede, discreet in haar nieuwsgierigheid naar de Amish winkel en stelde geen indringende vragen. *Verfrissend, voor de verandering.*

Grace hoopte dat een nieuwe eetwijze Heather de hulp gaf die ze nodig had. Het meisje was zo eerlijk en open geweest, Grace wilde graag gauw weer met haar praten. Maar eerst het belangrijkste; ze wilde vanavond naar Becky toe om haar te vertellen dat Yonnie een poosje bij pa kwam werken. *Absoluut niet mijn idee!*

Ze was nog maar halverwege toen ze achter zich een rijtuig aan hoorde komen. Ze keek om en zag tot haar verrassing Henry Stahl en zijn moeder Susannah naderen in hun grijze afgesloten rijtuig. Ze waren zo dichtbij dat ze Henry's hand omhoog zag gaan in een stijve zwaai. Lieve help, toen Henry en zij verloofd waren, had hij haar op de weg amper gegroet. Even beleefde ze opnieuw hun pijnlijke laatste ontmoeting, op de avond dat ze het had uitgemaakt. Ze had medelijden met hem… maar absoluut niet met zichzelf.

Ze liep door, nu enigszins aarzelend, toen ze het rijtuig de oprijlaan van de Riehls in zag slaan. Henry's moeder keek haar vrolijk glimlachend aan. *Ze weet het vast nog niet.*

Het was lastig om naar Becky te gaan terwijl Henry waarschijnlijk in het rijtuig zat te wachten tot zijn moeder een praatje had gemaakt met Marian. Grace had Marian daarstraks nog gezien, toen ze *Mammi* Adah liefdevol gedag had gezwaaid toen ze naar het grote huis vertrok. *Mammi* en zij brachten elke week een paar uur met elkaar door om te naaien en te praten en wat niet al.

Grace wendde haar blik opzettelijk van de achterkant van het rijtuig af en keek over de weg naar de oude houtschuur, die overwoekerd was met kudzuranken. Onder de jongelui ging het praatje dat de schadelijke ranken de schuur binnengingen en zich overal verspreidden. Becky's broers hadden de reusachtige groene bladeren en hun ranken vorig jaar tot op de grond toe gesnoeid, hoewel Adam erop aangedrongen had dat ze het meldden, zodat de snelgroeiende rank zich niet verspreidde en alle planten in de buurt doodde. 'We willen niet dat hij huizen verslindt,' had hij met een lach tegen haar gezegd, maar ze wist dat de kudzu een serieus probleem kon vormen.

Ze trok haar schort recht toen ze de oprijlaan van de Riehls insloeg. *Rustig aan,* zei ze tegen zichzelf. Ze wilde Henry niet tegenkomen. Ze zag het rijtuig bij de zijdeur geparkeerd staan. 'Dat is toch niet te geloven,' fluisterde ze in zichzelf.

Maar toen ze doorliep, bleek dat Susannah in het rijtuig was blijven zitten terwijl Henry een doos met inmaakpotten naar de achterdeur bracht. *Ach,* Grace wilde hem niet hier op de achterstoep tegen het lijf lopen!

Juist toen ze zich omdraaide naar het weiland en besloot te ontsnappen als het nodig was, overhandigde Henry de doos aan Marian en liep terug naar het rijtuig. 'Hallo, Gracie,' riep hij tegen haar.

Haar hart bonsde om wat hij nog meer kon zeggen. 'Hallo, Henry.' Het was zo pijnlijk om beleefd te moeten doen terwijl ze wenste dat hij maar in zijn rijtuig stapte en vertrok.

'Nou, een fijne avond.' Hij tikte aan zijn hoed.

'Jij ook.' Ze hoopte maar dat ze niet te gretig klonk. Eerlijk gezegd had ze in een paar uur tijd twee ongemakkelijke ogenblikken doorstaan. Eerst al met Yonnie aan het middagmaal en nu dit. Ze bleef staan en telde de seconden af terwijl Henry en zijn moeder om de bocht van de oprijlaan verdwenen naar de weg.

Op dat moment zag ze Becky in de zijtuin bezig met onkruid wieden uit de aarde die vochtig gemaakt was met een tuinslang. Het was nog zo licht dat ze haar gezicht heel even zag verstrakken toen Becky opkeek. Maar ze bleef niet lang mistroostig kijken toen Grace zwaaide en glimlachte. Grace rende over de laan naar haar vriendin toe, knielde naast haar neer in de aarde en begon haar te helpen het stukje tuin te wieden.

'*Ach,* niet doen,' protesteerde Becky.

Grace hoorde haar stem stokken. 'Ik kom over Yonnie praten.' Ze zweeg even toen ze Becky's lange gezicht zag. 'Hij helpt mijn vader… voor een poosje.'

Becky perste haar lippen op elkaar tot een rechte lijn. Ze antwoordde niet en wiedde door.

De stilte maakte Grace onrustig. 'Wees alsjeblieft niet boos op me. Dat kan ik niet verdragen.'

'Ik hoorde dat hij bij jullie was… van mijn broers.' Becky wreef in haar handen om de vochtige aarde van haar vingers te poetsen.

'Hij helpt met de lammetjes.'

'En probeert Willow weer gezond te maken, denk ik,' zei Becky.

'Nou, dat zal niet gemakkelijk zijn.' Het mooie oude paard had het zwaar. Ze haalde diep adem. 'Het spijt me als Yonnie je pijn doet hiermee… echt.'

'Nou…' Becky's lichtbruine ogen stonden verdrietig. 'Weet je nog dat hij jou van het begin af aan leuk vond?'

'O, Becky…'

'Nee, hij praatte over *jou*, Grace. Heel vaak zelfs.'

Ze richtte zich op. 'Dit is dwaasheid. Ik ben gekomen om je te vertellen dat ik geen belangstelling heb voor Yonnie… en dat is de waarheid.'

Becky keek uit over het weiland en de koeien van haar vader. 'Raar dat je het uitgemaakt hebt met Henry Stahl… en meteen komt Yonnie op bezoek.'

'Nou, hij komt niet voor mij. Dat kan ik je wel vertellen.'

'*Ach*, Gracie… het tijdstip is verdacht, vind je niet?'

Daar had ze niet eens aan gedacht. 'Het lijkt misschien wel zo.'

Becky schudde haar hoofd. '*Jah*, voor mij en iedereen die Henry afgelopen zondagavond na de zang alleen naar huis heeft zien gaan.'

Ze voelde een steek van verdriet.

'Nee, dat bedoel ik niet. Er zijn er niet veel die hem alleen hebben gezien.'

Ze staarden elkaar aan zonder iets te zeggen. *Wat vind ik dit afschuwelijk*, dacht Grace.

Ineens kneep Becky in haar arm. 'O, Gracie, ik val je te hard, hè? Als je zegt dat je niet geïnteresseerd bent in mijn *beau* – mijn vroegere *beau*, dan...'

Grace keek haar verwonderd aan. 'Dus Yonnie heeft het uitgemaakt?'

Becky boog haar hoofd, haar kin raakte bijna haar borst. 'Eerlijk gezegd hebben we nooit echt verkering gehad.'

Grace fronste ongelovig haar wenkbrauwen. 'Maar jullie tweeën leken zo gelukkig samen.'

'Ik hoopte echt dat er verkering van zou komen,' vervolgde Becky. 'Daarom doet het zo'n pijn.'

'Ik wou dat ik iets kon doen om je verdriet weg te nemen.' Ze zuchtte. 'En ik heb geen belangstelling voor Yonnie Bontrager. Trouwens, nu mama weg is, lijkt het ongepast om aan een *beau* te denken.'

Becky veegde haar tranen weg. '*Ach...* Gracie, het spijt me. Ik weet dat je je mama mist.'

Grace' schouders verstrakten en ze slikte om niet ook te gaan huilen. Ze zei tegen Becky: 'Ik heb een hotel in Ohio gebeld... en ik schijn haar net te hebben misgelopen.'

'Echt waar?' Becky fronste haar voorhoofd. 'Hebben ze gezegd waar ze heen was?'

Grace schudde haar hoofd. 'Eerlijk gezegd weet ik niet of ik er ooit overheen zal komen...' Ze kon niet verder.

Becky raakte haar hand aan. 'Ik kan me niet voorstellen wat jullie moeten meemaken. Ik kan het niet.'

Instinctief gingen ze allebei weer aan het wieden. De stilte was enigszins bevrijdend en de droefheid verdween uit Becky's mooie ogen. Grace weerstond de verleiding om te zeggen wat haar nichtjes vaak tegen elkaar fluisterden: het had geen zin om over een mislukte relatie te tobben terwijl er geen handvol, maar zelfs een landvol leuke jongens was.

Voorlopig had Becky alleen Grace' trouw nodig... en een luisterend hart.

En *zij* had Becky ook nodig.

Daarom zou ze Yonnie geen zier aanmoedigen.

★

Toen Grace en Becky klaar waren in de tuin vroeg Grace of Heather Nelson in de buurt was. 'Ik heb haar vandaag ontmoet bij Eli's.' Meer zei ze niet, om het beloofde vertrouwen te bewaren.

'Nou, laten we maar even gaan kijken of ze achter is.' Becky ging haar voor het huis binnen, waar een doos met lege inmaakpotten in de keuken op de grond stond. 'Van wie komt dat, mama?' vroeg ze.

Marians gezicht klaarde op. 'Susannah Stahl had ze over, dus Henry en zij kwamen daarstraks even langs. Ik denk dat ze hun koude kelder uitzoeken voordat alle bessen in juni beginnen te rijpen.'

'Wij zouden er ook in overvloed moeten hebben, als God het wil,' zei Becky met een knikje naar Grace. De twee meisjes hadden in hun jeugd samen vele gelukkige uren doorgebracht tussen de bessen.

Marian voegde eraan toe: 'Grace, je grootmoeder en ik hopen van de zomer alle soorten jam te verkopen.'

Grace vroeg zich af of *Mammi* Adah het gederfde inkomen van mama in hun groentekraam langs de weg probeerde goed te maken met wat hulp van Marian, maar ze vroeg er niet naar.

Becky's jongere zusjes, Rachel van tien en Sarah van negen, slopen de keuken binnen en gingen als twee dikke vogeltjes op de houten bank zitten. Hun blonde haar was in een knot gedraaid. Toen Grace de weinig in leeftijd schelende zusjes zag, moest ze aan Mandy denken en omdat ze niet veel langer van huis wilde blijven, vroeg ze of Marian wist waar Heather was.

'Ze is de hele dag uit geweest,' zei Marian terwijl ze naast Sarah ging zitten, die haar hoofd tegen Marians arm liet leunen. 'Ze is nogal veel weg.'

Grace vermoedde dat Heather belangrijke dingen aan haar hoofd had. 'Wilt u zeggen dat ik langs geweest ben als u haar ziet?'

'Ja, hoor,' zei Marian, terwijl ze in Sarahs wangen kneep. 'Hè, lieverd?'

Sarah knikte stralend. Het was duidelijk dat Rachel en zij dol waren op Heather.

'Nou, ik moet naar huis,' zei Grace terwijl ze naar de achterdeur liep. 'Tot ziens.'

Becky volgde haar naar de deur, langs de inmaakpotten van de Stahls en samen gingen ze naar buiten. 'Mama heeft je niet verteld dat Heather bijna elke dag het huis uit rent om haar laptopbatterijen en haar telefoon op te laden, die haast alles kan behalve koken.' Ze lachte kort.

'Waar doet ze dat?'

'In een koffiehuis in de buurt, denk ik,' zei Becky. Ze dempte haar stem. 'Ik denk eerlijk gezegd dat ze zich bij mijn moeder meer op haar gemak voelt dan bij mij.'

'Waarom?'

'Gewoon een gevoel dat ik heb.' Becky vertrok haar gezicht. 'Ze wil zo graag contact, maar van vriendschap weet ze geen greintje af. *Erschtaunlich.*'

Dat verbaasde Grace. 'Nou, vandaag bij Eli's vond ik haar nogal spraakzaam.'

Ze waren aan het eind van de oprijlaan gekomen. Becky ging op het hek zitten en liet haar blote voeten bungelen. 'In het begin was ze heel vriendelijk, heel nieuwsgierig naar de boerderij en ze wilde zelfs graag helpen. Maar algauw kroop ze in haar schulp, als een schildpad. Ik denk dat ze nu die scriptie gebruikt als excuus om alleen te zijn.' Becky zuchtte hoofdschuddend. 'Ik begrijp er niets van.'

'Dat is vreemd.'

'Ze heeft zich gewoon teruggetrokken.' Becky streek haar schort glad en schudde haar hoofd. 'Ik kan je niet zeggen wat er gebeurd is.' Ze keek naar de weg. 'Misschien is ze bang geworden... je weet het nooit met buitenstaanders, eigenlijk.'

Ze zagen de auto van de Spanglers aankomen. Hij zoefde een paar honderd meter verder langs een paard en rijtuig. Grace kromp ineen en hield haar adem in. 'Daar heb je een van de grote verschillen tussen de *Englischers* en ons.' Ze bad in gedachten voor Jessica en Brittany en de dingen die Jessica haar had verteld.

Becky knikte en sprong van het hek. 'Ik moet naar binnen voor het avondgebed. Pa vindt het prettig om rond deze tijd de gaslampen aan te steken en met Bijbellezen te beginnen.'

Grace keek naar haar eigen huis en toen naar de lucht. 'Mijn vader ook. Maar hij begint met een lied.'

Becky pakte haar hand. 'Ik ben blij dat je gekomen bent, Gracie.' Toen voegde ze er vlug aan toe: 'Wees niet verbaasd als Heather bij jou binnenkort hetzelfde doet als ze bij mij heeft gedaan.'

Toen ze over de weg wandelde, dacht Grace aan Heather Nelsons afwezigheid bij de Riehls. Volgens Becky was het knappe *Englische* meisje gewoon *ferhoodled*. Ze zuchtte. *En geen wonder, als ze zo hoopvol op zoek is naar een geneesmiddel voor haar ziekte. Wat het ook is.*

Terwijl ze naar huis snelde, besloot ze te proberen een goede, trouwe vriendin te zijn, hoeveel schildpadgedrag Heather uiteindelijk ook mocht vertonen.

Hoofdstuk 10

'Behoorlijk *babblich* ben je,' zei Judah toen Yonnie en hij die donderdagmiddag samen bezig waren de voerbakken van de schapen te vullen.

'Sorry… ik wilde u niet de oren van het hoofd praten,' antwoordde Yonnie met een glimlach. 'Mijn jongere broer die na mij komt, is ook een beetje praatgraag.'

'Zit het in de familie?'

Yonnie zweeg even. 'Ik denk dat we zoveel praten omdat we zo gek op elkaar zijn.'

'O?'

'Mijn ouders bespreken alles. Het is toch alleen maar logisch als je veel wilt praten met iemand van wie je houdt?'

Daar had Judah nooit over nagedacht; hij wist amper wat hij moest zeggen. Maar ja, dat wist hij zelden. Hij richtte zijn aandacht op het opnieuw vullen van zijn voeremmer. De schapen drukten zich blatend tegen zijn benen.

'Het is *gut* om je mening te uiten, zegt mijn vader,' voegde Yonnie eraan toe. 'Als hij ergens besluiteloos over is, bespreekt hij het met mijn moeder.'

Judah was als door de bliksem getroffen. 'Helpt ze je vader bij beslissingen?'

'Natuurlijk.' Yonnie lachte. 'De meeste echtparen bespreken dingen met elkaar, volgens mij.'

'Nou, zo gaat het hier in de buurt niet.' *En dat is maar* gut *ook.*

Yonnie fronste. 'Wat jammer. Mijn moeder zegt dat geen enkele vrouw bij haar man onder de duim wil zitten. Om zich echt geliefd te voelen, moet haar mening belangrijk zijn voor haar man.'

'Niet erg Amish.'

'Tja, sinds ik hier woon, heb ik ontdekt dat er evenveel verschillende kerkordinanties en gedragslijnen zijn als korrels op een maïskolf.'

Het is een denker, die jongen.

'Maar mijn ouders vinden het fijn om goede vrienden te zijn. Het heeft ze een relatie gegeven die tegen een stootje kan.' Yonnie ging meer voer halen en droeg zijn emmer naar de trog. 'Ik hoop in de toekomst ook zo'n huwelijk te hebben.'

Met Grace? Judah hoestte om zijn plotselinge pret te onderdrukken. Maar ondanks de lach die in hem opkwam, kon hij niet van zich afzetten wat de jongen juist had verteld.

★

Lettie wist dat ze ruim voor het ontbijt honger zou krijgen als ze niet ontwaakte uit haar slaapje. Ze kon die avond de maaltijd niet zomaar overslaan. Ze was nog versuft en boos op zichzelf. Ach, *midden op de dag slapen!*

Geeuwend kwam ze langzaam overeind uit bed en slofte naar de wastafel. Ze draaide de warmwaterkraan open en pakte de geurige zeep op de rand. Ze wachtte even, terwijl het water van haar gezicht en handen in de wasbak droop. Het was weken geleden dat ze een maaltijd met familie had gedeeld. *Zullen ze het me ooit vergeven?*

Ze pakte het witte handdoekje en bette haar gezicht droog. Ze streek met haar vingertoppen over de rimpeltjes om haar ogen. Wanneer waren die gekomen? En och, wat was ze bleek. Maar ze moest niet te lang staren, want het was zondig om te veel aandacht aan haar uiterlijk te geven.

Lettie pakte haar borstel en maakte zich op om haar dikke haar in een knot te draaien. Ze snakte ernaar om weer in bed te kruipen, maar vlug zette ze haar *Kapp* op haar hoofd en ging op zoek naar de cape en schort die ze voor haar dutje had uitgetrokken. Ze vond ze over een stoel geslingerd waar ze ze uren geleden had laten liggen. Ze zagen er een beetje verfomfaaid uit. 'Dat doet er niet toe.'

Ze ging op de rand van het bed zitten en bukte om haar donkere kousen en zwarte leren schoenen aan te trekken voor de wandeling naar East Main Street in het centrum van het stadje. Ze had het bord van *Miller's Dutch Kitch'n* gezien toen ze vanuit Sugarcreek over kronkelwegen langs Dunkard Road en Bob White Kwaliteitsvoer waren gereden. Zelfs haar mennonitische chauffeur, die haar uit het nabije Berlin had opgehaald, kon het verrukkelijke zelfgemaakte voedsel aanbevelen. 'En niet te vergeten hun kortingsbonnen van drie dollar!' had hij geadviseerd. De gedachte aan een warme maaltijd fleurde haar een beetje op en voordat ze de deur goed achter zich dichtdeed, controleerde Lettie of de kamersleutel in haar tas zat.

De avond was nog licht toen ze over het kleine parkeerterrein naar de smalle stoep liep en hoopte dat ze opknapte van de frisse wandeling. Thuis had wandelen beslist geholpen. Maar nu was ze aan het eind van de dag haast te moe om zelfs maar te eten. Vermoeid in de geest ook.

Onder het lopen bad ze om hulp bij de zoektocht naar Minnie Keim, bezorgd omdat ze al zo lang van huis was. Ze had de dagen bijgehouden op het papieren kalendertje dat ze in haar tas had weggestopt. Ongetwijfeld was haar familie in beroering door haar vertrek. Maar waren ze ook boos op haar? *Wat als ze me niet meer terug willen?* Soms betrapte ze zich op die gedachte, als ze ten prooi viel aan zelfmedelijden. Maar hoe kon ze medeleven verwachten terwijl ze dit alles zelf over zich heen had gehaald?

Onder het lopen zag ze de zwarte v-vormige rijtuigen uit de streek, die ze nog steeds vreemd vond. En hoe klein dit stadje ook was – nog kleiner zelfs dan Bird-in-Hand – ze vond het vervelend om helemaal alleen aan de wandel te zijn op dit late uur, terwijl de meeste mensen op weg naar huis waren voor de avondmaaltijd of al om de tafel zaten.

Het restaurant had aan de achterkant een paal om paarden aan vast te binden en aan de voorkant een rustiek wintersportuiterlijk, compleet met zwarte luiken. Toen ze naar binnen ging, viel het haar meteen op hoe druk het was, zelfs voor een doordeweekse avond. Er zaten veel mensen om de familietafels voor acht personen geschaard en anderen zaten in zitjes langs de ramen, daarom hoopte ze er makkelijk in op te kunnen gaan. Maar zij droeg de enige hartvormige *Kapp*, een zeker teken dat ze van buiten de stad kwam.

Toen ze zat, kwam er een serveerster van haar eigen leeftijd vragen wat ze wilde drinken. De vrouw droeg een blauwe jurk met korte mouwen en een wit schort met kant aan de mouwen eroverheen, een stijl die Lettie nooit eerder had gezien. De serveerster glimlachte hartelijk, haast alsof ze haar kende. 'Welkom bij Miller's.' Ze keek naar Letties gebedskapje. 'U bent niet van hier.'

Lettie schudde haar hoofd. 'Nee.' Heimelijk gaf ze de voorkeur aan de sierlijke stijl van de *Kapps* uit Lancaster County, als ze het waagde om zoiets te denken. Die waren mooier door de zoom, die vanaf de bovenkant naar beneden was genaaid.

'Ik hoop dat u het hier naar uw zin hebt,' zei de serveerster. Lettie zag de naam *Susan* op haar schort gespeld. 'Wat wilt u drinken?'

'Limonade graag.'

'Ik kom eraan.' De opgewekte vrouw vertrok en liet Lettie achter, omringd door talrijke Amish mensen in een zee van kleurige overhemden en jurken. Ze werd getroffen door het blauwgroen en zelfs feloranje van de overhemden van de mannen, die kleuren had ze in Kidron ook wel gezien. Maar hier, terwijl er zoveel Amish in de eetzaal om haar heen zaten van wie de meesten in hun moedertaal spraken, voelde ze zich ineens als een vis op het droge.

Toen Susan de limonade bracht en voor haar neerzette, vroeg ze of Lettie soms uit Lancaster County kwam. 'Ik zie het aan de stijl en kleur van uw jurk. En uw *Kapp*.'

Onzeker van zichzelf, maar blij met de vriendelijkheid van de vrouw, glimlachte Lettie. '*Jah*, dat klopt.'

De serveerster knikte. 'Hier hebben we veel plooitjes in onze gebedskapjes.'

Lettie had kunnen zeggen dat ze maar al te bekend was met de ingestreken plooitjes en de zwaar gesteven *Kapp*. Ze had zo'n hoofdbedekking van zeer dichtbij kunnen bestuderen terwijl ze met hevige weeën in een kraambed lag. 'Ik wil graag mijn maaltijd bestellen, als u het niet erg vindt,' zei ze, in het besef dat ze wel erg kortaf deed.

Susan knikte en haalde een schrijfblokje uit haar schortzak. Ze klikte een paar keer met de pen en glimlachte. 'Wat lijkt u *gut* op het menu? Onze specialiteit is kip van het spit; de beste van de hele omgeving.'

'Alles ziet er eigenlijk lekker uit.' En omdat ze onbeleefd was geweest tegen iemand die evengoed haar eigen verre nicht kon zijn, bood Lettie haar excuus aan. 'Het spijt me erg.'

'Dat geeft niet. Het is goed.'

Ze bleef zich onbeholpen voelen. 'Ik wil graag de gerookte worst en daarbij maïsnuggets.'

'Huisgemaakte broodjes erbij?'

Lettie knikte. 'En wat aardbeienjam, alstublieft.'

'Goed.' Nog een hartelijke glimlach en de serveerster verliet Letties tafeltje.

Ze begon trek te krijgen en keek naar de desserts op het menu, dat afgedrukt stond op de papieren placemat. Haar blik viel op de schuimtaart. Ze moest zich maar tegoed doen; op haar gewicht letten had ze jaren geleden al opgegeven.

Terwijl ze op haar maaltijd wachtte, keek ze rond in de grote eetzaal zonder met iemand oogcontact te durven maken. Ze dacht aan de hotelhoudster in Kidron die haar had verteld over een vrouw die elk jaar duizend *Kapps* maakte in twintig of meer verschillende maten. Zo'n precies werkje moest net zoiets zijn als het in elkaar zetten van een quilt. *Daar heb je doorzettingsvermogen voor nodig*, dacht ze, en dat was precies wat zij nodig had om haar zoon of dochter te vinden. Minnie Keim was vast en zeker de sleutel om het verleden te ontsluiten en haar naar haar eerste kind te leiden.

Lettie trok het geelbruine kantwerk op het bordeauxrode tafelkleed na. Ze staarde naar de wandklok met de kleine slinger en toen naar de behangrand van fleurig fruit hoog aan de muur. Met een opgelaten gevoel keek ze uit het raam naar de molen aan de overkant van de straat, voordat ze nog een keer elk woord van het menu las. Ze was opgelucht toen de serveerster terugkwam met haar maaltijd.

Maar ze schrok, hoewel het haar ook goeddeed, toen Susan later een stoel bijtrok en naast haar kwam zitten. 'Ik heb maar even pauze genomen om u gezelschap te houden. Als u tenminste geen bezwaar hebt.'

'Nou, het is erg aardig, maar u hoeft niet... als u iets anders te doen hebt.'

'Ik hoef niet de helft te doen van wat ik hier doe,' zei de vrouw zacht. Ze boog zich naar haar toe en zei: 'Ik woon hier al heel lang... heb hier ook al heel wat jaren gewerkt.' Ze boog haar hoofd een ogenblik. 'Ik ben net zo eenzaam als u eruitziet.'

'*Ach*, ik...' In de Gemeenschap van Eenvoud viel een vrouw alleen op. En Lettie was er zeker van dat de serveerster daarom medelijden met haar had. Waarom anders?

'Bent u hier in Baltic om iemand te bezoeken?'

'Ik hoop het, *jah*.' Ze aarzelde om te midden van al die mensen de naam van de vroedvrouw te noemen, de vrolijke serveerster kon het wel hardop aankondigen.

'Ik ben Susan Kempf,' zei de serveerster met de bruine ogen.

'Aangenaam kennis te maken, Susan. Ik ben Lettie... Lettie Byler.'

Susan keek om zich heen. 'Ik weet hoe het voelt om alleen te staan in een wereld vol echtparen en gezinnen.'

Ze denkt dat ik een Maidel *ben...*

'Het verdriet van verlies... ik zie het in je ogen.' Susan zuchtte. 'Ik ben ook weduwe.'

'O, maar je vergist je,' flapte Lettie eruit. 'Ik ben getrouwd.'

Rood van verlegenheid en struikelend over haar woorden bood Susan excuses aan. 'Het spijt me erg. Ik ging er zomaar van uit...'

'Het geeft helemaal niet,' zei Lettie vlug. 'Het is begrijpelijk.' Ze gaf toe dat ze zonder haar echtgenoot op reis was.

'Dat maak ik haast nooit mee.' Susan legde uit dat de meeste Amish vrouwen in deze streek altijd in het gezelschap van hun echtgenoot of een andere vrouw naar het restaurant kwamen. 'Je bent een moedige vrouw, denk ik.'

Ze schudde haar hoofd. 'Allesbehalve.' Ze verwachtte half en half dat haar metgezellin zou vragen waarom ze alleen was. Maar Susan vroeg waar ze overnachtte en voordat Lettie begreep waar het gesprek heen leidde, had de attente vrouw haar uitgenodigd om in haar grote, lege huis te komen logeren.

'Voorlopig,' zei Susan.

'Dat is heel aardig van je, maar ik heb het motel al betaald tot aanstaande zondag, dus...'

Susan keek teleurgesteld. 'Het leek me prettiger voor je... en we konden elkaar beter leren kennen.'

'Misschien zien we elkaar weer hier, in het restaurant. Morgenavond misschien?'

'Nou, ik heb een paar dagen vrij...'

Op dat moment kwam er een aantal klanten binnen. Tot haar verbazing zag Lettie Sylvia Fisher, een collega van Grace. *Wat doet die hier?* Sylvia werkte bij Eli's Natuurvoeding met haar zus Nancy, die naast haar bij de kassa stond te praten en te lachen.

Lieve help! Lettie kreeg het benauwd; de meisjes zouden haar meteen herkennen. Ze boog haar hoofd. De meisjes Fisher zouden het beslist aan Grace vertellen als ze Lettie hier zagen zitten.

'Ik heb me bedacht,' zei ze vlug, 'misschien houd ik je eraan, Susan. Als het motel me de komende drie dagen terugbetaalt, tenminste.'

'We zullen zien wat ze zeggen.' Susans ogen straalden. 'Je hebt je rekening al betaald, dus we lopen door de keuken om mijn tas te pakken. Mijn paard en rijtuig staan buiten.'

Opgelucht dat ze uit de eetzaal kon vertrekken, kwam Lettie overeind en liep in een rechte lijn naar de drukke keuken. *Poe! Dat was op het nippertje!*

Toen Heather haar laptop inpakte in het koffiehuis belde haar vader om te zeggen dat hij er bijna was. 'Zullen we ergens gaan eten? Ik moet eerst nog een paar dingen doen.'

'Waar heb je trek in?' vroeg ze.

'O, kies jij maar. Je hebt intussen vast een paar heerlijke restaurants ontdekt.'

Ze stelde het Familierestaurant & Smorgasbord in Bird-in-Hand voor en daar zagen ze elkaar een tijdje later.

Op het parkeerterrein gaf haar vader haar een dikke knuffel. 'Ik heb je gemist,' zei hij toen ze naar binnen gingen.

'Ik jou ook,' zei ze, hem aankijkend. Ze had op dit moment niet veel zin om over koetjes en kalfjes te praten. Wat ze echt wilde, was eruitflappen dat ze ernstig ziek was – eindelijk alles op tafel gooien. Maar pap praatte druk over zijn werk en zei dat hij flink trek had.

Op aandringen van haar vader bestelden ze het hele buffet en haar vastbeslotenheid om alleen verse rauwe groenten en fruit te eten, was snel verdwenen.

'Het is veel te stil in huis,' zei pap toen ze plaatsnamen aan een tafel voor twee. 'Bovendien missen Mo en Igor je.'

'*Ach*, het zijn zulke lieve poesjes,' zei ze. 'Heb je ze meegebracht?'

Hij schudde zijn hoofd. 'Nee, ik zou het risico niet willen lopen dat mams geliefde katten hem smeren.' Hij goot meer suiker in zijn koffie en roerde. 'Ik heb de buurvrouw gevraagd om ze eten en water te geven terwijl ik weg ben.'

'Dat is prima, pap. De katten zijn gek op haar.'

Hij legde zijn lepel neer en pakte zijn mes en vork. 'Nou, eet op, kleine. Je kunt wel wat gebruiken.' Haar vader nam een hap varkensvlees met zuurkool en glimlachte naar haar terwijl hij kauwde. Het was duidelijk dat hij iets op zijn hart had. 'Ik heb veel aan dit huis gedacht. Het is lang geleden dat ik ergens zo enthousiast over ben geweest.'

'Het staat op je gezicht geschreven, pap.'

'Eerst dacht ik dat het een paar maanden zou kosten om de bal aan het rollen te krijgen, maar het blijkt dat er een Amish timmerman is die meteen kan beginnen.' Hij lachte. 'Zelfs de daling op de huizenmarkt heeft zijn voordeel.' Hij opperde samen naar het huis van de Amish timmerman te rijden die hij had aangenomen om het nieuwe huis te bouwen. 'Ik wil dat je Josiah en zijn familie ontmoet. Hij staat bekend als de beste Amish aannemer in Lancaster County... Ik heb vandaag meerdere huizen van hem gezien.'

Ondanks de autorit uit Virginia zag haar vader er beter uitgerust uit dan Heather zich herinnerde. 'Alles valt ineens op zijn plaats,' zei hij.

'Ja, daar lijkt het wel op.' Ze vond het ongelooflijk dat haar vader hier aan het woord was; het was niets voor hem om zo impulsief te zijn.

Hij stak zijn hand in zijn bruine sportjasje en haalde er een schets van een bouwtekening uit. 'Het is een ruwe opzet, maar wat vind je ervan?' Hij schoof hem over de tafel heen naar haar toe. 'Drie slaapkamers is toch genoeg?'

Ze knikte, ervan uitgaande dat hij één kamer als praktijk zou gebruiken, zoals hij in hun huidige huis ook deed. 'Pap... je weet dat ik in de herfst naar Virginia terugga.' *Als alles goed gaat.*

Hij fronste zijn wenkbrauwen. 'Je werkt toch aan je scriptie?'

'Nou... niet zo veel.'

'Ik dacht dat je daarvoor hierheen was gegaan. Om niet afgeleid te worden.'

'De vaart is er een beetje uit.'

Ineens keek hij bezorgd. 'Lieverd, wat zeg je me nou? Je was eerst zo enthousiast.'

Ze zuchtte; het was een slecht gekozen tijdstip. Ze kon haar vreselijke nieuws gewoon niet bekendmaken nu hij zo uitbundig was over het aangekochte land... en de plannen voor het huis.

'Ik zeg alleen dat ik hier geen eigen ruimte nodig heb, behalve als ik op bezoek kom.' Ze moest afzwakken wat in haar stem kon doorklinken. Heel gauw, morgen misschien, zou ze hem vertellen over haar leerzame bezoek aan de natuurarts.

Ze keek naar haar bord vol reepjes rundvlees, aardappelsalade, gebakken bonen met bruine suiker en haar grote glas cola. Met deze maaltijd had ze het in elk geval verprutst. *Na mijn reinigingsprogramma ga ik beter eten,* nam ze zich voor.

Haar vader begon weer over de Amish meestertimmerman. 'Josiah Smucker heeft hier een uitstekende naam. En hij is niet alleen timmerman, maar ook prediker... maar hij verdient de kost met bouwen.'

Smucker? Zou het Sally's man zijn of waren er een heleboel Smuckers in deze streek?

'Amish kerkdienaren verdienen geen salaris,' legde pap uit. Zoiets vreemds had ze nog nooit gehoord. Maar ze was gefascineerd door haar vaders kennelijk levendige belangstelling voor al wat Amish was.

'Wat houdt het precies in als je meestertimmerman bent?' vroeg ze.

'Josiah heeft de leiding bij schuurbouwerijen en andere lokale bouwprojecten. Hij heeft heel veel ervaring en hij is echt fantastisch. Ik denk dat je het gauw genoeg met me eens zult zijn dat we geluk hebben dat we hem en zijn ploeg op het juiste moment te pakken hebben gekregen.'

'*Dat we geluk hebben...*' Heather was bang dat haar vader haar te veel in dit alles betrok. En ze vond het moeilijk te geloven dat het huis binnen vijf weken gebouwd kon worden. Misschien nog minder. 'Bizar,' zei ze.

Haar vader lachte en hief zijn koffiekopje als een soort toost. 'Het klinkt ongelooflijk, maar met Josiahs teamwork kan hij een schuur van twee verdiepingen in één dag optrekken.'

De jonge Amish serveerster kwam naar hun tafel. 'Wilt u nog iets bestellen?' vroeg ze voordat ze hun rekening opmaakte.

'Ik denk dat we genoeg hebben gehad.' Pap keek grinnikend naar de overkant van de tafel. 'Tenzij de jongedame nog iets wil.'

'O, ik heb meer dan genoeg gehad.' Ze keek glimlachend op naar het meisje met de roze wangen, dat niet ouder kon zijn dan achttien. 'Bedankt.'

Haar vader bedankte ook en nam de rekening aan. Ze stonden op van de tafel – *het bewijs van mijn laatste misdaad op dieetgebied*, dacht Heather, denkend aan haar gesprek met LaVyrle.

Ze zigzagde tussen tafels en zitjes door achter haar vader aan naar de kassa. Er zaten veel Amish en mennonitische klanten en veel serveersters droegen witte kanten gebedskapjes. Hoe vaak ze hier door de jaren heen ook met haar familie was geweest, ze was nog steeds niet helemaal gewend aan deze plaats, die genesteld lag binnen de grenzen van de moderne *echte* wereld. En nu was haar vader bereid om zijn baan te laten wachten om een nieuw huis te bouwen en een herenboerderij te beginnen op voormalige Amish grond. Het was moeilijk te bevatten, maar de afgelopen anderhalf jaar hadden haar geleerd dat de dood van een echtgenote iemands denken kan veranderen.

Net als het verlies van een moeder?

Ze keek toe hoe hij voor de maaltijd betaalde met het gevoel of ze haar vader voor het eerst in heel lange tijd zag. Het vooruitzicht een huis te gaan bouwen had hem beslist nieuwe veerkracht gegeven. Een man van zijn leeftijd had een doel nodig in zijn leven, iets waarvoor hij 's morgens uit bed moest komen. Zijn succesvolle loopbaan kon niet zijn enige reden zijn om te leven.

Zolang pap het nieuwe huis maar niet gebruikt om zich terug te trekken uit de wereld… zoals ik…

Samen wandelden ze over het parkeerterrein ieder naar hun eigen auto. Pap stelde voor dat ze achter elkaar aan zouden rijden naar Josiah. 'Ik rijd voorop,' zei hij tegen haar. 'Ik wil graag zo gauw mogelijk een paar ideeën van je op papier zetten. Ik kan maar een paar dagen blijven.'

Lang genoeg voor een ernstig gesprek van vader tot dochter, hoopte ze.

'Het klinkt alsof je weet wat je doet.' Ze klikte met de afstandsbediening om haar auto van het slot te halen.

Hij lachte. 'Dat wel. Ik heb prediker Josiah al opgezocht in zijn boerderij,' bekende hij terwijl hij het portier voor haar opende.

'Wauw, pap… je zit vol verrassingen.'

Glimlachend legde hij zijn hand om haar elleboog. Toen ze in de auto zat, sloot hij het portier en klopte op het raam. 'Tot straks, kleine.'

Kleine…

Ze werd er neerslachtig van als ze bedacht wat haar nieuws hem aan zou doen. En er viel niets te veranderen aan het feit dat Heather nog steeds een beetje sceptisch stond tegenover de natuurlijke aanpak van dokter Marshall. *Is het te mooi om waar te zijn?*

Hoofdstuk 11

'Aanstaande woensdagochtend hebben we een damesochtend,' zei Susan Kempf terwijl ze de teugels van het geheel zwarte rijtuig in handen nam.

'Thuis noemen wij onze bijeenkomsten zustersdag of bak-bijeenkomst,' zei Lettie. Ze was erg ingenomen door de openheid van Susans rijtuig. *Heel anders dan die bij ons thuis.*

'Ik denk dat je het leuk zult vinden om mijn buren te ontmoeten, vooral May Jaberg. Ze heeft me erg geholpen na Vernons dood.' Susan vertelde verder over haar lieve buurvrouw, die aankomende week de gastvrouw was op de bijeenkomst. 'May is Amish-mennonitisch en een echte moederkloek. Ze heeft drie geadopteerde kinderen en ook een heel stel van zichzelf.'

Geadopteerd? Het woord gaf Lettie een schok.

'We gaan koekjes en taarten bakken voor de bazaar van haar kerk.'

Lettie was nog diep in gedachten over Mays familie. 'Hoe oud zijn Mays geadopteerde kinderen?'

'Eens kijken. De twee oudste meisjes zijn in de twintig. Van de zoon weet ik het niet precies,' zei Susan. 'Geloof me, Lettie: May zal het heel fijn vinden als je meekomt.'

'Nou, het lijkt me leuk, maar ik weet niet of ik zo lang blijf,' zei Lettie, hoewel ze zich afvroeg of ze een kijkje moest nemen bij Mays kinderen. Het idee dat ze er heel dichtbij kon zijn het vermiste kind van Samuel en haar te vinden, stemde haar tot nadenken.

O, God, kan het zijn?

Susan zong uitgebreid de lof van haar buurvrouw en Lettie vond het een pakkend verhaal. *Is zij het antwoord op mijn gebed?*

Afgezien van nu en dan een praatje met Tracie Gordon in Kidron en het hartverscheurende bezoek aan Samuel Graber, was Lettie afgesneden geweest van de omgang met mensen sinds ze uit Bird-in-Hand vertrokken was. Het was erg verfrissend om met deze joviale Susan te praten.

'Weet je toevallig hoe May en haar man de adoptie van hun kinderen hebben aangepakt?' vroeg ze aarzelend. 'Ging het via een agentschap... of privé?'

'Dat heb ik eigenlijk nooit gehoord.' Susan keek haar aan. 'Maar May is zo openhartig, ze wil er vast met alle plezier over praten.'

'*Ach*, nee, zo nieuwsgierig hoef ik niet te zijn.' *Maar ik zou het wel graag willen weten...*

'We kunnen nu wel even langsgaan als je wilt.' Susan glimlachte. 'Overweeg je adoptie?'

'Nee, nee,' protesteerde Lettie. 'Het is alleen interessant om te horen hoe families bij elkaar komen.' Ze voelde zich schuldig omdat ze de waarheid verdraaide tegenover deze aardige vrouw.

Susan noemde nog enkele families in de boerengemeenschap die de oceaan waren overgestoken naar plaatsen in Roemenië en China om kinderen te adopteren.

'Amish echtparen?' vroeg Lettie verrast.

'Sommigen, *jah*. Vooral veel mennonitische families hebben uit het buitenland geadopteerd.'

Onderweg luisterde Lettie naar het geluid van de rijtuigwielen die ratelden over de weg en nu en dan het briesen van het paard. Wonder-*gute* geluiden. Liefdevol noemde Susan de vosmerrie 'Molly'. Lettie keek naar het paardenhoofd dat op en neer ging op haar ritmische bewegingen en zat ondanks alles te genieten op het voorbankje van het oude rijtuig.

Ze spraken over het aangename lenteweer en Susan begon over Mays hobby: bijen houden. '*Ach*, Lettie, ik heb nog nooit iemand zo blij gezien als May vorige maand toen ze bijna vier pond honingbijen over de post ontving. Ze komen in een houten kist, zie je.'

Lettie knikte. 'Onze buren thuis zijn ook bijenhouder. Soms krijgen we ruwe honing van ze.'

'Overheerlijk, hè?' merkte Susan op terwijl ze door de hoofdstraat reden naar het kleine motel waar Lettie logeerde.

Vlug dacht Lettie na over wat ze tegen de eigenaar moest zeggen. Ze kon het zich niet permitteren om het geld kwijt te raken dat ze vooraf voor haar kamer had betaald. Ze wist niet hoeveel langer ze nog weg moest blijven en hoeveel contant geld ze nodig had om rond te komen.

Met het gevoel dat het onbeleefd was om haar gedachten te laten afdwalen, concentreerde Lettie zich weer op Susan, die de vele aspecten van bijen houden beschreef: de koninginnen-kast, de werkbijen, de nieuwe korf en het bouwen van kunst-raat voor een bevruchtingskastje. 'May vindt het zo spannend om te zien hoe de bijen terugkomen naar de korf, volgeladen met pollen.' Ze zuchtte tevreden. 'Iedereen krijgt lentekriebels, hè?'

Lettie beaamde het. Ze had het vorige maand tijdens haar verblijf in Kidron ervaren toen ze de pas geplante velden van bruin naar schitterend groen had zien veranderen, een aanblik waar ze in dit seizoen altijd van genoot. En de botergele nar-cissen, de roze kornoelje... en tientallen prachtige kolibries.

'Er gaat niets boven een nieuwe honingraat in een nieuwe bijenkorf om je dat bij te brengen,' vervolgde Susan.

Lettie had nooit bijen gehouden en kon er niet over mee-praten. Maar Susan praatte zo hartelijk over haar bijen min-nende buurvrouw – en Lettie was zelf zo nieuwsgierig naar Mays geadopteerde kinderen – dat ze des te meer hoopte dat ze haar geld terug kon krijgen. Het was een aanlokkelijk idee om bij Susan te logeren.

'Is het hier?' vroeg Susan toen ze het motel met de bloem-bakken vol rode en witte petunia's voor de ramen naderden.

'*Jah*, parkeer maar aan de achterkant.' Lettie voelde zich heen en weer geslingerd tussen hier haar biezen pakken en naar Susans huis gaan, en het verlangen naar haar eigen huis op Beechdale Road. Maar ze had het nu al afgesproken. *Ik hoop maar dat ik de juiste beslissing neem.*

'Je zult je erg op je gemak voelen bij mij thuis,' zei Susan.

Ja, maar ik kan niet lang blijven, dacht Lettie. Ze opende de deur van het rijtuig en liep naar de ingang van het motel.

★

'Nee, ik pieker er niet over aan een ander huis te beginnen voordat het werk aan uw huis klaar is.' Josiah Smucker boog zich over de keukentafel van zijn vrouw. Hij was jonger dan Heather had verwacht – midden dertig – en tekende een ruwe plattegrond van het stuk land van haar vader, waarbij hij rekening hield met de loop van de molenkreek. Hij wees Heather de kreek, maar zette zijn gesprek met haar vader voort. 'Ik kan u dit vertellen, meneer Nelson, ik heb geen lijntrekkers in mijn ploeg. Daardoor krijgen we dingen vlug voor elkaar. Bovendien heb ik een heel stel mensen in dienst, die allemaal tegelijk hun werk doen.'

'Noem me maar Roan.'

Josiah grinnikte, haalde zijn hand door zijn dikke bruine haar en nam een groot glas zelfgemaakte limonade aan van zijn lieve blozende dochtertje. 'Wilt u ook wat?' vroeg het meisje aan Heather.

'Ja, graag,' zei Heather.

Haar vader markeerde het gebied waar drie reusachtige bomen op het land stonden. 'Je moet weten dat mijn dochter en ik bomenliefhebbers zijn,' zei hij tegen Josiah met een knipoog naar Heather. 'Is het mogelijk om die te sparen?'

Josiah knikte heftig. 'Mijn mannen en ik vinden dat wat God behaagt op het land te zetten, moet blijven staan.'

Haar vader knikte. 'Mooi.' Hij keek met een glimlach naar Heather. 'Morgen gaan mijn dochter en ik met de tekenaar praten en de blauwdrukken doornemen. Zij logeert in een Amish bed-and-breakfast in de buurt... en ik probeer ergens op Route 340 een kamer te krijgen.'

Josiah keek over zijn schouder naar zijn knappe vrouw die

bij de gootsteen stond af te wassen. 'Als het niet lukt, laat het dan even weten. We hebben twee logeerkamers. Dus als je in de stad bent, Roan, dan zeg je het maar.'

Opnieuw werd Heather getroffen door de ongewone gastvrijheid van deze mensen. En omdat er vanavond niet over kosten werd gesproken, nam ze aan dat haar vader het al over de betaling had gehad met deze man die in één dag een schuur van twee verdiepingen op kon trekken, evenals een preek houden voor een huis vol Amish mensen. Het ging haar verstand te boven.

Mam zou het nooit geloven!

De gedachte aan haar moeder en de strijd tegen kanker die ze moedig had gevoerd en verloren, bracht Heathers gedachten terug naar de radicale dieetaanpak die LaVyrle voorstond. Maar eerst het lastigste; het tiendaagse programma in het kuuroord aan de weg.

LaVyrles manier was vast makkelijker dan chemotherapie en bestraling. *Alles moet makkelijker zijn!* Ze was persoonlijk getuige geweest van de conventionele medische weg en had daar weinig trek in. Marian Riehl was heel inschikkelijk geweest toen Heather vanmorgen had gevraagd groene thee voor haar te trekken in plaats van koffie zoals anders. En voordat ze ging ontbijten, had Heather boven in de badkamer haar voedingssupplementen genomen. Afgezien van haar foutje van vanavond was het best goed gegaan na haar afspraak van gisteren.

Dus zo mislukken goedbedoelde plannen, dacht ze, opnieuw beseffend dat er vreselijk veel wilskracht nodig was voor het dieet dat ze overwoog. En niet te vergeten het doorbreken van patronen.

Zuchtend werd ze zich opnieuw bewust van haar gapende tailleband. Het verbaasde haar dat haar vader niet meer had gezegd over haar gewichtsverlies. *Uit beleefdheid… of omdat hij te veel opgaat in zijn nieuwe avontuur.*

Ze huiverde bij de gedachte hem het slechte nieuws te moeten vertellen en werd al beroerd als ze zich het gesprek voorstelde. Maar hoelang kon ze het zich veroorloven te wach-

ten op de aanbeveling die LaVyrle zo van harte had gegeven?
Speel ik Russische roulette?

★

Zonder dat ze erom hoefde te smeken, ontving Lettie tot haar grote verrassing het geld voor haar verblijf in het motel terug. 'God zegene u,' zei de vriendelijke vrouw nadat ze de biljetten had uitgeteld.

Lettie bedankte haar en stopte het geld in haar tas. Toen liep ze naar het parkeerterrein. 'Ik heb maar een paar minuten nodig om mijn spullen in te pakken,' zei ze tegen Susan en snelde weg naar haar kamer.

Toen ze de toilettafel en de badkamer had gecontroleerd op persoonlijke spullen vouwde ze haar kleren in de koffer en ritste hem dicht. Voordat ze vertrok legde ze een paar dollarbiljetten op het bureau als fooi voor het kamermeisje, samen met de kamersleutel.

Dit is een klein wonder, dacht ze toen ze terugliep naar het rijtuig.

Susan was het met haar eens. 'God wijst ons stap voor stap de weg.'

Ook als we van huis zijn weggelopen? Ze peinsde weer over haar eigen beslissing, wat het betekende om afwezig te zijn midden in de drukste tijd van het jaar. De lammertijd was altijd zwaar voor Judah en ze bad zacht om kracht voor haar hardwerkende echtgenoot, terwijl het geluid van Molly's hoeven haar zenuwen kalmeerde. Ze ontspande zich en ze reden wel twee kilometer zonder iets te zeggen. Het was raar, want Susan was daarstraks zo spraakzaam geweest.

'Je bent zeker moe,' zei Lettie.

'Niet zozeer moe als wel zenuwachtig.' Susan wees voor zich uit naar het grote huis op de hoek. 'Zie je dat? De afgelopen weken ben ik steeds als ik deze bocht nam bekogeld met steentjes of eikels. Ze vliegen zo het rijtuig in.'

'Wat kan dat nou zijn?'

Susan keek verbaasd. 'Wil je zeggen dat jullie dat probleem in Lancaster niet hebben?'

'Soms, maar we horen er niet veel over. Er gebeuren meer ongelukken met auto's, die met grote vaart rijtuigen passeren en zo.'

'Nou, hier gebeurt het veel te vaak. In de zomer en in de herfst gooien de jongens zelfs met rot fruit, meestal appels. En vooral in de herfst worden er veel onnadenkende streken uitgehaald. Helaas gebeuren er in oktober in heel Amish land in Ohio veel akelige dingen.'

'Vanwege Halloween soms?' Lettie kon geen andere reden bedenken.

'Misschien. Ik weet niet zoveel van de *Englischers*. Het is hier zelfs onder de *Amish* al traditie geworden om streken met elkaar uit te halen. In de herfst tenminste.'

'Zoals wat?'

Susan lachte een beetje. 'Nou, twee rijtuigen op het dak van een huis zetten, bijvoorbeeld. Dat is nog niet zo lang geleden gebeurd.'

'Op het dak?' Ze zag het amper voor zich! 'Hoe zijn ze erop gekomen?'

Susan wuifde met haar hand. 'O, dat lukt best als een stel jonge knullen te veel gedronken heeft.'

Thuis waren er ook wat problemen met alcohol. Lettie huiverde als ze eraan dacht dat hun jonge mensen die doodlopende weg zouden kiezen. De kranten zagen het van tijd tot tijd als een buitenkansje en speelden de opstandigheid van slechts enkelen van hun jongeren uit om lezers te trekken.

Nu naderden ze het huis op de hoek. Lettie boog zich waakzaam naar voren om de witte overnaadse planken en de donkergroene luiken te bestuderen, en te zien of de daders al over het gazon aan kwamen rennen.

Ze hield haar adem in toen het paard vaart minderde om de bocht om te gaan en toen aandraafde. Met stijve armen hield Susan de teugels vast. 'Bedek je ogen voor de zekerheid als er iets aan komt vliegen,' adviseerde ze.

Lettie klemde haar kaken op elkaar en dacht ineens aan Judah. Maakte hij zich weleens zorgen over haar, nu ze weg was uit zijn veilige geborgenheid? Arme man, hij wist niet eens of ze zich in de moderne wereld bevond of bij hun familie.

Ze wenste dat ze meer details had geschreven in haar brief en dacht aan zijn liefdevolle zorg tijdens haar zwangerschappen... de tedere manier waarop hij haar in en uit het familierijtuig had geholpen. *Nog niet zo lang geleden.* Zou er ooit nog zo'n tederheid tussen hen zijn?

De liefdevolle herinnering verdween toen het paard en het rijtuig het witte huis passeerden en langs de achtertuin reden. 'We zijn bijna in veiligheid,' zei Lettie.

'Voor deze reis dan.' Susan keek haar met opgetrokken wenkbrauwen aan. 'Alles goed?'

Lettie zei van wel. 'Ik wou maar dat je het me niet had verteld. Nu zal ik elke keer zenuwachtig zijn op die hoek.'

'Tja, maar als je alleen naar de stad gaat, weet je waar je voor op moet passen.'

Lettie stelde Susans bezorgdheid op prijs.

'Mijn man had toen hij nog leefde een aardige manier om die kinderen van hun stuk te brengen.' Susans stem was schor. 'Vernon draaide zich om en zwaaide en grijnsde naar hen terwijl het rotte fruit om zijn oren vloog. De aardigste man die ik ooit heb gekend...'

Ze zwegen een poosje. Toen zei Susan zacht: 'Het lijkt wel gisteren dat hij hier naast me zat en me naar de stad reed. *Ach,* ik mis hem zo.' Ze bette haar ogen met een zakdoekje. 'Toch zou ik hem niet terug wensen nu hij in de Heerlijkheid is.'

Letties hart ging naar Susan uit. 'Hoelang is het geleden?'

'Bijna drie jaar nu.'

Lettie vertelde dat haar dierbare zus ook was overleden. 'Naomi was mijn beste vriendin... en mijn zus. Ik denk niet dat ik ooit over haar sterven heen kom.'

'Dat gevoel ken ik maar al te goed.' Susan knikte veelbetekenend. 'En wat een zegen als twee zussen zo'n goede band hebben.'

'O… begrijp me niet verkeerd: God heeft me enkele won-der-*gute* broers en zussen gegeven. Maar Naomi was bijzonder. Ze hield niet alleen van me… ze was ook op me gesteld.'

'Dat is inderdaad een verschil.' Susan was nu meer ontspannen. De teugels lagen los op haar schoot. 'Heb je familie in Ohio wonen?'

Ongetwijfeld popelde Susan om te weten waarom ze naar Baltic was gekomen. 'De meesten van mijn familieleden zijn in Lancaster County,' zei Lettie tegen haar. Het viel haar ineens weer in dat haar volwassen eerstgeboren zoon of dochter heel goed in de buurt kon wonen zonder dat zij het wist. Het was een adembenemende gedachte.

'In het restaurant zei je dat je iemand hoopte te ontmoeten.'

Ze haalde diep adem. '*Jah*, ik ben op zoek geweest, maar ik kan die persoon niet vinden.'

'Ik zou je wel willen helpen… als je me tenminste geen bemoeial vindt.'

Lettie hoopte dat Susan het niet verkeerd opvatte als ze onthulde dat ze een bepaalde vroedvrouw wilde zoeken. Ze bedacht wat ze moest zeggen. Haar moeder had er vaak op aangedrongen ten minste *iets* te zeggen. Om zich uit te spreken voordat ze goed overdacht had hoe ze zich precies moest uitdrukken. *Soms is dat het moeilijkste van alles.*

Vermoeid ineens vroeg ze zacht: 'Ken je iemand hier in de buurt die Minnie Keim heet?'

Susan fronste haar wenkbrauwen. 'Bedoel je Minnie van Perry?'

'*Jah.*' Lettie keek haar aandachtig aan.

'Ja, die ken ik. Dat is een bekende vroedvrouw… en hulp-verleenster voor jonge meisjes. Voornamelijk ongehuwde moeders.'

'O ja?' Letties handen werden slap. 'Dat is degene voor wie ik gekomen ben.'

'Nou, ik weet precies waar zij en haar man wonen.' Susan legde uit dat ze kortgeleden bij Minnies oom en tante ingetrokken waren, nadat Perry ontslagen was en de huur niet meer kon betalen.

'Hoe ver is dat van jouw huis?' vroeg Lettie.

'Vijf kilometer misschien.'

Maar een kwartiertje met paard en rijtuig, dacht ze met een verwachtingsvol bonzend hart. *Gauw, heel gauw, zal ik iets weten over mijn kind...*

Hoofdstuk 12

De zoete geur van seringen hing in de lucht toen Grace zich de volgende morgen naar de stal haastte. Ze was extra vroeg opgestaan om naar Willow te gaan, verlangend naar het kleinste teken van verbetering. 'Zulke wonderen gebeuren maar een enkele keer,' had Adam haar gisteren na het avondgebed gewaarschuwd.

Ook was ze gisteravond in de gang op *Mammi* Adah gestuit, half verstopt tussen de uitstalling truien, zwarte omslagdoeken, werkjassen en laarzen. Daar stond haar grootmoeder met een vuurrood hoofd van verlegenheid, alsof ze had staan afluisteren toen de familie uit de Bijbel las en bad. *Heel raar...*

Al voordat mama was vertrokken, las pa de Schrift voor uit de Engelse Bijbel. Dat deden veel Amish mensen en het was niet tegen de wensen van hun bisschop... Grace kende er wel andere. Toch baarde het haar zorgen dat *Mammi* hen bespioneerde. Of bekeek ze hen eenvoudig met medelijden?

Wie weet, zo gesloten als Mammi *Adah kan zijn als het over mama gaat.*

Grace knielde neer in het zaagsel en drukte haar gezicht tegen Willows wang. 'Hallo, lieve meid. Heb je een beetje geslapen?'

Grace vatte moed toen ze zag dat het paard vandaag meer ontspannen was en haar gewonde been niet meer zo strak tegen haar buik trok als eerst. Hoeveel zwakke oude paarden waren weer gezond geworden met huismiddeltjes die buren aan elkaar doorgaven? Adam en Joe hadden haar gisteravond onder het eten weinig hoop gegeven. *Dawdi* Jakob had haar en Mandy's kant gekozen en gezegd dat de jongens meer geduld moesten hebben en misschien wat meer zelfgemaakte zalf. *Mammi* Adah had over de kwestie gezwegen, wat Grace verbaasde, nu ze erover nadacht. Het was niets voor *Mammi* om haar mening voor zich te houden, wat er aan tafel ook besproken werd.

Liefdevol streelde Grace Willows hoofd. 'Straks loop je weer zo *gut* als nieuw over het erf, hoor.' Zelfs in haar eigen oren klonk het leugenachtig toen ze zag hoe het prachtige paard erbij lag. God had paarden zo gemaakt dat ze staand konden slapen.

Ze vroeg zich af wat mama zou zeggen als ze wist hoe Willow eraan toe was. Ze zou er ook kapot van zijn. 'Heeft mama tegen jou gezegd waar ze heen ging?' fluisterde ze tegen Willow. 'Kwam ze hier om met jou te praten voor haar nachtelijke wandelingen?'

Grace was een paar keer het huis uit geglipt om te kijken of haar moeder inderdaad haar hart uitstortte bij Willow. *Net als ik soms.* Maar haar moeder had ze het nooit zien doen.

Willow draaide haar hoofd een beetje en hinnikte gesmoord.

'Je weet dat ik je beter zou maken als ik kon, hm…?' Ze boog zich naar voren en wreef de bovenkant van de manen van het gewonde paard, terwijl ze zacht een lied uit de *Ausbund* neuriede.

Terwijl ze daar heel stil zat, dronk ze de geluiden om haar heen in. Aan de overkant van de weg hoorde ze het zachte kabbelen van de molenkreek. En toen… het knerpen van grind.

'Pa is zeker al op,' zei ze en streelde Willows hals. 'We maken ons allemaal zoveel zorgen over je.'

Grace hoorde iets schuiven en krakend ging de schuurdeur open.

Ze draaide zich om naar de deur en keek reikhalzend. Was er maar een spoortje licht van de maan. Maar ze was hier 'in het holst van de nacht' naartoe geslopen, zoals mama de tijd tussen middernacht en zonsopgang noemde.

Zachtjes zei ze tegen Willow: 'Een lantaarn zou helpen, *jah*?'

Toen de voetstappen haast bij haar waren, draaide ze zich met een ruk om en zag de vage omtrek van een jonge man. Ze had niet geweten wie het was, maar toen hij zacht en gedempt haar naam uitsprak, herkende ze hem onmiddellijk. 'Yonnie?' zei ze. 'Wat doe jij hier?'

'Hetzelfde als jij, zo te zien.' Hij hurkte dicht naast Willow neer en opende een fles met vloeistof die rook naar terpentijn vermengd met azijn. Methodisch begon hij het spul op het gewonde been aan te brengen. 'Ik heb er wat ei door gemengd om het romig te maken. Mijn vader gebruikte dit in Indiana altijd voor zijn paarden,' zei hij.

Haar ogen waren genoeg aan het donker gewend om te zien hoe zijn handen lichte, vloeiend ronddraaiende bewegingen maakten.

'Je vindt het toch niet erg? Dat ik hier kom om Willow te helpen?'

'Nee hoor.' Het verbaasde haar zelf dat ze niet nadacht voordat ze sprak. Maar wat kon ze anders zeggen?

'*Gut*, dan.'

Ze schudde haar hoofd. 'Misschien heb je het verkeerd begrepen.'

'O?'

'Willow is ons huisdier.'

'Ja, natuurlijk, Gracie.' Hij klakte met zijn tong en boog zich dichter naar Willow toe. 'En ik kan zien dat je veel van haar houdt. Ze is een bijzondere merrie. En mooi om te zien ook.'

Grace was op haar hoede voor zijn lieve woorden. Welk recht had hij om hier in het donker bij háár gewonde paard te zitten? *En bij mij, trouwens?* 'Ik ga maar naar binnen.' Ze kwam vlug overeind.

'Nou, ik blijf hier.'

Ze dacht even na. 'Het is eigenlijk helemaal niet nodig.'

'*Jah…*' Hij zweeg en zij wachtte af wat hij ging zeggen. 'Grace, ik doe dit voor je vader. Dat je dat duidelijk is.'

Ze bloosde in het donker, wat had ze arrogant gedaan. Het

was heel stil, zoals vaak vlak voordat de dag aanbrak. Slechts over een paar minuten kwamen pa en Adam naar de schapen en de nieuwe lammeren kijken. Ze zouden hun armen in de mouwen van hun jassen steken en met hun laarzen aan de schuur binnenstampen. Wat moesten ze ervan denken als ze haar hier met Yonnie zagen?

'Goed dan,' zei Grace vriendelijk. 'Maak Willow *gut* en wel... voor pa.'

★

Het busje van Martin Puckett zat vol Amish mannen. Hij was blij dat hij weer regelmatig werd gebeld voor vervoer, vooral omdat hij een paar dagen geen zaken had gedaan nadat Lettie Byler vorige maand verdwenen was.

Zijn vrouw had gelijk gekregen – de vreemde geruchten dat hij met Lettie weggelopen was, waren overgewaaid en hij was er zonder kleerscheuren vanaf gekomen, precies zoals Janet had voorspeld. De kus die ze hem vanmorgen toen hij wegging had gegeven, voelde hij nog op zijn wang.

Nu vervoerde hij een heel stel boeren, timmermannen en één tekenaar genaamd John Stoltzfus naar verschillende locaties. John, de jongste van de groep, wilde naar het Familierestaurant in Bird-in-Hand, waar hij afgesproken had met iemand van buiten de stad.

'Hij heet Roan Nelson,' zei John tegen zijn neef en de anderen in Pennsylvania Dutch. 'Gek dat een vent uit Virginia met een goedbetaalde baan zijn biezen pakt en midden tussen ons in een huis wil bouwen.'

'*Jah*... wat mankeert hem?' zei iemand, waarop de passagiers van het busje in lachen uitbarstten.

'Weet die Roan niet dat hij langzaam verkeer om zich heen krijgt?' zei een ander. 'En stinkende paardenvijgen?'

Martin glimlachte genietend van het snel gesproken Dutch. Afluisteren was een van de voordelen van zijn werk. Elke dag hoorde hij geklep en aan het eind van elke week zette hij de stukken in elkaar tot een enorm mozaïek in zijn hoofd – de worsteling 'in de wereld, maar niet van de wereld' te zijn. Deze beste mensen hingen de levensstijl van een ander tijdperk aan, terwijl ze in de eenentwintigste eeuw leefden. *Zoeken naar geluk is proberen een veer te vangen in de wind, waar je ook bent.*

'Zeg, is meneer Nelson degene die dat kleine stukje land aan Gibbons Road heeft gekocht?' vroeg Johns neef.

'Dat klopt,' zei de oudste van het stel. 'Ik denk dat Roan Nelson prediker Josiah heeft verteld dat hij altijd al een klein boerderijtje had willen hebben.'

'Wat moet hij verbouwen op zo'n klein lapje?' zei een boer op de achterbank.

'Hij zal eerst zijn huis moeten bouwen,' antwoordde John. 'En daarom heb ik vandaag met hem afgesproken… en met zijn dochter, die de hele zomer bij de Riehls logeert. De prediker zegt dat Roan Amish invloeden in zijn huis wil, maar hij heeft ook een *Englischer* aangenomen om de blauwdrukken te tekenen.'

Martin had zin om zich erin te mengen. *Vinden jullie het niet raar dat buitenstaanders tussen jullie in willen wonen?* De Amish die hij het beste kende, wilden hun buurt afgesloten houden en vrij van wereldse wegen. Mensen zoals Roan Nelson hadden de neiging om de lang bewaarde hindernissen binnen de anabaptistische gemeenschap af te breken en te veel moderne mentaliteit in te brengen. Martin overwoog dat zelfs kleine doses van de moderne wereld de jongelui in deze hechte gemeenschap geen goed zou doen.

'Waarom is dat perceel aan een *Englischer* verkocht?' vroeg Johns neef. 'Wie heeft die fout gemaakt?'

Enkele mannen lachten en iemand zei dat een mennoniet genaamd Bender de oorspronkelijke landbezitter was. Een man op de tweede bank sprak. 'Ik heb gehoord dat de eigenaar het gauw verkocht heeft aan de eerste die langskwam met een zak geld in zijn hand.'

Dat was precies wat Martin ook vermoedde. *Sommige mensen verkopen alles, als ze maar wanhopig genoeg zijn.*

Maar die zakenman uit Virginia over wie ze grappen maakten… Martin wilde graag kennis met hem maken. Daar kreeg hij vast de kans voor als hij Josiah Smucker en zijn ploeg werklui daar elke dag heen bracht.

Wat is eigenlijk de reden dat Roan Nelson zich in een Amish buurt naar binnen wil wurmen?

★

Heather had haar ochtendlijke cafeïnestoot hard nodig, maar de natuurarts had sterk geadviseerd geen koffie te drinken – nooit meer. Alles met cafeïne, ook chocolade, moest ze laten staan. Zelfs de groene thee die ze mocht drinken moest cafeïnevrij zijn. Dientengevolge sleepte ze zich voort als de ouderwetse zwabber waarmee Marian Riehl haar grote keukenvloer dweilde. Weer had Heather voor het ontbijt boven haar supplementen genomen en daarna twee grote koppen Japanse groene thee achterovergeslagen.

Eerbiedig zat ze de ruwe blauwdrukken te bestuderen in het paviljoen bij het Familierestaurant van Bird-in-Hand, waar haar vader vannacht een kamer had genomen. Haar vader en de tekenaar – een Amish man genaamd John Stoltzfus, die haar vader vorige maand op een veeveiling had ontmoet – zaten tegenover haar, dronken koffie en spuiden ideeën. Het geurige aroma tergde haar neusgaten.

Ten slotte stelde John haar een rechtstreekse vraag. 'Ziet u bepaalde veranderingen die u wilt aanbrengen, mevrouw Nelson?' In zijn kortgeknipte bruine haar zat vlak boven zijn oor een potlood geschoven.

'Nou, laat eens kijken.' Ze bekeek de blauwdrukken en wenste dat ze meer belangstelling voelde. Ze liet haar ogen over de plaatsing van de slaapkamers glijden, maar haar gedachten dwaalden af. Het was nog steeds zo verwarrend dat haar vader een nieuw huis liet bouwen.

Wat zou mam zeggen van het voorgestelde aantal slaapkamers? Zou ze het niet verschrikkelijk vinden dat ze weggingen uit het huis waar ze zo lang als gezin hadden gewoond?

Als om haar gedachten te concentreren wees haar vader naar het vel waarop de bovenverdieping afgebeeld stond. 'Wat vind je van de indeling van de badkamers boven, kleine?'

Zijn enthousiasme voor het plan was duidelijk in zijn vrolijke toon te horen. *Wat ben je voor dochter als je een domper zet op het plezier van je vader die weduwnaar geworden is?* 'Wat zou je zeggen van een privébadkamer voor de tweede slaapkamer?' waagde ze.

'Prima, aparte badkamer.' Hij leunde achterover en klapte in zijn handen.

O nee, dacht Heather.

Het was moeilijk, haast onmogelijk, om zich op de bouwtekening te concentreren terwijl ze haar hart moest openstellen om pap over haar ziekte te vertellen. En ze had behoefte aan zijn inbreng over het kuuroord waar ze nog steeds over nadacht. De verzekering zou de kosten niet dekken en het zou haar moeilijk vallen een manier te bedenken om de aanzienlijke kosten alleen te dragen. En als ze zich zo spoedig mogelijk inschreef voor het programma, verdween ze nog verder uit het leven in het algemeen dan ze nu al in Amish land had gedaan.

Haar vader stak zijn kin in de lucht toen hij zich concentreerde op zijn toekomstige kantoor aan huis. *Wat heeft hij hier aan een kantoor?* moest ze zich wel afvragen.

Toen ze de blauwdrukken zorgvuldiger bestudeerde, leek het voor de hand te liggen dat een vrouw zich ermee bemoeid had. Josiah Smuckers vrouw Sally misschien? De eetkamer was maar een paar stappen van de compacte, maar handige keuken… waar een kleine ontbijthoek was gesitueerd bij een haard aan de ene kant van de ruimte. *Volmaakt voor koffie en zoete broodjes*, dacht ze. *O, nee… volmaakt voor rauwmelkse yoghurtsmoothies en vers fruit.*

'Je ziet er moe uit,' zei pap plotseling.

Ze keek op. 'Ben ik ook.'

'Laat geworden op een feestje?'

'Ja, pap… ik heb me met *jou* aan het buffet volgepropt, weet je nog?' Ze glimlachte, een beetje verlegen door de Amish man tegenover hen. 'Bovendien gaan de meeste mensen hier met de kippen op stok. Nietwaar?' Ze keek naar John.

De man lachte, zijn baard raakte zijn borst toen hij knikte.

'Ik wil dit graag vandaag afsluiten, maar misschien zal een korte pauze ons allemaal goeddoen.' Pap wenkte dat ze met hem mee moest lopen. 'We zijn zo terug,' zei hij tegen John, die beleefd zei dat hij wel wat tijd kon gebruiken om de correcties tot dit punt aan te brengen. 'Mijn dochter moet even haar benen strekken.'

O ja? Geschrokken kwam Heather overeind en volgde hem naar buiten.

'Is alles goed, lieverd?' vroeg hij.

Ze haalde diep adem.

'Ben je teleurgesteld in het huis? Gaat het je te snel?'

De bezorgde toon in zijn stem ontroerde haar. Waar*om* wilde hij eigenlijk weg uit Virginia? Hun mooie huis had voor hen allebei emotionele waarde, zeker nu mam er niet meer was. Hoe kon pap al die gekoesterde herinneringen aan hun jaren samen achter zich laten? Ook paps leven was na mams dood op z'n kop gezet. Misschien was het inderdaad tijd voor een grote verandering, net zoals zijzelf deze periode van weg zijn nodig had gehad. *Maar een permanente verhuizing?*

'Ik vind alles best wat je wilt bouwen, pap… hoe je het ook wilt doen.'

'Weet je het zeker?'

Ze knikte. 'Het is jouw huis… wat jij wilt.'

Hij glimlachte. 'Ik wil dat je vaak op bezoek komt.'

'Tuurlijk, pap… dat doe ik ook. Als ik kan.' Ze liepen over het parkeerterrein naar de schilderachtige boerenmarkt, die ondergebracht was in een loodsachtig gebouw. Ze sloeg haar armen strak om zichzelf heen en verzamelde kracht… en moed. Ze had het al te lang uitgesteld. 'Pap, het spijt me… ik vind het op dit moment echt moeilijk om aan de bouw van een huis te denken. Ik ben echt blij voor je, hoor. Maar ik moet met je praten over iets heel anders. Iets wat ik eigenlijk al eerder met je had moeten bespreken.'

Hij stond abrupt stil. 'Lieverd, wat dan?'

Ze zweeg even en keek hem in de ogen. 'Ik ben ziek, pap.' Nu was er geen weg terug meer. 'Ik wilde je het slechte nieuws besparen…'

Hij kromp ineen. 'Hoe bedoel je, ziek?' Zijn ogen werden donker van angst.

Ze keek naar de grond. 'Wat is dit moeilijk.'

'Heather, je maakt me bang… Hoe ziek?'

'Het doet me pijn dat ik nog meer zorg in je leven breng.' Ze begon te vertellen over de uitslagen van de oorspronkelijke bloedonderzoeken en de andere medische bevindingen. Alles waarvan ze zich kon herinneren dat het tot de diagnose kanker had geleid.

'Hoelang weet je het al?' vroeg hij.

'Te lang, en dat spijt me.'

Pap knipperde snel met zijn ogen. 'Ik wou dat je het meteen had verteld.' Fronsend worstelde hij om het nieuws te verwerken en zijn emoties te bedwingen.

'O, pap,' fluisterde ze toen hij haar in zijn armen trok. 'Ik kon het niet verdragen om het je te vertellen. En… ik had het bijna niet gedaan.'

'Je bent mijn dochter.' Zijn stem stokte. 'Je bent alles wat ik nog heb.'

Toen hij haar losliet, vertelde ze dat de oncoloog had gezegd dat ze onmiddellijk chemotherapie moest hebben. 'Maar dat is naar mijn mening een doodlopende weg,' zei ze. Vlug begon ze over de heel andere aanpak die de plaatselijke natuurarts had voorgesteld. 'Ik zou dat echt graag willen proberen.'

'Heather…' Hij schudde zijn hoofd. 'Ik vind dat je meteen naar huis moet om met de chemo te beginnen.'

'Pap… alsjeblieft niet.'

'Waarom niet?'

'Weet je nog wat mam heeft moeten doorstaan? Het was een nachtmerrie… Erger nog.'

'Zij had een ander soort kanker.'

Dat zei de oncoloog ook.

'Waarom ga je niet eerst voor een orthodoxe medische behandeling?' Hij klonk gepikeerd. 'Als chemotherapie niet helpt, sta ik open voor je experimentje.'

Ze had wel gedacht dat hij zo zou reageren. 'Bedoel je dat ik eerst de gewone weg moet gaan en als dat niet helpt, ik creatief mag gaan denken?'

Hij knikte. 'Precies. Waarom niet?'

'Ik wil doen wat mam dacht dat beter voor haar was geweest.' Ze gaf een kneepje in zijn hand. 'Laat het me alsjeblieft op deze manier doen.'

'Dat kuurprogramma waar je zo op gebrand bent... Daar hangt zeker een fors prijskaartje aan?'

Ze had zich al afgevraagd wanneer ze daarover moest beginnen. 'Ja, dat is niet zo gek, natuurlijk.'

Hij zweeg een poosje om haar woorden te verwerken. Maar voordat ze bij de boerenmarkt waren, bracht hij haar hand naar zijn lippen. 'Ik heb grote bezwaren tegen het afwijzen van de reguliere geneeskunde, Heather. Het is onverstandig. Voordat je iets besluit, wil ik horen wat die zogenaamde natuurdokter denkt van jouw type kanker.'

'LaVyrle is heel goed. Ik denk dat je haar aardig zult vinden.'

'Aardig zijn of goed zijn, zijn twee heel verschillende dingen. Maar ik wil dokter Marshall wel zo gauw mogelijk ontmoeten. Wil je een afspraak regelen?'

'Tuurlijk, pap. Bedankt.' Ze haakte haar arm door de zijne en zwijgend keerden ze naar het restaurant terug.

Onder het lopen voelde ze de kracht in zijn arm. De aanblik van het weiland in noordelijke richting maakte dat ze de boerenomgeving van de Riehls miste en ze dacht aan Grace Byler, het vriendelijke Amish meisje bij Eli's. *Zou ze het nog weten dat ik Sally Smucker zo graag wil ontmoeten?*

Ze kwamen bij de ingang van het restaurant en ineens stond pap stil om haar onderzoekend aan te kijken. 'In alle eerlijkheid, ik wil niet dat je te veel hoop hebt. Dat kuurprogramma klinkt me in de oren als mogelijk gevaarlijke hocus pocus. Op z'n minst een geldverslindende liefhebberij.' Hij voerde haar mee door de lobby, terug naar de patio en de blauwdrukken. 'Ik wil niet dat je iets doms doet, kleine.'

En ik laat me door jou niet in de weg staan...

'Als we eerst dat mooie nieuwe huis van je eens gingen afmaken?' opperde ze. Toen ze terugkwamen in het paviljoen zat de Amish man tevreden koffie te drinken en met potlood aantekeningen te maken op de plattegrond.

Alsjeblieft, alsjeblieft... sta aan mijn kant, pap. Heather zuchtte en hoopte dat LaVyrle hem op andere gedachten kon brengen.

Hoofdstuk 13

Halverwege de ochtend spande Lettie Susan Kempfs paard voor het rijtuig en reed weg om bij Minnie Keim op bezoek te gaan. Susan had royaal haar beste paard en rijtuig aangeboden.

Ze klakte met haar tong tegen de vosmerrie en hield de teugels in handen. Ze had lang uitgekeken naar deze ontmoeting met de vrouw die haar had geholpen haar eerste kindje ter wereld te brengen. Lettie was haast net zo verwachtingsvol als toen ze de vader van de baby ging bezoeken. Toen ze langs het huis van May Jaberg kwam dat Susan had aangewezen, keek ze er met open mond naar. Er viel haar een nieuwsgierige gedachte in: *wat als ik Mays oudere kinderen van veraf kon gadeslaan?*

Ze richtte haar blik weer op de weg, opgewonden over de ontmoeting met Minnie. Ze was ook erg opgelucht dat Susan haar de reis alleen had laten maken terwijl zij het huishouden deed. *Zou Minnie zich mijn kind nog herinneren... of de naam van de dokter die mijn baby heeft geplaatst?* vroeg Lettie zich af terwijl ze over de bochtige weg reed. *Ze heeft door de jaren heen zoveel bevallingen gedaan.*

Zelfs op dit uur hing er een dichte, laaghangende mist — een normaal verschijnsel in Holmes County, had ze gehoord. De zon had even tijd nodig om door de vochtige mist heen te dringen. Dat en de lange tunnelweg, overschaduwd door bomen, gaven haar het griezelige gevoel terug te gaan in de tijd...

In de mist zag Lettie die dag van lang geleden. De dag dat ze betraand op de hooizolder had gestaan terwijl de jonge Samuel haar zijn liefde verklaarde. 'We zullen samen zijn, dat beloof ik je,' had hij gezegd terwijl hij haar voorzichtig naar beneden trok in het zachte hooi. 'We houden toch van elkaar?'

'Ik houd van jou, maar…'

'Met mijn hele hart houd ik van jou, Lettie Esh.'

Die eerste keer had ze maar weinig weerstand geboden. Ze had genoten van zijn aanraking op haar gezicht, haar haar. 'Straks komt mijn vader naar de paarden kijken,' had ze tussen zijn kussen door gefluisterd. 'Dat doet hij altijd na het eten.'

Maar al te snel was ze opgegaan in Samuels vurige omhelzing.

'We bouwen een huis voor ons, niet ver hiervandaan.' Hij had haar warme wang tegen de zijne gedrukt. 'Vertrouw me toch. O, mijn liefste meisje.'

En ze had hem vertrouwd. Meer dan eens. Soms in het hooi en soms diep in het bos onder het licht van de maan.

'Had ik maar gewacht,' fluisterde Lettie. Ze duwde de schaamtevolle herinnering van zich af. Ze keek naar het plattegrondje dat Susan voor haar had getekend en naar de smalle weg voor haar. Haar hart bonsde.

Nog steeds kon Lettie haar boosheid op haar moeder niet loslaten, die van het begin af aan op Samuel tegen was geweest. Samuel en zij waren inderdaad nog heel jong geweest. Haast te jong om verkering te hebben, laat staan om te trouwen en hun baby groot te brengen. Samuel was ook tegen bepaalde aspecten van de Oude Orde; hij had niet gewild dat Lettie zich in die kerk liet dopen, wat van haar verwacht werd. *Was dat niet de echte reden dat ik mijn baby op moest geven?*

Afgezien van de stukjes informatie die haar moeder aan pa had onthuld, had haar vader bijzonder weinig afgeweten van Samuels romantische belangstelling. Het was *Mamm* geweest die Lettie een paar keer met Samuel had betrapt toen ze elkaar hoog in de schuur gedichten voorlazen. *We konden de spinnenwebben aan de balken haast aanraken.*

Elke keer als Lettie zichzelf toestond in gedachten terug te gaan in het verleden werd ze overmand door schuldgevoel, alsof de levendige herinnering aan haar eerste liefde de overtreding in stand hield.

En dan te bedenken dat ze het adres van Minnie Keim in haar handen had. Ze moest de vroedvrouw bedanken voor haar hulp, zij had haar als tienermeisje geholpen te begrijpen wat er gebeurde op die angstaanjagende dag. De eerste samentrekkingen, de uitputtende barensweeën en uiteindelijk de martelende persweeën. Na de geboorte had Minnie een paar minuten met haar rug naar Lettie toe gestaan, ze had de baby in haar armen gewiegd en gefluisterd tegen *Mamm* voordat ze de kamer uitging.

Minnie en Mamm *weten allebei of ik een zoon of een dochter ter wereld heb gebracht. Ze weten het tot op de dag van vandaag...*

★

Toen Lettie de zandweg indraaide, renden er een paar jonge katten voor het paard weg. Op een melkveehouderij woonden vaak groepen katten met hun jongen, en zeker op zo'n groot bedrijf als dit kennelijk was. Tot haar verbazing voelde Lettie geen spoor van aarzeling meer, zo verlangend was ze om de waarheid te weten.

Toen ze het paard had vastgebonden en haar kleren gladgestreken, rook ze de geur van regen. Het begon te miezeren uit de dichte nevel toen ze over het pad naar de voordeur liep. Het trof haar dat de schommelbank op de veranda precies zo stond als Judah hem bij hen thuis had neergezet. Even moest ze haar zelfbeheersing terugvinden.

Toen ze aanklopte, deed een oudere vrouw met grijzend haar en een hangende onderkin open. 'Ja hoor, Minnie is thuis. Ik zal haar even roepen.' Lettie was blij, maar ineens begon ze bang te worden. De zeurende gedachten dreigden haar de baas te worden. *Ik ben van te ver gekomen... ik heb te lang gewacht.*

Minnie kwam naar de hordeur. Ze was in die meer dan twintig jaar een stevige matrone geworden, maar haar gezicht was nog even rond en roze als Lettie het zich herinnerde. Haar

haar was een mengeling van wit en goudblond in het klare daglicht, en ze droeg een grijze jurk met een zwarte schort erover, allebei in dezelfde stijl als Lettie voor zichzelf naaide.

'Hallo?' Minnie deed de deur op een kier open. 'Mijn tante zei dat u naar me vroeg.'

'O, ik ben zo blij dat ik u gevonden heb... eindelijk!' zei Lettie. 'Jaren geleden hebt u mij bij mijn eerste bevalling geholpen. U kende me als Lettie Esh.'

Minnies ogen dwaalden over haar gezicht. 'Lettie, zegt u?'

'Mijn moeder Adah had contact met u gezocht... Toen zijn we uit Lancaster County naar u toe gekomen in Kidron.'

'Met z'n tweeën?' Minnie trok rimpels in haar voorhoofd. 'Ik heb honderden vrouwen bijgestaan, moet u weten. De meeste jonge meisjes komen met hun moeder.'

Lettie knikte. 'Ik kan niet verwachten dat u het zich meteen herinnert.'

Minnie kwam achter de hordeur vandaan en glimlachte voor het eerst. Ze stelde voor naar het tuinhuisje te lopen. 'Kunt u een poosje blijven?'

'Jazeker.' *Zolang als nodig is...*

'Vertel me eens wat meer. Wat waren de omstandigheden bij de geboorte?' vroeg Minnie.

'Nou, ik was ongetrouwd... nog maar zestien.' Ze hield haar adem in en voelde opnieuw haar schande. 'Mijn ouders waren erop tegen dat ik een baby zou grootbrengen zonder echtgenoot, omdat ik dan nooit zou trouwen.' Ze zuchtte. Wat was het pijnlijk om te vertellen dat de familie haar en haar kind had afgewezen. 'Ik hield van de vader van mijn baby. Heel veel zelfs.'

'Hij hield zeker ook van u,' zei Minnie tot haar verrassing.

'Dat zeggen jongens dan, *jah*.'

Minnie knikte langzaam, met een twinkeling in haar ogen. 'Vooral degenen die niet kunnen wachten tot ze trouwen... of niet willen wachten.'

Ze gingen naast elkaar zitten in de beschutting van het besloten witte tuinhuisje, ver genoeg van het huis om niet te worden gehoord. Om hen heen viel een lichte regen. De geluiden van de lente waren te horen in het lied van de mezen, die vlakbij zaadjes pikten uit een voederbak en kleine kinderen die achter het huis naar elkaar riepen. De vraag in Letties hoofd wilde gesteld worden.

'Ik wil u niet storen, maar ik hoopte dat u zich mij herinnerde... en mijn moeder. En voor mijn eigen gemoedsrust wil ik graag weten of ik een jongen of een meisje heb gekregen.' Ineens voegde Lettie eraan toe: 'En ook of u de naam nog weet van de dokter die de adoptie heeft geregeld.'

'Lieve help, dat is een hele opdracht.' Minnie keek somber. Ze nam Lettie onderzoekend op en dacht na.

'*Mamm* en ik kwamen in de lente naar u toe... vierentwintig jaar geleden in april.'

Minnie verwerkte het zwijgend.

'We waren ook gekomen om de zieke tante van mijn vader te helpen,' zei Lettie, in de hoop een herinnering op te wekken.

'*Ach*, natuurlijk... *jah*.' Minnies geheugen kwam tot leven; er was een spoor van herkenning in haar ogen. 'Als ik me niet vergis, was je *Mamm* geïnteresseerd in kruiden... vooral voor thee?'

Lettie voelde haar borst opzwellen. '*Jah*... dat is *Mamm*.'

Minnie begon in zichzelf te fluisteren, alsof ze het verleden naar zich toe wilde trekken. 'Haar naam was Adah, met een h op het eind.'

De tranen stroomden over Letties wangen.

'En jij... je was nog zo jong.' Minnie streek haar lange jurk glad en draaide zich naar haar toe. 'Als ik me goed herinner, kind, heb je een dochter ter wereld gebracht.' Ze lachte vriendelijk. 'Een gezond meisje.'

Letties hart sprong op. 'Een dochter dus?' Ze veegde haar tranen weg. 'Al die tijd heb ik diep in mijn hart, waar ik er zogezegd niet bij kon, geloofd dat ik een zoon ter wereld had gebracht.'

'Hoopte je op een kleine uitvoering van zijn vader?' Minnie

scheen zoveel te begrijpen van wat ze voelde. Griezelig, tenzij Letties emoties kenmerkend waren voor de meeste vrouwen in haar situatie.

'Ik voelde me toen zo verloren,' bekende ze. 'Ik wilde mijn baby zo graag houden…'

Minnies ogen werden vochtig. 'O, kind, je voelt je nog steeds verloren, hè?' Ze legde haar hand op die van Lettie. 'Verloren, totdat je je kind vindt.'

Er was geen houden meer aan de tranen. Lettie gaf zich over aan Minnies verwelkomende armen en snikte als op de dag van de geboorte. Maar dit keer bekommerde iemand zich er echt om hoe ontzettend zwak en verdrietig ze was.

★

Voordat ze aan het middagmaal begon, speldde Grace het jurkpatroon van *Mammi* Adah op de stof. Ze had het materiaal uitgespreid op de keukentafel van haar grootmoeder. Als ze dan niet klaar was voordat het tijd werd om aan pa's kant van het huis de tafel te gaan dekken, hoefde ze niet alles weg te leggen voor het eten. *Voordat ik Yonnie weer zie.*

'Je glimlachte daarstraks van oor tot oor,' zei *Mammi* Adah, die zich omdraaide van de gootsteen waar ze een paar in de winkel gekochte tomaten had gewassen. Ze kwam naar de tafel en ging zitten, waar ze Grace' bezigheden gadesloeg en zelf aan haar frivolité werkte. 'Wat is er, kind?'

Ze wilde de naam niet noemen van de jongen die elke dag weer verscheen. *En met goedkeuring van pa nog wel.*

'Het gaat niet over je moeder, hoop ik.'

Grace haalde diep adem. Haar moeder was nooit ver weg uit haar gedachten, maar dat wist *Mammi* Adah natuurlijk wel. Zij hadden toch ook eens een hechte band gehad? 'Ik treur meestal om haar vertrek als ik 's avonds alleen in mijn kamer ben.'

Mammi hield op met haar frivolité. 'Als ik je grootvader niet had om voor te zorgen, zou ik misschien wel naar haar op zoek gaan.'

'Dat had ik me al afgevraagd.'

'Het is alleen maar natuurlijk.'

'Ik weet niet wat het is met de schemering en daarna… als de avond valt. Of misschien voel ik me als ik alleen ben meer op mijn gemak om met God over mama te praten en waarom ze is weggegaan. Dan doe ik anderen niet nog meer verdriet. Ik breng het voor God. U niet?'

'O, lieverd, natuurlijk wel.'

Grace legde de linkermouw aan de ene kant van de tafel, weg van het lijfje, dat ze nu begon te knippen. 'Mama is in Ohio, of was. Waarom? U moet iets weten.' Ze hield de kartelschaar in haar rechterhand en liet de punt op tafel rusten.

Mammi Adah wreef een hele tijd over haar voorhoofd. Toen keek ze Grace aan. 'Ik kan niet weten wat er in je moeders hart leeft. Dat ziet alleen God.'

'Soms vraag ik God of Hij geen goed woordje voor ons wil doen bij mama. Nou ja, voor *mij* in elk geval.' Ineens stokte Grace' stem.

'*Ach*, kind, het is zo vreselijk moeilijk. Vooral voor jou.'

'Mettertijd wordt het alleen maar moeilijker, in plaats van makkelijker. Elke dag dringt de werkelijkheid meer tot me door.'

'Net als toen je tante Naomi zo plotseling overleed… In zekere zin is de afwezigheid van je moeder haast een sterfgeval.'

Zo had ze het na mama's briefje niet meer gezien.

'Naomi heeft natuurlijk nooit de kans gekregen om afscheid te nemen.' *Mammi* Adah schudde haar grijze hoofd.

Grace richtte haar aandacht weer op het knippen en peinsde over de woorden van haar grootmoeder, worstelend met de herinnering aan mama op de weg die nacht. '*Jah*, het leven is te kort om niet minstens afscheid te nemen.'

Mammi Adah pakte over de tafel heen Grace' hand. 'Laten we niet piekeren, kind.'

Grace keek neer op hun vervlochten handen. 'Een moeder laat niet zomaar haar gezin achter. Ik ben ervan overtuigd dat mama een belangrijke reden had om weg te gaan… belangrijk voor háár, in elk geval.'

'Ik denk dat je gelijk hebt.' *Mammi* liet haar hand los.

Grace begon de patroonstukken op te stapelen en ruimde de snippers en extra stof op. Moest ze vertellen wat de hotelhoudster had gezegd over een vroedvrouw? *Te lastig*, besloot ze.

'Het is niets voor je mama om ineens te verdwijnen zonder een goede reden,' zei *Mammi* Adah nadenkend.

'Nou, ik ben vastbesloten om uit te zoeken wat… zodra de lammertijd voorbij is.' Grace hoopte dat Adam in juni of nog eerder een paar dagen vrij kon nemen om met haar mee te gaan naar Indiana, maar dat impulsieve idee had ze nog niet met hem of pa besproken. En nu de zaken er zo voorstonden, had het geen zin er tegen *Mammi* Adah over te beginnen.

Hoofdstuk 14

Het was zeldzaam dat Adah 's ochtends een uur met haar handwerk kon zitten. Vandaag luisterde ze aandachtig terwijl Grace haar zorgen uitsprak en haar vingers de frivoliténaald hanteerden. Even keek Adah op, ze begon zich uitgeput te voelen. Maar wat kon ze doen? *Het is te laat om het verleden te veranderen.*

Ze maakte haast omdat ze het zakdoekrandje af wilde hebben om aan haar jongste zus te geven voor een aanstaande verjaardag. Verscheidene andere zussen en heel wat nichtjes waren ook in augustus en september jarig. In de Gemeenschap van Eenvoud vielen veel verjaardagen in de late zomermaanden en de vroege herfst. *De winter vraagt om warmte… en tederheid.*

Zwijgend keek ze toe hoe Grace de stukken stof voor de jurk bij elkaar zocht. 'Heel lief van je om me hiermee te helpen,' zei ze. 'Mijn ogen zijn niet meer wat ze geweest zijn… ik ben je erg dankbaar.'

'U hoeft me niet te bedanken, *Mammi*. U doet zoveel voor ons.'

Adah begon zich steeds meer zorgen te maken over Judah en zijn viertal. 'Maar je familie heeft je harder nodig dan ooit.'

'Het schijnt zo.'

Adah kon met de beste wil van de wereld niet begrijpen waarom Judah Grace had gevraagd haar moeders plaats in te nemen aan tafel. Jakob en zij vonden dat er niets van klopte. Grace was al te zwaar belast. Als kind al was ze vaak te zeer bereid om verantwoordelijkheid te aanvaarden. Grace hoorde per slot van rekening tijd te hebben om met jongens om te gaan, maar Adah betwijfelde of ze nog met iemand uitging. Grace ging vaak nog vroeger naar bed dan Mandy.

Elke dag raakte Adah meer gefrustreerd door Lettie, die niet de moeite had genomen om haar te raadplegen voordat ze haar onzinnige reis begon. Was ze naar Samuel toe gegaan om hem over hun baby te vertellen? Adah besefte dat ze Letties durf en vastberadenheid nooit moest onderschatten.

Grace verliet de naaikamer om aan het middagmaal te beginnen en Adah rekte zich even uit voordat ze haar naaiwerk onderzocht. Terwijl ze doorging met haar frivolitéwerk vroeg ze zich af waarom Judah haast nooit over Lettie sprak – zelfs niet tegen Jakob. Was hij te bedroefd om haar vertrek? Of was hij boos op haar?

Ze had via de schoonmoeder van de bisschop gehoord dat er dinsdagochtend vroeg een soort vergadering was geweest, waarmee bevestigd werd wat Jakob haar had verteld. Ze had haar best gedaan om meer te weten te komen; Lettie was per slot van rekening haar dochter. Uiteindelijk had de vrouw van de bisschop haar vriendelijk in vertrouwen genomen en gezegd dat als de broeders van plan waren Lettie voorwaardelijk te verstoten, op afstand nog wel, Adah beslist het recht had het te weten.

En volgens wat Grace had gehoord van de hotelhoudster was Lettie misschien op weg naar nicht Hallie in Indiana. In dat geval kon Adah makkelijk een brief schrijven om haar dochter te waarschuwen. Anderzijds, als Lettie daar helemaal niet heen was gegaan, kreeg Adah door haar eigen schuld tientallen vragen te verduren van een nieuwsgierige Hallie. *En dat wil ik al helemaal niet!*

Adah legde haar frivolitéwerk neer en ging naar haar slaapkamer om op de rieten stoel bij het raam te gaan zitten. Jakob en Judah hadden de mooie stoel samen gemaakt in het jaar dat Lettie en Judah pasgetrouwd waren. Ze werd verscheurd tussen de wens dat Judah meer belangstelling toonde om Lettie te willen zoeken... en de angst dat hij dan het vreselijke geheim van zijn vrouw ontdekte.

Dus Adah bleef maar zitten piekeren en malen en tobben tot ze niets beters te doen wist dan toen Lettie net weg was.

Maar één ding wist Adah zeker: zij voelde zich verantwoordelijk voor de hele ellende.

★

'Ik denk aan twee dokters,' zei Minnie tegen Lettie, terwijl de regen afnam tot een miezerige nevel. 'De een zit in Haïti bij een christelijke hulpverleningsorganisatie. Maar aangezien hij en die ander jarenlang samengewerkt hebben in Kidron en Apple Creek, zou ik zeggen dat wat de een weet over de plaatsing van je baby de ander ook weet.'

'Wie is de tweede dokter?' Lettie was ademloos.

'Joshua Hackman. Iedereen noemt hem dokter Josh.'

'Hier in Ohio?'

Minnie schudde haar hoofd. 'Niet meer. Hij heeft een praktijk overgenomen in de buurt van Nappanee, Indiana.'

Onmiddellijk dacht Lettie aan nicht Hallie. En omdat Minnie bereid was antwoord te geven, stelde Lettie de vraag die ze nog nooit tegen iemand uitgesproken had. 'Weet u of het een Amish echtpaar was dat mijn baby heeft geadopteerd?'

'Dat lijkt me wel logisch. Er is mij niet verteld wie het zijn, maar het zou me niet verbazen als ze uit de buurt kwamen.'

Een adoptiemoeder als May Jaberg misschien?

Minnie zweeg even en keek Lettie onderzoekend aan. 'Ik zie wel dat het je erg dwarszit.'

Lettie wenste dat haar bonzende hart tot bedaren kwam. 'Als ik maar wist dat het Amish ouders waren... dan zou het zoveel makkelijker zijn om mijn kind te vinden. Mijn *dochter*.' De woorden bleven steken in haar keel.

'Heb je weleens bedacht dat ze misschien niet gevonden wil worden?' Minnies woorden kwamen hard aan. 'Stel dat ze niet weet dat ze geadopteerd is?' Minnie klopte op Letties arm. 'Je kunt verdriet brengen in plaats van blijdschap als je zomaar bij haar op de stoep staat.'

Dat had Samuel twee weken geleden ook tegen haar gezegd.

Lettie kermde zacht. 'Ik moet wel vreselijk egoïstisch lijken.'

'Nou ja, je voelt je natuurlijk bedrogen... Je hebt je eigen kind niet kunnen grootbrengen.' Minnie glimlachte zorgzaam. 'Maar heb je hierin weleens ernstig rekening gehouden met je dochter?'

'Mijn zoektocht naar haar is niet alleen in *mijn* voordeel.' Lettie vertelde dat Samuels vrouw was overleden en hem alleen en zonder nageslacht had achtergelaten. 'Ik wilde goedmaken dat ik de waarheid al die tijd voor hem verzwegen heb. Wilde zijn verdriet verlichten... met het nieuws van ons kind.'

'Ik begrijp je geloof ik niet.'

'Het is zo ingewikkeld.' De pijnlijke wending die het gesprek nam, bracht Lettie verder in verlegenheid. Minnie deed alsof het verkeerd van haar was om haar dochter te willen vinden... omwille van Samuel. 'Het is niet mijn bedoeling zelfzuchtig te zijn.' Lettie stond op.

Minnie bleef afkeurend kijken en Lettie voelde zich steeds erger teleurgesteld. Eindelijk antwoordde Minnie met een diepe zucht: 'Je moet deze situatie aan God overlaten, dat is de beste raad die ik je kan geven.'

'Nou, dat heb ik al die jaren meer dan eens gedaan.'

Minnie keek ongelovig. 'Als ik zo vrij mag zijn, ik geloof dat je vasthoudt aan het verleden en het langer dan nodig is blijft koesteren,' zei ze zacht. 'Voor God komen met je handen vol en met lege handen vertrekken... *dat* is afstand doen van zeggenschap.'

Letties mond ging open, maar ze kon niets zeggen.

'*Zie, de dienstmaagd des Heeren; mij geschiede naar Uw woord*,' haalde Minnie het Schriftwoord aan. 'De moeder van onze Heere Jezus was een goed voorbeeld van onderworpenheid.'

En ik zeker niet, dacht Lettie bedroefd.

'*Ach*, nu ik me er toch al mee bemoeid heb, moet ik me wel afvragen of je moeder een hulp voor je geweest is in je strijd met deze verborgen dingen.'

Lettie begon te huilen.

Minnie boog zich dicht naar haar toe. 'Je hebt het haar nooit vergeven, hè?'

'Ze dwong me mijn baby weg te geven,' snikte Lettie in haar handen. 'U weet toch dat ze me gedwongen heeft.'

'Daarin sta je niet alleen. Veel meisjes zijn daartoe door hun ouders gedwongen.'

'Maar u begrijpt het niet. Ik had mijn lieve kindje best alleen willen grootbrengen. U moet me geloven.'

Minnie sloeg haar arm om Lettie heen. 'Kom, laten we bidden.'

Voordat ze iets kon zeggen, was Minnie voorgegaan in een smeekbede om Goddelijke leiding. 'Leid dit dierbare, verdrietige kind van U, o God.' Ze vroeg ook of Gods wil mocht geschieden en terwijl ze bad, dacht Lettie aan het vertrouwen dat doorklonk in haar stem – veel meer vertrouwen dan Lettie ooit in haar gebed had gehad.

Toen Minnie klaar was en haar ogen opendeed, stonden ze vol tranen.

Lettie zei: 'Ik begrijp waarom zoveel jonge vrouwen zich tot u aangetrokken voelen.'

'Ik voel me geroepen om de arme lammetjes bij te staan, die zo gewond zijn door een verkeerde beslissing.'

'*Denki* dat u de tijd voor me hebt willen nemen, mevrouw Keim. Echt.'

De vroedvrouw glimlachte. 'Vertrouw op Gods leiding, Lettie. En als je begrijpt waarom je moeder deed wat ze heeft gedaan, voor jou en voor je kind, dan geloof ik dat je klaar zult zijn om haar volledig te vergeven.'

Lettie verstijfde na deze woorden. Ze kon de pijnlijke herinnering niet uitwissen, al kon ze vergeving opbrengen. Ze *had* het aan God overgegeven, alleen om het almaar terug te nemen en te koesteren, en nu zat ze met het gewicht van de last.

'Ik ben u heel dankbaar.' Lettie stond op en liep met Minnie mee terug naar het huis.

Minnie keek haar aan. 'Je weet me te vinden als je nog iets

nodig hebt. Wat het ook is, aarzal niet.'

Lettie liep naar het paard en gaf Molly een suikerklontje voordat ze haar losmaakte. Vanaf de laan wuifde ze nog een keer naar Minnie, die nog op de verandatrap stond. Lettie glimlachte weemoedig naar haar. *Ik zal me deze dag nog lang herinneren.*

★

'Je kunt het niet menen, Gracie.' Adam keek haar fronsend aan en schonk zich een glas water in voor het middagmaal. Toen plooide zijn ernstige gezicht zich tot een halve glimlach. 'Ik hoop echt dat je me voor de gek houdt.'

'Nee, ik meen het, we kunnen mijn geld van Eli's gebruiken om een trein of een bus te nemen... of zelfs Martin Puckett inhuren om ons te rijden,' antwoordde Grace.

'Je denkt zeker dat we mama meteen mee terug kunnen nemen?'

Haar gezicht klaarde op. 'Waarom niet?'

'Je bent niet goed wijs. Je kunt daar niet zomaar heen gaan in de hoop dat je mama tegenkomt. Bovendien, stel dat je haar inderdaad vindt en dat ze niet mee naar huis wil? Wat dan? Dan ben je er weer helemaal kapot van.'

Ze wist niet wat ze daarop moest zeggen.

'Er worden nog steeds veel lammeren geboren, soms twee tegelijk. Het is geen goed idee om nu weg te gaan.' Adam drukte zijn strohoed op zijn hoofd. 'Bovendien heb ik Priscilla beloofd haar naar de volgende werk*frolic* te brengen met een stel andere paren uit ons district.'

Grace lachte spottend. 'Tja, en Prissy zou het niet zo leuk vinden als je wegging om mama te zoeken, *jah?*'

'Nou, je kunt zeggen wat je wilt, maar ze is heel bezorgd over mama,' antwoordde Adam.

'Misschien een beetje *te* bezorgd?'

Adams wenkbrauwen schoten omhoog. 'Wat bedoel je daarmee?'

'Henry scheen er helemaal geen last van te hebben dat mama weg was,' waagde ze.

Adam fronste zijn voorhoofd. 'Als je bij hem was gebleven, was je er misschien achter gekomen wat hij *echt* denkt.'

'*Ach*, je weet net zo goed als ik dat Henry moeite heeft om zijn mond open te doen.'

'Maar je hebt hem amper de kans gegeven.' Hij trok een gezicht. 'Volgens Prissy praat hij de oren van je hoofd.'

Alleen niet tegen mij…

Adam vervolgde: 'Henry is niet de enige die erdoor gekwetst is. Prissy had vast gehoopt dat wij vieren een extra hechte familie zouden worden.'

Dat wist ze wel. 'Maar ook als ik niet met Henry trouw, word ik toch haar schoonzus, als jij je trouwplannen met haar doorzet,' zei ze. 'Bovendien, wil je zeggen dat het niet belangrijk was dat Henry en ik niet de ware voor elkaar zijn? Dat Prissy wilde dat ik een slechte relatie maar gewoon doorzette?'

'Misschien kon je…'

'Nee, echt. Is je liefje zo dom?' Meteen had ze spijt van haar woorden.

'Nou, dit leidt nergens toe. En het staat je niet netjes, Grace.'

Ze voelde zich schuldig; het was niet haar bedoeling geweest om de verloofde van haar lievelingsbroer te beledigen, maar ze vond Prissy's bemoeizucht onverdraaglijk. '*Ach*, Adam…'

Hij bracht zijn glas naar zijn lippen en dronk het haastig leeg. Terwijl hij zijn mond afveegde met de mouw van zijn overhemd zei hij: 'En dan nog iets: het is duidelijk dat Joe Yonnie op jou afschuift.'

Ze had gehoopt dat dit niet zou komen, zeker niet nu.

'Pa ook.' Adam fronste zijn wenkbrauwen en ving haar blik. 'Denk erom, Grace, ik heb niets tegen Yonnie, maar als je hem zo gauw na Henry als *beau* neemt, ben je inderdaad zo wispelturig als Prissy zegt.'

'Je kunt beter maar weer aan het werk gaan,' opperde ze

om het gesprek niet verder uit de hand te laten lopen. En om de boel glad te strijken, vroeg ze: 'Wil je een thermosfles koud water mee?'

Hij keek haar uitdrukkingsloos aan. 'Graag, zus.'

Ze snelde naar de kast onder de gootsteen, pakte de thermosfles en draaide de kraan open om koud water te tappen. 'Dus… Yonnie blijft vandaag weer eten?'

Adam stond met zijn rug naar haar toe door de hordeur naar buiten te kijken. 'Nou, en? Praat Yonnie te veel naar je zin?' Hij lachte, pakte de thermosfles en ging naar buiten.

Opgelucht keek Grace hem na.

★

Toen Lettie het witte huis met de donkergroene luiken passeerde, zette ze het paard aan tot draf. Pas toen ze de gevreesde bocht om was, begon ze zich weer kalmer te voelen. Maar de spanning die ze had gevoeld, woog niet op tegen de beroering binnen in haar. Ze droeg niet alleen de last van haar schuld mee, maar ook van egoïsme, zoals Minnie haar zo vriendelijk onder het oog had gebracht. Stel dat Letties oudste dochter inderdaad tevreden was bij haar adoptiefamilie?

Wil ik haar geborgenheid in gevaar brengen voor mijn eigen plezier? Of voor dat van Samuel?

Het idee dat haar kind misschien niet in een Amish gezin was geadopteerd, maakte haar van streek. De lentewind blies tegen de voorkant van het rijtuig, tegen haar blote voeten.

Ze dacht aan koud weer en herinnerde zich een druilerige, koude zusterdag in november een paar jaar geleden. Haar vriendin Sally Smucker en zij hadden hun moeders meegenomen om bij de vrouw van de bisschop thuis tientallen broden en taarten te bakken. Het was het begin van het bruiloftsseizoen en het was zo koud dat Lettie een paar hete stenen op de vloer van Judahs rijtuig had gelegd voordat ze er zware wollen schootdekens op had gestapeld. 'Genoeg om ons helemaal te verpletteren,' had *Mamm* met een hartelijke lach gezegd.

Maar wat in Letties geheugen op de voorgrond stond, was het gebabbel onder de vrouwen over een Amish echtpaar dat wachtte om een kindje te adopteren. Ze had haar oren gespitst en *Mamm* had een paar keer haar kant op gekeken, tot Lettie weigerde terug te kijken. De pijn van het verlies had haar arme hart opnieuw doorboord.

Ze richtte haar aandacht weer op de weg naar het huis van Susan Kempf. Toen ze aangekomen was en Molly had uitgespannen om haar mee te voeren naar de schuur, stond Susan zwaaiend op de achterstoep te wachten.

Lettie keek naar de stand van de zon en wenste dat ze met haar vingers kon knippen om het verleden te vernieuwen. Kon ze met denkkracht haar mislukkingen maar ongedaan maken. *Mijn onverstandige keuzes... mijn zonde.*

Terwijl ze haastig over het erf liep, kon ze Minnies verontrustende opmerkingen niet vergeten. *Als ik begrijp waarom Mamm deed wat ze deed*, dacht Lettie, *dan zal ik haar vergeven.*

Ze zette de gedachte aan het ochtendlijke bezoek van zich af toen Susan het eten naar de tafel bracht. Lettie liep naar de gootsteen, pakte het stuk zelfgemaakte zeep en wenste met haar hele hart dat ze niet alleen haar handen kon onderdompelen, maar ook haar ziel kon schoonwassen.

Hoofdstuk 15

Grace stak haar wijsvinger onder haar *Kapp* om op haar hoofd te krabben. Even draaide ze Mandy de rug toe om naar Yonnie te kijken, die met Adam en Joe na het eten terugliep naar de schuur. Hij had een tandenstoker in zijn mond toen hij haar blik ving en glimlachte breed voordat hij met haar broers door de keukendeur vertrok. Nu speelde hij ermee onder het lopen, terwijl hij vooral met Adam praatte. Samen schoven ze de schuurdeur open en verdwenen naar binnen. Joe volgde hen.

Mandy onderbrak haar gedachten. 'Wil je afwassen of drogen?'

'Ik droog wel.' Vlug verzamelde Grace al het vuile bestek dat verspreid over de tafel was blijven liggen. Ondanks wat hij had gezegd, was het moeilijk te begrijpen waarom Yonnie de hele dag in de buurt was. Betaalde pa hem voor zijn hulp of was het vrijwillig?

Op dat moment viel haar oog op mama's plek aan tafel, de plek die Grace met zoveel terughoudendheid in beslag had genomen. Terwijl ze de maaltijd van gebakken zalmkoekjes, aardappelpuree en kokosnootdrank opdiende, had ze zich afgevraagd wat Yonnie ervan vond. Had hij wel gemerkt wat ze had gedaan? Hij kwam uit zo'n onconventionele familie dat hij misschien helemaal niet wist dat zij een tafelschikking hadden.

En waarom kan het me iets schelen wat hij ervan vindt?

'Kom je vanavond weer naar mijn kamer om voor mama te bidden?' vroeg Mandy terwijl ze twee borden in het hete spoelwater liet zakken.

'Ja, hoor.'

Mandy zweeg even terwijl ze het ene na het andere bord waste. Toen zei ze zachter: 'Denk je dat God door het gebed op andere gedachten te brengen is?'

Grace richtte zich op. 'Ik weet alleen dat er in de Schrift staat dat we geroepen zijn om te bidden dat Gods wil op aarde en in de hemel mag geschieden. Je kent het Onze Vader toch?'

'Maar Gods wil zal toch hoe dan ook geschieden?'

Daar dacht Grace over na. 'Als we het antwoord wisten op zulke moeilijke vragen, waren we gelijk aan onze hemelse Vader. En je weet wat er gebeurde met ene je-weet-wel die zo opgezwollen was van trots.'

'*Jah*, hoogmoed komt voor de val.'

Grace verzamelde een handvol schoon bestek en legde het op tafel om aan de lucht te drogen, terwijl Mandy achter haar een kerklied zong, kennelijk tevredengesteld door het antwoord van haar zus.

Grace keek uit het raam en zag een jonge vrouw en een man van middelbare leeftijd over de weg naar het huis van de Spanglers lopen. Ze liep dichter naar het raam en zag dat het Heather Nelson was die wandelde met een *Englischer* van ongeveer pa's leeftijd. 'Wacht heel even, Mandy.' Grace gooide de theedoek op tafel en rende de deur uit.

Het was een warme, heldere dag, zo'n dag waarop ze graag ging pootjebaden in de molenkreek, aan de overkant van de weg. Maar nu bleef ze blootsvoets op de oprijlaan staan zwaaien. 'Heather... ben jij dat?' riep ze in de hoop dat het inderdaad haar nieuwe vriendin was. Het slanke meisje gaf een rukje aan de pols van de man en ze kwamen over de oprijlaan naar Grace toe wandelen.

Ondanks haar eerste opgetogenheid voelde Grace zich ineens verlegen in de aanwezigheid van deze fris geschoren man in donkerblauwe spijkerbroek en lichtblauw overhemd met opgerolde mouwen. Van dichtbij zag hij er ouder uit dan pa – begin of midden vijftig, schatte ze – met dezelfde kleur haar en ogen als Heather. Hij straalde waardigheid en welvaart uit.

'Grace, ik wil je graag voorstellen aan mijn vader, Roan Nelson.'

Grace beantwoordde zijn vriendelijke glimlach en hij gaf haar een hand. 'Hallo, ik ben Grace Byler. Ik kan wel zien dat u vader en dochter bent, jullie lijken zo veel op elkaar.'

Heather grinnikte naar haar vader.

'Heel fijn om je te ontmoeten, Grace,' zei meneer Nelson. 'Heather heeft me verteld dat jullie kennisgemaakt hebben in de plaatselijke natuurwinkel.'

'O... jah. Ik heb erg van ons praatje genoten.'

'Grace is de buurvrouw van de familie Riehl,' zei Heather. De lichte lokken in haar lichtbruine haar glansden op als goud in de zon.

'Aha,' zei meneer Nelson met twinkelende ogen.

'Ik rende naar buiten in de hoop je te treffen... zodat we een afspraak kunnen maken voor ons bezoek aan Sally Smucker.'

Heather stopte haar dikke haar achter één oor. 'Geweldig. Dat hoopte ik al.'

'Komt overmorgen je goed uit?'

'Is dat goed, pap?' vroeg Heather. 'Heb je iets op het programma staan voor zondag?'

'Maak je over mij maar geen zorgen, kleine. Ik kan wel een paar uur alleen blijven,' zei meneer Nelson met een glimlach naar Grace. 'Gaan jullie, meisjes, maar pret maken.'

'Prima,' zei Heather. ''s Ochtends dan?' Toen schudde ze vlug haar hoofd. 'Wacht, ik dacht even niet na. Je gaat 's zondags toch naar de kerk, Grace?'

'We gaan om de andere zondag, samen met de Riehls.'

'Zijn jullie lid van dezelfde groep?' vroeg meneer Nelson.

'Jah, mijn ouders zijn jaren geleden lid geworden; lang voordat ik geboren werd.'

'Dan moet jullie prediker Josiah Smucker zijn?' vroeg Heather.

'Dat klopt... Sally's man.'

Opgewonden zei Heather tegen haar vader: 'Jouw aannemer is Grace' dominee.' En even enthousiast tegen Grace: 'Josiah bouwt het nieuwe huis van mijn vader, verderop langs de weg.'

Gelijktijdig keken ze om naar het noorden toen Heather in de richting wees van het pas aangekochte land. 'Binnenkort worden we buren,' zei meneer Nelson. 'Nou, *ik* in elk geval.' Hij sloeg een arm om de schouder van zijn dochter.

'Laat ik dan als eerste mogen zeggen: welkom in de buurt.' Grace had bijna gezegd 'onze buurt', maar dat een moderne familie als de Spanglers vele jaren onder hen gewoond had, was één ding. Maar dat *Englischers* uit een andere stad hierheen verhuisden?

'Dan kom ik zondag na het warme eten, als dat goed is,' zei Grace.

'Het warme eten? Dat is toch... tussen de middag?'

Grace knikte. 'Wij eten tussen de middag warm.' Ze lachte, veel meer ontspannen dan eerst bij deze twee mensen. 'Mandy en ik zetten een feestmaal op tafel voor mijn vader en broers. Mandy is mijn zusje... Misschien wil je een keer kennis met haar maken.'

'Lijkt me leuk.'

'O, en ik wil ook graag mijn kruidentuin laten zien. Kruiden zijn heel makkelijk te kweken en ze hebben veel genezende eigenschappen.'

Heather keek in de richting van de achtertuin. 'Ik wil graag een rondleiding.'

'Volgende week misschien?'

Heather aarzelde en wierp een snelle blik op haar vader. 'Eh, dat is misschien wel een goed idee, want de week daarna kan ik misschien niet.'

'*Gut* dan.'

'Maandag is goed. En ik zie je zondag na het middagmaal bij de Riehls,' voegde Heather eraan toe. 'Nou, we gaan onze wandeling afmaken. Leuk je gezien te hebben, Grace.' Heather en haar vader liepen terug naar de weg.

Grace dacht aan wat Becky gezegd had over haar kennismaking met Heather. *Ze lijkt me helemaal niet afstandelijk... eerder het tegendeel.* Even wenste Grace dat ze mee kon lopen met de Nelsons en het prettige gesprek voortzetten. Maar Mandy verwachtte hulp met de vaat. 'Prettige wandeling,' riep ze hen na.

Heather en haar vader keken om en zwaaiden.

Toen Grace weer in huis was, vertelde ze Mandy over haar plannen. 'Zondagmiddag ga ik een poosje naar de zomerpensiongast van de familie Riehl.' Ze wachtte Mandy's reactie af, maar vreemd genoeg zweeg haar zus. Grace vervolgde: 'Wat zou pa ervan vinden als we een *Englischer* de kruidentuin laten zien, denk je?'

Mandy haalde haar schouders op. 'Dat moet je hem vragen.'

'Wat is er, zusje?'

'Eerlijk gezegd, Grace… De laatste tijd loop je steeds zomaar weg en laat het opruimen aan mij over.'

Grace zuchtte. 'Het wordt onderhand een heel werk om iedereen hier tevreden te houden.'

Mandy trok haar neus op. '*Sei net so rilpsich* – doe niet zo lelijk!'

'Sorry, Mandy,' zei Grace zacht. 'Misschien zal het ons allebei *gut* doen om elkaar eens een middagje niet te zien.'

Toen de vaat was afgedroogd en opgeruimd en de vloer was gedweild, snelde Grace naar de schuur om bij Willow te kijken. Onderweg keek ze naar haar kruidentuin en besloot dat het lapje grond netjes gewied moest worden voordat Heather maandag kwam.

Toen ze naar het deel van de schuur ging dat als paardenstal diende, glipte ze door de achteringang naar binnen om Yonnie niet tegen te komen. Diep gehurkt streelde ze Willows hals en praatte zacht tegen haar. 'Hoe gaat het met je?' Grace streek met haar hand over het been van de merrie, zoals ze haar vader en Yonnie had zien doen. Ze gaf haar een suikerklontje en aaide haar lange, mooie neus. Ze hoopte er maar het beste van. 'Niet opgeven, meisje,' zei ze voordat ze weer naar huis terugkeerde, op weg naar *Mammi* Adahs naaikamer.

Grace pakte de stukken van het patroon op en ging achter

de oude trapnaaimachine zitten. Eerst naaide ze de naden van de jurk, haalde de spelden die op gelijke afstand in de stof zaten eruit en klemde ze tussen haar lippen.

Eindelijk had ze de lange naden genaaid en daarna volgde de tailleband. Toen dat klaar was, keek ze naar de klok aan de oostelijke wand en stelde vast dat ze geen tijd meer had om het handwerk af te maken voordat ze aan de avondmaaltijd moest beginnen. Maar ze was blij met alles wat ze voor elkaar had gekregen, en een beetje verbaasd dat *Mammi* Adah haar hoofd niet om de hoek had gestoken om te kijken hoe het ging.

Maandagmiddag hoopte ze tijd te maken om *Mammi* te laten passen, zodat ze de zomen van de mouwen en de jurk zelf kon aftekenen. *Als de was klaar is en aan de lijn hangt.* Grace stond op en liep naar het raam. Het was prachtig weer en ze schoof het raam omhoog om de frisse lucht binnen te laten. Haar oog viel op een stuk papier dat aan de muur was geplakt; met potlood waren er veel namen van vogels en een beschrijving van hun lied op geschreven.

Mammi Adah had de lijst opgehangen toen *Dawdi* en zij pas op Beechdale Road waren komen wonen. Het was net zo'n lijst als mama beneden had. Een bron van pure vreugde voor de vogelaars in de familie.

Grace schikte *Mammi* Adahs jurk op de hanger en hing hem zorgvuldig aan de houten haak aan de muur. Voordat hij maandag werd gepast, kon ze de naden platstrijken met haar strijkijzer dat op gas liep.

Denkend aan de liefde voor vogels die haar familie had, ging ze vlug naar beneden om de voedertafels van de treurduiven na te kijken die pa voor mama had neergezet. De andere vogelhuisjes moest ze ook verzorgen. Het was haast een week geleden dat ze dat had gedaan en ze weet haar verzuim aan haar warhoofdigheid van de laatste tijd. *Er is zoveel te doen nu mama weg is.* Het was maar goed dat ze geen serieuze *beau* meer had om haar druk bezig te houden. Prediker Josiah had laatst in een preek benadrukt dat het voor jonge meisjes beter was om zich niet zo druk te maken over het huwelijk als doel, maar te denken aan het leven hierna... het Koninkrijk van God.

Grace zag de wijsheid van die waarschuwing wel in. Bijna al haar nichtjes waren maar al te enthousiast om te gaan trouwen en een gezin te stichten. Ook Mandy werd erg in beslag genomen door jongens. Het was ook niet vreemd; ze waren van jongs af aan opgevoed om echtgenotes en moeders te worden. Voor een Amish vrouw viel er ook weinig anders te doen, want een opleiding verder dan de achtste klas was verboden en ieder geschoold werk was taboe. Toch was Grace ineens blij dat ze bevrijd was van de hoop op een huwelijk.

Terwijl ze de voedertafels vulde met zaad, vroeg ze zich af wanneer pa weer aangewezen zou worden om de kerkdienst hier thuis te houden. Heimelijk hoopte ze dat het nog even zou duren, want het was zo pijnlijk dat mama er niet was. Niet alleen voor haar en de familie, maar voor alle vrouwen. Haar moeder had iets gedaan waar de meeste vrouwen en moeders in de Gemeenschap van Eenvoud nooit over zouden piekeren. De meeste vrouwen, zoals Marian Riehl en mama's vele zussen, waren heel voorkomend geweest en niet begonnen over wat ze al wisten. *En waar ze allemaal bang voor zijn.* Maar diep vanbinnen zat het zwijgen Grace dwars. *Eigenlijk doen ze alsof er niets mis is*, dacht ze droevig.

Yonnie liet haar schrikken toen hij ineens op een paar meter van de voederplaats van de vinken stond. 'Hallo, Grace. Heb je hulp nodig?' vroeg hij.

Dat had ze eigenlijk niet, maar de voederzak was een beetje zwaar. 'Je mag het zaad dragen als je wilt.'

Vlug nam hij het van haar over. 'Bij ons thuis kwamen een paar ongewone vogels naar onze voederplaatsen. Het leken me zeevogels.'

'Zeevogels?' Glimlachend keek ze hem aan.

'*Jah.*' Hij glimlachte terug. 'Ben je weleens naar de oceaan geweest?'

'Nee,' zei ze verrast.

'Ik wel,' zei hij. Zijn blauwe ogen straalden. 'Eén keer maar.'

Ineens werd ze ontzettend nieuwsgierig. 'Wanneer ben je daar geweest?'

'Vorig jaar zomer heeft mijn vader mijn moeder verrast. Ze wilde altijd al zo graag eens zwemmen.' Hij grinnikte. 'Maar dat is een ander verhaal.'

'O?'

Hij keek verlegen. 'Nou, ze heeft geen badpak…'

Grace kon er niets aan doen; ze lachte. 'Bedoel je dat ze met haar jurk en schort aan ging zwemmen?'

'Dat heb ik niet gezegd, nee.' Hij zweeg even. 'Mijn vader heeft iets fatsoenlijks bedacht… meer weet ik niet.'

Grace had het gevoel dat ze over de schreef was gegaan. Het was vreemd om zo openlijk met hem te praten.

Yonnie hield de zak met voer vast terwijl Grace het kopje erin stak. Hij boog zich dichter naar haar toe toen ze het vogelzaad op de voerplaats strooide. 'Ik ging schelpen zoeken met mijn zus Mary Liz en drie van onze jongere broertjes,' zei hij. 'We liepen over het strand heen en weer op zoek naar zanddollars en ik stuitte op een Cape May diamant ter grootte van een knikker zonder dat ik er mijn best voor deed.'

'Een echte diamant?'

'Nee hoor,' zei hij vlug. 'Maar het lijkt echt op kristal.'

Bij de Spanglers thuis had ze kristallen wijnglazen gezien, in de buffetkast in de eetkamer.

'Je kunt er haast doorheen kijken,' voegde Yonnie eraan toe. 'Hij is heel mooi.'

'Wil je hem een keer laten zien?'

Zijn ogen straalden. 'Ja hoor, natuurlijk!'

Grace kon het haast niet geloven. Yonnie was met zijn familie naar de oceaan geweest en had souvenirs uit de natuur om het te bewijzen!

Ze waren klaar met de vogelvoederbakken en wandelden naar het tuinschuurtje waar pa de zoete siroop bewaarde voor mama's kolibrievoerbakken. Samen vulden ze ook die.

Intussen keek Grace almaar naar Becky's huis, in de hoop dat ze niet opeens langskwam en op het al te gezellige tafereeltje zou stuiten. Je wist nooit wat ze eruit op zou maken.

★

Lettie had honger en wenste dat ze Susan mocht helpen in de keuken. De aardige, vrolijke gastvrouw had tot dusver Letties aanbod om te koken en te bakken afgeslagen. 'Nee, nee, ik wil *jou* onthalen,' zei Susan weer met een stralend gezicht toen ze al vroeg aanschoven voor het avondeten. 'Je hebt geen idee hoeveel blijdschap zo'n *gut* gezelschap me geeft.'

Na het gebed reikte Lettie haar de dampende schotel met in reepjes gesneden vlees, uien, champignons en zure room aan. 'Het is voor mij ook een zegen.' Ze had nog niets tegen Susan gezegd, maar nu ze de naam van dokter Josh had, bleef ze hier niet lang meer. Maar eerst moest ze een brief schrijven aan nicht Hallie, om te vragen of ze op bezoek kon komen. Haar nicht kon zich per slot van rekening afvragen waarom ze al meer dan een maand niets van Lettie had gehoord en ze wilde niet onaangekondigd bij haar op de stoep staan, alleen omdat ze familie was. Dus dinsdag of woensdag, aangenomen dat Hallie meteen terugschreef, zou Lettie weten of het haar paste dat ze een dagje of zo kwam. *Tot ik dokter Josh gesproken heb*, dacht ze.

Maar voorlopig kon Lettie zich ontspannen en genieten van Susans verrukkelijke maaltijd. Als alles goed ging, vond ze haar dochter misschien – als Minnie zich goed herinnerd had dat het kind inderdaad een meisje was. Het kon wel wat overtuigingskracht kosten om een volwassen vrouw naar Kidron te laten reizen om haar biologische vader te ontmoeten. *Samuel…*

Ze moest zich niet zenuwachtig maken door over zulke dingen na te denken. Met één dag tegelijk was ze nu zo ver gekomen. 'Ik zal de keuken voor je opruimen, wat zeg je me daarvan?' bood Lettie aan terwijl ze nog wat gemengde groenten opschepte. 'Jij hebt zo hard gewerkt.'

'Koken is leuk.' Susan boog zich glimlachend over de tafel heen. 'Zelfs opruimen vind ik niet erg. Mijn man plaagde me altijd dat ik te hard werkte… en alles schoon en glanzend wilde hebben. Als hij amper klaar was met eten, trok ik zijn bord al onder zijn neus vandaan.'

Lettie lachte. Ze had hetzelfde gedaan bij Judah.

'O, ik mis Vernon zo.' Susan praatte verder over haar leven met haar overleden echtgenoot. 'Hij is jarenlang diaken van ons district geweest… hij kon nooit begrijpen waarom God hem had gekozen.'

'Het lot maakt je nederig.'

Susan stemde met haar in. 'Hij nam zijn aanstelling ernstig op. Die ging hem echt aan het hart. Net als ons huwelijk.'

'Dan hadden jullie vast een wonder-*gute* verbintenis.' Lettie wilde niet aandringen, maar elke keer als Susan over Vernon sprak, was het onmogelijk om het licht in haar ogen niet te zien. Het was duidelijk dat ze veel van haar overleden echtgenoot gehouden had. 'Was hij je eerste *beau*?'

'Eerlijk gezegd vond ik een heleboel jongens leuk… en er was er eentje met wie ik hoopte te trouwen.' Susan keek uit het raam. 'Vernon en ik hebben hard ons best gedaan om onze liefde te doen groeien, en zelfs bloeien. Maar het heeft heel wat jaren gekost.'

Het verbaasde Lettie dat te horen. 'Is je eerste *beau* met iemand anders getrouwd?'

'Ja, inderdaad. Het is een lang verhaal en het heeft nu weinig zin meer.' Susan stond op om de citroencake te halen die ze had gebakken. Ze zuchtte weemoedig toen ze hem op tafel zette. 'Ik zal je dit zeggen, Lettie: ik ben blij dat ik er niet mee gewacht heb Vernon te vertellen hoeveel ik om hem gaf. Als hij overleden was zonder het te weten…' Ze keek met een dromerige blik in haar ogen naar de lege stoel aan het hoofd van de tafel. 'Misschien is het raar om hem zo te eren, maar ik zal nooit iemand in die stoel daar laten zitten.'

Lettie dacht aan haar relatie met Judah. Het ene jaar was

beter geweest dan het andere, maar ze hadden nooit zo'n huwelijk gehad als Susan en Vernon. Ze voelde zich nederig... en vol ontzag. '*Denki* voor je vertrouwen.'

'Met alle plezier.' Susan stond op om een royale plak cake af te snijden en op Letties bordje te leggen. 'Ik hoop dat je Minnie hebt kunnen vinden.'

'*Jah*... het was heel fijn om met haar te praten.'

'Dus je bent zwanger?'

Letties vork viel op haar bord. '*Ach*, nee!'

'Ik dacht... je had dringend een bepaalde vroedvrouw nodig... misschien had je goede ervaringen met Minnie en wilde je haar weer hebben.'

Goede ervaringen... Ze huiverde. De geboorte van haar eerste kind was zacht gezegd moeilijk geweest. 'Nee, ik ben niet in verwachting.

Susan nam een hap cake. 'Goed dan.'

Maar het was niet goed, want Lettie voelde dat ze haar kant van de groeiende vriendschap niet in evenwicht hield. Een vriendschap die, hoewel waarschijnlijk van korte duur, een balsem werd voor haar ziel. Susan was openhartig tegen haar geweest, maar Lettie was dichtgeklapt toen het te persoonlijk werd. Ze kon zich gewoon niet voorstellen dat ze haar vuile was buiten hing. *Ik ben even trots als egoïstisch*, besefte ze. Beschaamd besloot ze Susan zo veel mogelijk te helpen, waar ze het toestond. Dat had die lieve vrouw wel aan haar verdiend.

Hoofdstuk 16

Zoals gewoonlijk was Martin Puckett die zaterdag na het middageten precies op tijd. Grace stond aan het eind van hun oprijlaan op Beechdale Road te wachten. Het was tijd om voor twee weken boodschappen in te slaan bij Eli's, zoals ze vaak op zaterdag deed als ze niet in de winkel werkte. *Zoals mama en ik altijd deden.* De handigste manier om het tweewekelijkse werk aan te pakken, was de vele in de winkel gekochte artikelen met het busje naar huis te vervoeren.

'Hallo,' zei ze toen Martin haar groette.

'Het ziet ernaar uit dat het het hele weekend mooi weer wordt,' zei hij knikkend.

Ze kon het nog steeds niet van zich afzetten dat Martin de laatste was geweest die haar moeder had gezien. Daardoor had ze een zwak voor hem. 'Het wordt heel zonnig, zegt pa.'

Juist toen Martin de passagiersdeur van het busje open wilde schuiven, kwam Yonnie over de oprijlaan aanrennen. Hij zwaaide met zijn strohoed en riep: 'Wacht. Ik heb vervoer nodig!'

Wat nu? Grace kon haar verrassing niet verbergen toen hij op de tweede rij stoelen vlak naast haar schoof. *Waarom niet voorin naast Martin?*

Zijn vrijpostige, zo niet overdreven vriendschappelijke manier van doen verblufte haar. Het was best dat hij pa kwam helpen met de lammeren en haar met de vogels... maar samen in hetzelfde busje?

Terwijl Martin om het busje heen kuierde om achter het stuur te gaan zitten, vroeg Yonnie: 'Ga je morgenmiddag met me wandelen, Grace?'

Nota bene!

Ze stond versteld, vooral omdat hij haar vorig jaar een paar keer mee uit wandelen had genomen voordat hij met een heleboel meisjes hetzelfde deed. Maar met Becky had hij langer opgetrokken dan met hen allemaal.

'Ik heb het morgen druk,' zei ze, denkend aan haar plannen met Heather.

'Een ander keertje dan?' vroeg hij hoopvol.

Als ze lang genoeg wachtte, zou Martin zijn deur openschuiven en was ze voorlopig uit de brand.

'Waar gaat jullie reis heen?' vroeg Martin toen hij achter het stuur kroop. Hij keek over zijn schouder naar Yonnie.

'We zijn eigenlijk niet samen,' zei Yonnie stralend. 'Ik ga naar huis en wat Grace gaat doen, weet ik niet.'

Nu verbaasde het Grace nog meer dat hij vroeg naar huis ging, omdat Yonnie meestal langer bleef om pa te helpen. Waarom? Om haar te vragen met hem te gaan wandelen? *Met hoeveel meisjes moet hij nu eigenlijk wandelen?*

Martin gluurde naar hen in de achteruitkijkspiegel. 'Yonnies huis ligt op de route, dus daar gaan we eerst langs. Tenminste, nadat we juffrouw Becky hebben opgehaald. Zij heeft ook vervoer nodig naar Eli's.'

O, nee! Alles wat Grace had gezegd om haar vriendin gerust te stellen over Yonnie was nu verloren. Ze zat in de val, letterlijk, tussen het raam en Yonnie. En als Becky hen zo zag zitten, met Yonnie achterin in plaats van voorin, waar de meeste mannen gingen zitten als er maar één jonge vrouw in het busje zat, zou ze Grace nooit meer geloven.

Ze draaiden de laan van de Riehls in en stopten op het pad. Becky kwam al om de zijkant van het busje heen met een rieten mand in haar hand. Grace kon wel in haar stoel wegzinken. En toen gebeurde het. Juist toen Becky wilde instappen zag ze Yonnie, en haar geschrokken blik schoot van Grace naar Yonnie en weer terug.

Grace schonk haar een hartelijke glimlach, maar de arme Becky staarde verbijsterd naar de voorstoel. Vlug boog ze haar hoofd en keek naar de grond terwijl ze wachtte tot Martin de deur openschoof. Haar gezicht en hals werden met de seconde roder. *Ze heeft alle reden om laaiend te zijn*, dacht Grace. Ze vroeg zich af wat Yonnie zou zeggen als Becky zich langs hem heen moest persen om bij de achterbank te komen.

'Hallo, Becky,' zei Yonnie vrolijk. Maar Becky bleef zwijgen terwijl ze achter hen op de derde rij plaatsnam.

Grace was verstijfd.

Ongetwijfeld wist Becky zich geen raad met de situatie, haar ogen boorden een gat in Grace' rug.

De spanning was om te snijden; Grace voelde haar nek haast knappen. Ze had zo te doen met Becky. Wat kon ze zeggen om de boel weer glad te strijken met haar vriendin?

Ik had gisteren boodschappen moeten gaan doen! dacht Grace. In haar hoofd telde ze de melkkoeien in het weiland van Andy Riehl toen ze er langsreden. Toen telde ze de paaltjes van de witte hekken toen ze langs de voortuin van de diaken reden. Ze dacht aan maïs pellen op de omheinde veranda achter het huis met Becky en haar familie. Het stel had geprobeerd een met de hand gerolde sigaar te roken die Becky had 'geleend' van *Dawdi* Riehl, en ze waren haast gestikt. Dat dachten ze tenminste. Met een glimlach had Marian Riehl eenvoudig gezegd: 'De liefde is vol vergeving.'

God zegt dat we steeds weer moeten vergeven. Maar Grace vroeg zich af of Becky haar dit ooit zou vergeven.

Martin stopte bij het grijsstenen huis van de familie Bontrager en liep om om de deur te openen, hoewel Yonnie geen hulp nodig had om uit te stappen. 'Prettige dag, Grace… Becky,' zei Yonnie, met een vriendelijke lach en een knik voor beiden.

'Jij ook,' antwoordde Grace uit gewoonte. Weer zei Becky niets, maar haar ademhaling kwam met korte stootjes. Grace wilde zich omdraaien en erop staan dat Becky naast haar kwam zitten. Maar Martin trok het portier aan de bestuurderskant al dicht en zette het busje in de versnelling.

Yonnie denkt zeker dat hij zomaar zonder enige gevolgen ons leven in en uit kan lopen.

Ze dacht aan zijn gretige, joviale gezicht toen hij in het busje stapte. Had hij zijn kans afgewacht om met haar mee te rijden? Het leek haar haast onmogelijk dat hij tijd had om naar haar uit te staan kijken.

Yonnie liep om en klopte op Martins raam, zijn gezicht was rood van verlegenheid. 'Mag ik niet betalen voor de rit?' vroeg hij. Maar zoals Grace had verwacht, weigerde Martin geld voor zo'n kort ritje en Yonnie knikte dankbaar.

Grace zag zijn jongere zus Mary Liz, die met een donkerblauwe zakdoek om haar hoofd gebonden het erf harkte. Mary Liz had een keer geprobeerd aan Becky uit te leggen wat haar broer van plan was om het 'volmaakte meisje' te zoeken om verkering mee te krijgen en mee te trouwen. Te bedenken dat zijn eigen zus Yonnies vreemde plan gepast vond en niets bijzonders. Voor Grace was dit een van de eerste aanwijzingen geweest dat de hele familie Bontrager uit ander hout was gesneden, al hadden ze zich kort na hun komst kerkelijk laten overschrijven.

Martin reed helemaal achteruit over de oprijlaan met aan weerskanten bomen naar de hoofdweg. Nog steeds gespannen over Becky staarde Grace strak voor zich uit naar het witte rozenlatwerk aan de zijkant van het huis van de Bontragers. Ze herinnerde zich dat ze er met mama en Mandy heen was geweest om tientallen koekjes, enkele broden en een kruidcake met zure room te brengen voor het welkomstfeestje van de vrouwen, toen Ephram Bontrager en zijn familie lid van de kerk waren geworden. Ze hadden het toen nog gehuurde huis door en door modern gevonden. Yonnies vader had toestemming gekregen van de bisschop om de elektrische bedrading intact te laten. Maar na een paar maanden, toen de *Englische* huisbaas hun huurkoop toestond, had Ephram prediker Josiah en nog een paar mannen aangenomen om het er allemaal uit te trekken. Als eigenaar was het hun verboden het te gebruiken. *Het is een raadsel*, dacht Grace, *dat ze de elektriciteit van het huis alleen mochten gebruiken wanneer ze het huurden.*

Grace had toen nooit kunnen denken dat ze nu het voorwerp zou zijn van Yonnies vrijpostige aandacht… terwijl Becky met eigen ogen toekeek nog wel. Ze kon alleen maar hopen dat haar vriendin haar kant van het verhaal geloofde.

Maar toen Martin stopte om hen bij de ingang van Eli's af te zetten, klom Becky voor Grace uit naar buiten. 'Ik heb geen vervoer naar huis nodig,' zei ze tegen Martin. Ze maakte haar tas open en pakte vlug een paar dollarbiljetten, zonder te wachten wat het bedrag was.

Ach, *wat is ze nijdig!*

'Becky... wacht!' riep Grace haar achterna, maar Becky liep rechtstreeks naar de ingang van de winkel. 'Je begrijpt het niet,' voegde ze er zacht aan toe, meer tegen zichzelf dan tegen haar vriendin. *Het was niet door mijn toedoen!*

Toen ze omkeek, stond Martin nog naast het busje te wachten. Zijn gezicht stond bezorgd. 'Wanneer wil je dat ik je weer op kom halen, Grace?'

'Over een uurtje of zo?' Ze wees naar de plek waar ze zou wachten tot hij haar ophaalde. 'Goed?'

'Afgesproken.' Hij liep terug naar de passagierskant van het busje.

'*Denki,*' zei Grace, en met een mistroostig gevoel liep ze Eli's binnen.

Martin Puckett had moeite gehad om zijn lachen in te houden toen Yonnie naast Grace was geschoven alsof ze een stel waren. Maar de spanning was nog verhoogd toen het meisje Riehl ten tonele verscheen en aan het einde van de rit had hij uitgesproken medelijden met Becky in het bijzonder.

Nu hij hen op hun respectievelijke bestemmingen had afgezet, popelde hij om naar huis te gaan en het aan Janet te vertellen. Tjonge, dit leek wel zo'n romannetje dat zijn vrouw zo graag las! Ze zat vaak laat in bed het ene boekje na het andere te lezen.

Welke van die meisjes zal die jongeman uiteindelijk krijgen? Hij had Yonnie maar een of twee keer eerder gezien, maar hij had hem meteen herkend aan zijn mooie blonde haar, haast een verlenging van zijn gele strohoed.

Martin ontspande zich toen hij naar het huis van de volgende passagier reed en zette de Amish jongelui voorlopig uit zijn hoofd. Onderweg zette hij de radio aan, nieuwsgierig naar het weerbericht. 'Aangename temperaturen van twintig tot drieëntwintig graden,' meldde de dj. 'Er wordt geen regen verwacht.'

Een beproeving voor de boeren als dit zo doorgaat. Hij vroeg zich af of zijn mennonitische buren aan de weg de zevendejaarsrust voor hun groentetuin in acht hadden genomen, zoals het boek Leviticus in het Oude Testament leerde. Martin had niet over de brede heg om hun land heen willen gluren om het te zien. Maar zijn vrouw Janet had een paar maanden geleden verteld dat de oudste zoon van de buren gezegd had dat hij 'op Jehova God vertrouwde' tijdens de rust van hun stukje land. Martin kende niemand anders, Amish noch *Englisch*, die deze sabbatsrust van hun land in acht nam.

Martin had wel overwogen zelf een sabbatsrust in acht te nemen, zij het op andere levensgebieden. Als het goed was voor het land, waarom dan niet voor de mens? Hoe kwam het dat veel mensen niet eens rustten van hun werk op de Dag des Heeren... of in elk geval één dag in de week?

Hij hield de tijd goed in de gaten, want hij wilde niet te laat zijn om Grace Byler weer op te halen, die het best scheen te redden nu haar moeder weg was.

Hij kon zich niet voorstellen wat er in de natuurvoeding-winkel zou plaatsvinden tussen Grace en haar vriendin Becky — als ze er tenminste in slaagden met elkaar te praten.

★

In het eerste gangpad bij Eli's kwam Grace Becky tegen, bij de grootverpakkingen havermout en noten. Ze keek alsof ze een pot zure augurken had leeggegeten.

Grace trok een gezicht toen ze Becky's minachting zag. *Ik moet het haar uitleggen!* Maar Becky negeerde haar en duwde haar karretje bij elk kruispunt recht langs haar heen. Ze bleef strak voor zich uit kijken.

Wat kan ik zeggen als ze stilstaat om te praten? Grace kon alleen de waarheid zeggen, maar ze betwijfelde of dat genoeg was om Becky van haar onschuld te overtuigen. En omdat Becky duidelijk niet in de stemming was om vriendelijk te zijn, kon Grace slechts haar toevlucht nemen tot zwijgen.

Later zag Grace Becky in de achterste rij voor de kassa met een paar vrouwen uit hun kerkdistrict praten. Becky keek haar maar één keer aan en wendde toen vlug haar blik af.

Grace zuchtte somber. Wat bekrompen was dit. Als Becky ten slotte verstandig over de hele situatie nadacht, besefte ze wel dat Grace geen plannen had gemaakt om ergens naartoe te gaan met Yonnie, want hij was bij zijn huis afgezet en Grace was naar Eli's gegaan.

'Het is toch duidelijk?' mopperde ze terwijl ze de bakartikelen uit haar karretje op de lopende band zette voor de caissière. Ze had meer dan genoeg meel en zout voor de komende twee weken, tarwekiemen, zemelen, maïsmeel, stroop en twee grote potten mayonaise, steaksaus en nog een paar kant-en-klaar producten die pa graag bij de hand had. Ook had ze vijfentwintig kilo ongeraffineerde suiker gekocht, in zakken van vijfentwintig pond, ter voorbereiding op de inmaak. Hun gezonde aardbeienbed bracht veel op en ze verheugde zich op de heerlijke jam die Mandy en zij zeker gingen maken. *En Mammi Adah ook.*

Eén laatste blik op Becky bevestigde dat er niet gepraat ging worden hier. Het zou tot later moeten wachten.

Terwijl ze buiten op Martins komst stond te wachten, zag Grace Priscilla Stahl de winkel binnengaan. Een blik op haar rijtuig onthulde dat Henry erop zat, die hout sneed terwijl hij op zijn zus wachtte.

Grace was zich bewust van zijn ogen die op haar gericht waren vanaf zijn parkeerplek vlak naast het rijtuig van Becky's schoonzus. Grace herkende het span aan de oude Morganmerrie met haar duidelijk zichtbare witte sok. Grace hoopte maar dat Martin vlug kwam. Ze voelde zich onbehaaglijk, wilde niet met Henry praten en voelde zich nog schuldig om Becky.

Ze werd afgeleid door Yonnies ouders die in hun familierijtuig aan kwamen rijden, het bankje vol met hun drie schoolkinderen. *Yonnies jongste broers en zusjes...*

Het was moeilijk om niet te kijken toen Ephram zijn vrouw uit het rijtuig hielp en Irene zijn hand bood, hoewel ze heel goed in staat was zelf op de stoep te stappen. Hij boog zich dicht naar haar toe om iets tegen haar te zeggen en er passeerde een lange, liefdevolle blik tussen hen. Grace kon zich niet heugen dat ze ooit getuige was geweest van zo'n tederheid tussen een man en een vrouw. Zo'n onuitgesproken genegenheid had ze zeker nooit tussen haar ouders gezien, zelfs niet in haar kindertijd. *Verrassend!*

Irene wachtte terwijl Ephram de kinderen naar beneden hielp en elk een klopje op zijn hoofd gaf. *Ephram is dol op zijn gezin.*

Grace vroeg zich af of Yonnie soms hetzelfde karakter had als zijn vader. Toen betrapte ze zichzelf: *wat kan mij dat schelen?* Maar haar ogen waren strak op Ephram gericht toen hij vrolijk wuifde naar Irene en de kinderen, weer in het rijtuig stapte en de teugels oppakte om het paard naar het parkeerterrein te sturen dat voor Amish was gereserveerd.

Op dat moment kwam Martin aanrijden. Grace was enorm opgelucht. Ze keek om zich heen of ze Becky zag, voor het geval ze van gedachten was veranderd en toch mee wilde rijden, maar ze was nergens te zien.

Nadat Martin haar geholpen had de boodschappen uit het karretje achter in het busje te laden, klom ze naar binnen en dacht weer aan de publieke genegenheid die Yonnies ouders en hun kinderen hadden tentoongespreid. *Geen wonder dat Becky teleurgesteld is,* dacht Grace. Zou Yonnie alle meisjes zo attent behandelen als hij Becky had gedaan? *En mij.*

Hoofdstuk 17

Het busje naderde het huis van de familie Riehl en Grace zag dat Heather Nelson en haar vader op de voorveranda zaten met Marian en een paar jongere zusjes van Becky. Had Heather Becky verteld dat zij en haar vader Grace gisteren tegengekomen waren? Ach, *had ik vandaag maar met Becky kunnen praten!*

Nog even en pa's grote boerderij kwam in zicht. Toen Martin vlak voor de zijdeur stopte, kwamen Joe en Mandy de schuur uit rennen om te helpen de boodschappen naar binnen te dragen. Toen alles binnen was, pakte Grace haar portemonnee om te betalen.

'Hebben jullie nog iets van je moeder gehoord?' vroeg Martin terwijl ze de biljetten uittelde.

'Alleen dat ene telefoontje aan u vorige maand... en pasgeleden een brief.'

Zijn bezorgde gezicht klaarde op. 'Aha... dus jullie weten nu waar ze is.'

'Nou, we weten waar ze *was*.'

Hij was niet meer zo bezorgd als toen mama net vertrokken was. 'Blij te horen dat ze contact houdt.' Hij zwaaide en liep terug naar de oprijlaan. 'Een goede Dag des Heeren morgen.'

'U ook.' Ze snelde naar binnen, waar Mandy al bezig was de boodschappen in de bijkeuken op te bergen. 'Ik maak het wel af als jij naar de schuur terug moet,' bood ze aan.

'*Denki*. Er is net weer een lammetjestweeling geboren,' zei Mandy, 'dus ik moet gauw terug naar pa.'

Grace zuchtte. Als ze eerlijk was tegen zichzelf, wist ze heel goed dat er geen sprake van was dat haar vader Adam nu met haar mee liet gaan om mama te zoeken. In de lammertijd en met al het werk op de boerderij dat het seizoen meebracht, betwijfelde ze of ze ooit de tijd zou vinden om haar vermiste moeder te zoeken.

★

Heather had het grootste deel van de zaterdag met haar vader opgetrokken. Ze hadden in de buurt rondgereden om een paar huizen te bekijken die Josiah Smucker de laatste tijd had gebouwd. De meeste waren Amish, gebouwd zonder de moderne gemakken die Josiah en zijn ploeg beslist in haar vaders huis zouden verwerken. Maar verscheidene huizen voor moderne families waren gebouwd met gebruikmaking van de oeroude timberframetechniek, waarbij geen spijkers nodig waren. Het werd duidelijk dat Amish aannemers voor niemand onderdeden als het om nauwkeurig vakmanschap ging. En hun sterke arbeidsethos en de korting op hun offertes waren ook aantrekkelijk.

Ook was ze met haar vader naar kasten voor badkamers en keukens gaan kijken. Ze waren geïmponeerd door de vakkundigheid van een Amish timmerman in Ronks en kwamen makkelijk tot een afspraak over de warme tinten van esdoornhout. Zodra de blauwdrukken klaar waren, en dat duurde niet lang meer, zou pap ze zelf naar de kastenmaker brengen. Josiah had erop aangedrongen dat ze de kasten zo snel mogelijk lieten vervaardigen, vooral als pap halverwege de zomer in zijn huis wilde trekken.

In een paar uur hadden ze zo veel voor elkaar gekregen dat ze zelfs de tijd hadden genomen om te gaan lunchen bij Dienner's, een Amish-mennonitisch restaurant aan Route 30.

Marian Riehl en haar gasten hadden het verrukkelijke buffet meer dan eens geroemd. Het bleek er stampvol te zitten met Amish en toeristen door elkaar en haar vader had de 'zeven zoeten en zeven zuren' saladebar bejubeld. Allebei hadden ze te veel gegeten, ze hadden het niet kunnen laten om steeds weer terug te gaan om nog meer heerlijk eten te halen.

Nu ze met haar vader bij Marian op de vredige veranda limonade zat te drinken, besefte Heather dat ze sinds de komst van haar vader haar nieuwe computermaatje Willeven helemaal vergeten was. *Pap weet wel hoe hij je dagen moet vullen...*

Ontspannen zittend in haar verandastoel keek ze genietend naar het uitzicht op de velden in het oosten en noorden. Op het grasveld aan de voorkant speelden Becky's kleine zusjes giechelend en blootsvoets heen en weer rennend verstoppertje. Drie jonge katten – een zuiver witte, een grijsgestreepte en de kleinste een zwart poesje met een witte keel – dartelden rond en stonden nu en dan even stil om hun kopjes hoog uit te rekken als Becky's jongste zusje Sarah hun halsje kriebelde. Heather stelde zich het tevreden spinnen voor dat uit elk donshoopje opsteeg. Wat miste ze de twee zwarte Perzen die thuis op haar wachtten!

Becky was weg, volgens Marian was ze boodschappen gaan doen. De meisjes kwamen weer op huis aan draven, Sarah met de lievelingskat van de meisjes in haar armen. Buiten adem gingen ze op de verandatrap zitten om zelfgemaakte limonade te drinken en havermoutkoekjes te eten.

'Mama?' zei Sarah terwijl ze de glanzend zwarte vacht van het poesje aaide. 'Is Lettie Byler doodgegaan? Ik zie haar nooit meer.'

Marian hapte naar adem en stond op uit haar ligstoel, Rachel trok met grote ogen aan Sarahs schort. 'Dat mag je niet zeggen, zusje.'

Marian reikte naar de lege dienschaal en mompelde iets over meer koekjes halen. 'Kom mee, meisjes,' beval ze terwijl ze de hordeur opendeed.

Lettie? Wie bedoelt ze? vroeg Heather zich af. Grace' achternaam was ook Byler. Bedoelde Sarah iemand in *dat* gezin Byler?

'Ik zie haar nooit meer,' had Sarah gezegd. Heather huiverde en wenste ineens dat ze haar trui had aangedaan.

Ze wilde net naar binnen gaan om hem te halen, toen pa de stilte verbrak. 'Heb je nog nagedacht over naar huis gaan voor je behandeling, Heather?' Kennelijk was hem de vreemde reactie niet opgevallen die Sarahs vraag teweeg had gebracht.

Heather verschoof op haar stoel. 'Nee, pap. Ik wil mijn binnenkant niet vergiftigen.'

'Lieverd, ik wil met alle plezier met je oncoloog praten... met jou erbij.'

'Ik heb al met hem gepraat.'

Hij krabde op zijn hoofd. 'Om het maar ronduit te zeggen, ik heb er geen goed gevoel over dat je wegloopt voor je arts. Dit is helemaal niets voor jou. Je bent altijd zo verantwoordelijk.'

Wegloopt?

'Hij is ook maar een mens.' Ze schudde haar hoofd. 'Pap, ik weet dat je het onzinnig van me vindt, maar ik wil echt eerst deze natuurgeneeswijze proberen. Maar maak je geen zorgen; daarna zal ik een second opinion vragen.'

Hij wierp haar een afgemeten blik toe. 'Dus een reguliere medische behandeling heb je niet uitgesloten als het nodig blijkt?'

Heather schudde haar hoofd en verwachtte meer vragen. Maar tot haar verrassing draaide hij zijn hoofd om naar de groene maïsvelden en het grasland te kijken en zei niets meer.

★

Haar eenpansgerecht van noedels, gehakt en erwtjes stond lekker in de oven, dus Grace ging bij Willow kijken. Ze merkte op dat iemand kortgeleden een nieuwe laag had aangebracht van het smeersel dat Yonnie had gemengd. *Adam of Joe smeren het om de paar uur in.*

Nog bemoedigender was dat Willow rechtop stond te eten, hoewel ze het zere been nog wel ontzag. '*Ach*, kijk eens aan. Je wordt beter. Wat wonder-*gut*!' Grace stopte het paard een suikerklontje in de mond toen Willow aan haar arm snuffelde. 'Wat zou de dierenarts wel zeggen als hij je nu zag?' Ze klopte de merrie op de hals en ging naar de schapenschuur om haar vader te zoeken.

'Pa is net naar huis,' zei Adam, leunend op zijn hooivork. 'Waarom moet je hem hebben?'

'Ik wil hem gewoon iets vragen.'

Adam veegde zijn voorhoofd af en zette de vork opzij. 'Tussen twee haakjes, ik heb met Priscilla gepraat over wat je me hebt gevraagd. Ik kwam haar vanmorgen tegen toen ik na het ontbijt naar de Stahls ging om een oude zaag terug te brengen.'

'O?' Met ingehouden adem vroeg ze zich af of hij misschien van gedachten veranderd was over met haar meegaan.

'Prissy zei dat ze niet wist wat er voor goeds uit voort kan komen om mama te gaan zoeken.'

Dat verbaast me niets. Grace wendde haar blik af, maar voordat ze weg kon lopen, tikte Adam haar op de schouder.

'Wacht even, er is nog iets.' Hij zette zijn strohoed af, stopte hem onder zijn arm en wreef door zijn haar. 'Ik weet niet hoe ik het je moet vertellen, maar... Prissy zei dat ze via het roddelcircuit had gehoord dat de jongens in ons kerkdistrict op hun hoede zijn om... nou ja, om je mee uit rijden te vragen.' Hij zette zijn hoed weer op zijn hoofd. 'Ze zeggen dat je het zonder reden met Henry hebt uitgemaakt.'

'Zulk nieuws gaat als een lopend vuurtje.' Even voelde Grace zich neerslachtig worden. 'De jongens praten natuurlijk omdat mama bij pa is weggelopen... En omdat ik hun dochter ben...'

'Kan zijn.' Zijn ogen verzachtten zich. 'Ik vond dat je moest weten wat er gezegd werd.'

'Je bedoelt wat *Prissy* zegt?' Ze staarde naar haar tenen en stopte haar handen in de zakken van haar jurk. 'Je weet dat ik me niet zoals mama zou gedragen, dus waarom vertel je me dit?'

'Ik geef om je, Gracie... Ik wil niet dat je eindigt als *Maidel* om voor pa en onze grootouders te zorgen, in plaats van je eigen gezin te hebben.'

'Is het niet omdat Yonnie hier elke dag komt?' flapte ze er zonder na te denken uit.

'Hoor es, Gracie, eerlijk gezegd vind ik dat je goed op Yonnie moet letten. Het maakt niet uit wat ik eerder heb gezegd. Ik heb hem in de gaten gehouden en het lijkt me een heel aardige vent.'

Dat zei je ook over Henry.

Ze stak haar nek uit. 'Yonnie heeft je toch niet opgestookt om dit te zeggen?'

'Natuurlijk niet.' Adam trok een gezicht. 'Als je niet oppast, Gracie, val je voor de rest van je leven in ongenade.'

Daar dacht ze even over na. 'Je bedoelt zoals de broeders met mama zullen doen?'

Adam fronste zijn voorhoofd en pakte haar arm om haar mee te voeren naar een afgezonderd gedeelte van de schapenschuur. 'Wat zeg je daar, zus? Heb je geruchten gehoord over de *Bann*?'

Ze schudde haar hoofd. 'Maar het zal vroeg of laat vast en zeker wel gebeuren.'

'Nou, ik weet niet of de broeders al een ledenvergadering hebben uitgeroepen.'

'Hoelang zullen ze nog wachten?'

'Dat weten we niet.' Adam keek bezorgd. 'Is angst voor de verstoting de reden dat je mama wilt gaan zoeken?'

'*Ach*, ik moet er niet aan denken…' Ze snikte en sloeg haar handen voor haar gezicht.

'Huil je nu om mama?' vroeg hij zacht. 'Of om jezelf?'

'Ik mis haar zo.'

Adam wendde zijn blik af. 'Tja, je bent niet de enige.'

'Ik moet even alleen zijn.' Daarop rende Grace terug naar Willow om haar armen om de hals van haar geliefde merrie te slaan. Intussen dacht ze na over Adams opmerking.

Je moet goed op Yonnie letten.

Hoofdstuk 18

Die zaterdagmiddag laat kuierde Judah naar binnen en leunde tegen het aanrecht om op adem te komen. Hij had van de vroege ochtend af gezwoegd en verlangde ernaar om te gaan zitten... en te eten. Met een blik op de wandklok berekende hij hoelang het nog duurde tot de avondmaaltijd. Het was duidelijk dat hij nog een poosje moest wachten.

Hij wreef over zijn baard, blij dat hij even alleen was. Hij stak zijn hand uit naar de kast en pakte het eerste grote plastic glas dat zijn eeltige vingers raakten. Hij liet de kraan lopen en vulde het tot de rand, toen dronk hij het koude water met grote teugen op. Daarna sloeg hij nog een vol glas achterover.

Hij hield het glas even in zijn hand, zette het toen neer en ging naar de zitkamer. Hij keek naar Letties hoekkast, met de rij theekopjes en schotels, en wendde zich af. Het licht door de voorkamerramen wenkte hem en hij tuurde naar buiten, ineenkrimpend bij de aanblik van haar schommelbank op de veranda.

In gedachten hoorde hij de woorden van de bisschop op de vergadering van afgelopen dinsdag. 'Dat je vrouw weg is, begint een probleem te worden in de Gemeenschap,' had de bisschop streng gezegd. Dat was erg genoeg, maar Judah wist dat hij het niet voor haar opgenomen had, zoals hij had kunnen doen. *Zoals een liefhebbende echtgenoot zou doen.* Maar aan de andere kant had hij geen idee waar ze heen was, afgezien van Grace' gepraat over een hotel en het poststempel Ohio op Letties bondige brief. En waarom ze weg was gegaan. Dat laatste was het ergste: dat hij niet kon begrijpen wat zijn vrouw dacht of voelde. *Is ze nog verdrietig door ons laatste gesprek samen?* Wat betreurde hij het dat hij daar te vroeg een eind aan had gemaakt. Dat was niet nodig geweest.

Grace kon wel denken dat ze het wist, maar hij was er haast zeker van dat Letties verblijfplaats achteraf voor iedereen een complete verrassing zou blijken.

Hij beende door de voorkamer en dacht aan de laatste kerkdienst die er gehouden was. Doordrongen van Letties afwezigheid had hij hard gewerkt om alles klaar te maken voor die ongemakkelijke samenkomst op de Dag des Heeren. Prediker Josiah had gehamerd op Bijbelse thema's over het huwelijk. Het was alsof de tweede preek van die ochtend, de langste, speciaal voor hem bedoeld was. De boodschap galmde nog in zijn oren. Evenals Judahs laatste gesprek met de broeders. De zorgelijke blik in hun sombere ogen, de manier waarop ze Letties naam fluisterden alsof die bezoedeld was – dat alles had hem de afgelopen dagen uit de slaap gehouden.

Hij liep terug door de keuken de zijdeur uit. De lage voederplaatsen voor de treurduiven waren weer vol. *Die lieve Grace zorgt namens haar moeder voor de vogels… eigenlijk zorgt ze voor ons allemaal.*

Het was ook duidelijk dat Yonnie Grace had opgemerkt. Er was geen twijfel aan dat hij hier elke dag kwam werken vanwege Grace. En Judah kon niet ontkennen dat hij een zwak had voor Ephrams zoon. *Adam en Joe zijn niet half zulke praters als hij*, dacht Judah met een lachje. *Ephram ook niet.* Hij was Ephram vaak genoeg in de tuighandel tegengekomen om te weten dat de man behoorlijk zwijgzaam was. Het was hem ook opgevallen dat Ephram nog steeds de hoed met de smalle rand uit Indiana op had. Hij was te progressief voor deze streek.

Interessant dat de broeders nog niet achter hém aan zijn gegaan.

Judah nam aan dat Yonnie zijn onconventionele manier van doen van zijn vader had – en van zijn vorige kerkdistrict in het Middenwesten. *En wat vindt onze Grace van dat alles?* Gisteren had hij beslist een vonk tussen haar en Yonnie zien overslaan, toen de jongen haar geholpen had met het vogelzaad.

Toch is het moeilijk uit te maken wat meisjes denken. Hoeveel hij ook om Grace en Mandy gaf, hij wist persoonlijk niet wat hij met dochters aan moest als ze het kleuterschoolstadium eenmaal voorbij waren. Meisjes konden geen silo's vullen of gaan vissen en jagen of stallen uitmesten en de mest uitspreiden op Letties groentetuin. En ze waren lastig om mee te praten.

Maar met Grace is dat niet altijd zo…

Judahs hart werd verwarmd door de gedachte aan haar. Hij geloofde dat zijn oudste dochter als God het wilde alles goed voor hem zou maken.

In de zijtuin bij de voederplaats voor de treurduiven botste Grace bijna op pa. '*Ach*, sorry,' zei ze. 'Ik was naar u op zoek.'

'En je hebt me gevonden.' Hij zette zijn strohoed op zijn hoofd. 'Hoe laat gaan we eten?'

'Ik denk dat het bijna klaar is. Ik zal het zo op tafel zetten,' zei ze. 'Maar nu ik u toch zie… ik wil u iets vragen.'

Hij knikte genoeglijk.

'Ik heb eens nagedacht.'

Pa glimlachte. 'Moet ik me zorgen maken?'

'Nee, pa.' Ze had haar vader nog nooit een grapje horen maken. Ze speelde met haar schort en keek langs hem heen naar het donkergroene weiland dat zich uitstrekte zo ver het oog reikte. 'Zou u het goedvinden… ik bedoel, wat zou u er-van vinden als ik me over een paar dagen door Martin Puckett naar Indiana laat rijden?'

Hij trok een gezicht. 'Waarvoor dat?'

'Ik heb wat geld gespaard.' Ze hoopte maar dat ze niet zo wanhopig klonk als ze zich voelde. 'Ik vind het niet erg om het te gebruiken… om mama te gaan zoeken, bedoel ik.'

'Niet voordat het lammeren afgelopen is. Dat heb ik je al gezegd.'

'Maar de tijd gaat voorbij. Iemand moet haar naar huis ha-len.'

Pa trok aan zijn zwarte bretels, rekte uit en liet ze tegen zijn borst aan schieten. 'Maak je maar geen zorgen, Gracie. Laat dat maar aan de broeders over.'

'Dus er wordt inderdaad over de *Bann* gepraat?'

'Zorg jij maar dat je thuisblijft en het huishouden doet…

en zorg voor je moeders ouders.'

Voor de rest van je leven. Adams woorden klonken weer in haar hoofd.

'Ik zou toch niet zo lang wegblijven. Wat er ook gebeurt, ik kom meteen terug. Mag het alstublieft?' Ze voelde tranen opwellen.

'Gracie, luister eens even…'

'O, pa… snapt u het niet?' Haar lip trilde. 'Als mama wist hoe graag we wilden dat ze naar huis kwam… zou dat geen verschil maken?'

'Je gaat helemaal nergens heen!' Pa's stem eindigde in een plotselinge snik en hij wendde zich af en beende vlug weg naar de schuur.

Vol afgrijzen dat ze haar vader zo boos had gemaakt dat hij moest huilen, snelde Grace bibberend naar binnen om het eten op tafel te gaan zetten.

Thuisblijven en het huishouden doen, zegt pa. Wat voor keus heb ik?

★

Heather schudde de kussens van haar bed op voordat ze neerplofte om haar iPhone te checken op e-mails van Willeven. Ze hadden nog geen voornamen uitgewisseld en ze vond het prima om anoniem te blijven. *Dat is het beste.*

Maar toen ze haar mailbox opende, moest ze almaar denken aan de reactie van haar vader op haar verlangen om de medische aanpak uit de weg te gaan. Het was per slot van rekening háár lichaam. Was haar duidelijke gewichtsverlies niet slechts het begin van de ellende? *Hoeveel kilo's zal ik nog kwijtraken?* Ze kon zich niet meer herinneren welke slechte voorspelling de oncoloog had gedaan over gewichtsverlies. Trouwens, van een sapdieet zou ze nog meer afvallen.

Ze vond geen nieuwe berichten van haar computermaatje en pakte teleurgesteld haar laptop. Nadat ze hem had opgestart, opende ze haar dagboekbestand. Paps smeekbeden om naar Virginia terug te gaan en te berusten in de aanbeveling van de oncoloog, brachten de vertrouwde frustratie weer op de voorgrond. Toch wist ze dat zijn reactie voortkwam uit bezorgdheid en liefde voor haar.

Ze begon te schrijven.

Pap is hier op bezoek. Ik geloof niet dat hij gekomen is om me kwaad te maken door te twisten over wat ik voor behandeling wil. Hij wist ten slotte tot gisteren niet eens dat ik ziek was. Maar hij is zo ouderwets... net als mam begon te worden. Wat zou mam vinden van paps hardnekkigheid? Het is moeilijk te geloven dat mam geen pogingen zou doen om met hem te onderhandelen, om het hem van beide kanten te laten bekijken.
Het gaat toch om mijn *leven?*

Ze hield op en tikte licht met haar duim op de linkerkant van het touchpad. 'Ik moet pap zien te overtuigen.' Ze pakte de flessen met supplementen die ze bij Eli's had gekocht. Zou het dokter Marshall lukken bij pap?

Zacht lachend voelde ze zich even optimistisch. Maar ze kon er niet op rekenen dat LaVyrle met haar vrouwelijke charmes haar koppige vader zou overreden. Zou hij lang genoeg zijn mond kunnen houden om te luisteren en zelf het licht te zien?

Heather snoof; er hing een duidelijke chocoladegeur in haar kamer die door de vloerplanken omhoog was gedreven. *Is Marian zo vlak voor het eten nog aan het bakken?*

Ze klapte haar laptop dicht en liep naar de trap om naar de keuken te gaan. Becky keek verrast op, maar Marian glimlachte even hartelijk als anders. 'Wat bent u aan het bakken?' vroeg Heather. 'Ik kon de verleiding niet weerstaan om te komen kijken wat er zo fantastisch ruikt.'

'We maken vlug een portie chocoladecakejes voor een feestje morgen,' zei Becky met stralende ogen. 'Wil je helpen?'

'Natuurlijk, maar... ik moet ze echt niet eten.' Ze lachte om zichzelf. 'Wat zit er allemaal in?'

'*Ach*, vraag maar niet,' giechelde Marian. 'Dikmakend als ik weet niet wat.'

'Tja, ik ruik wel chocolade,' gaf ze toe. LaVyrle zou natuurlijk adviseren uit de buurt te blijven van de machtige lekkernij.

'Eén klein proefje van elke soort kan geen kwaad,' zei Becky. 'We maken ze ook met aardbeien en pompoen.'

Die verleiding was moeilijk te weerstaan en Heather wist dat het tijd werd hen op de hoogte te stellen. De tijd van caloriebommen eten moest voor haar afgelopen zijn.

Morgen begin ik...

★

'Het eten staat op tafel en het wordt koud!' riep Grace door de hordeur. Ze had de klok willen luiden, maar pa had daarstraks zo'n trek dat zijn maag hem zelf wel zou roepen.

Binnen een paar tellen kwamen Adam en Joe zoals altijd naar huis rennen alsof ze uitgehongerd waren. Een buitenstaander zou niet denken dat haar broers regelmatig aten als werkpaarden.

Ze keerde terug om Mandy, die boven zat te verstellen, en haar grootouders te roepen. Onderweg ruimde ze de rommel in de gang op. Haar grootouders reageerden niet en toen ze bij hun keuken kwam, hoorde ze hen zo levendig praten dat ze niet durfde te storen. Maar de maaltijd smaakte het lekkerst als hij goed warm was – zoals pa het graag had.

Grace leunde tegen de deurpost en liet haar hoofd even besluiteloos rusten tegen het hout.

'Ik zeg je, Lettie was vast nooit met Judah getrouwd... als wij ons er niet mee bemoeid hadden,' zei *Mammi*.

'*Ach*, schei toch uit.'

'Nee, echt. Denk maar eens terug aan die tijd...'

Verbijsterd en te zeer in verlegenheid om nog één woord te willen horen, kuchte Grace zachtjes. 'Het eten is klaar,' zei ze met warme wangen. 'Pa is zich al aan het opfrissen.'

Dawdi stond kreunend op en reikte naar zijn stok. 'Goed. We komen eraan.' Hij scheen opgelucht dat hij aan het gesprek kon ontsnappen.

Geschokt keerde Grace terug naar de keuken aan de andere kant van het huis. *Mama zou nooit met pa getrouwd zijn? Waarom niet?*

Hoofdstuk 19

Terug in de keuken van haar moeder vroeg Grace zich af of haar grootvader inderdaad het huwelijk van haar ouders had gearrangeerd. Ze had zulke dingen weleens gelezen in boeken, maar in de Gemeenschap van Eenvoud gebeurde het zelden. 'Wat nu weer?' fluisterde ze terwijl ze de oven afzette en de hete schaal eruit haalde.

Toen ze aan tafel zaten en de dienschalen rondgingen, dacht ze nog diep na over de woorden die ze had opgevangen. Als het waar was waar *Mammi Dawdi* van beschuldigde, dan was *dat* misschien de reden dat het huwelijk van haar ouders op zijn grondvesten schudde. Kon dat waar zijn?

Grace had moeite om mee te doen aan de normale tafelgesprekken. Uiteindelijk vroeg ze of Adam en Joe de kudzuranken konden afhakken. 'Of moet je dat melden aan de instanties?'

'Houd die maar bij ons uit de buurt!' zei *Dawdi* Jakob. 'Met buitenstaanders heb je niks dan last.'

Alle hoofden draaiden zich naar hem om. Zelfs *Mammi* Adah zette grote ogen op.

'Dat dacht ik al,' zei Grace terwijl ze peper en zout pakte. 'Ik heb jullie in elk geval gewaarschuwd. Dat kleine houtschuurtje is straks helemaal verdwenen.'

'Volgende week?' vroeg Joe met een brede glimlach. 'Kan het zo lang wachten?'

'Je kunt beter zelf een kijkje gaan nemen,' plaagde ze hem. Ze keek naar pa – haar vader was zwijgzamer dan anders, en geen wonder. Ze had voor haar beurt gesproken in haar ongeduld om mama te gaan zoeken. *Voordat de* Bann *komt en ons allemaal verplettert.*

Nu moest ze zich wel afvragen of het soms waar was wat haar grootouders over pa en mama hadden gezegd.

Toen de cakejes aan het afkoelen waren, vroeg Becky aan Heather: 'Heb je zin om bij ons te eten?' Haar zachte bruine ogen keken hoopvol.

'Bedankt, maar dat kan ik beter niet doen.'

Becky hield haar hoofd schuin. 'Weet je het zeker? Ik heb tapiocapudding gemaakt. Ik dacht dat dat er makkelijk in zou gaan.'

Makkelijk in zou gaan? Dacht Becky soms dat ze moeite had met haar spijsvertering? Het Amish meisje was zo attent, ze vond het vreselijk haar iets te weigeren.

'Ik denk dat je Becky's pudding heerlijk zult vinden,' zei Marian.

Hoe gezond is tapiocapudding? vroeg Heather zich af. Ze vond dat ze het aan moest nemen, al was het maar om Becky tevreden te stellen. En vanmiddag was ze trouwens best gezond geweest. 'Oké… tegen die pudding kan ik geen nee zeggen.' Ze keek naar Marian. 'Zet u de maaltijd gerust op mijn wekelijkse rekening.'

'Dat hoeft niet.' Marian schudde haar hoofd. 'Je komt maar gewoon bij ons eten als je zin hebt.'

'Mama heeft graag veel mensen aan haar tafel.' Becky grinnikte. 'Heb je al besloten wat je favoriete smaak is?' Tijdens de bereiding hadden ze van het machtige dessert geproefd.

Heather glimlachte. 'Het is gelijkspel tussen chocolade en pompoen, geloof ik.' Met tapiocapudding in het verschiet en de smaak van de cakejes nog in haar mond, voelde ze zich schuldig. *Hoe moet het me ooit lukken om me aan LaVyrles dieet te houden?*

Marian en Becky moedigden haar aan om wat frisse lucht te gaan happen. Ze joegen haar bijna de deur uit voor een snelle wandeling terwijl zij de laatste hand legden aan de ham en een gegratineerde aardappelschotel voor het diner. Ze was halverwege de oprijlaan toen ze Grace Byler zag, die op blote voeten langs de kant van de weg liep.

'Heather, hallo!' Grace lachte haar met roze wangen toe.
'Hallo.'

'Wat een heerlijke dag, hè?'

Heather stemde met haar in. 'Jullie hebben hier verrukkelijk voorjaarsweer.'

'Nou ja, we zouden wel wat regen kunnen gebruiken.' Grace keek naar het huis van de Riehls. 'Is Becky al thuis?'

'Ja. We hebben net een heleboel cakejes gemaakt.'

'Dan is het een goed tijdstip om op bezoek te gaan.'

'Zeg dat wel. Maar pas op: ze zijn verslavend.' Even overwoog ze Grace te vragen wie Becky's zusje vanmiddag had bedoeld toen ze het over Lettie Byler had. Maar Grace had kennelijk haast om naar Becky te gaan en Heather wilde haar niet ophouden. 'Nou, ik ga die calorieën er maar eens aflopen!'

'Ik snap wat je bedoelt.' Grace liep met een vrolijke lach en een zwaai door naar het huis.

Heather knikte en liep door naar de weg. Ze vroeg zich af waarom Grace altijd maar blij leek te zijn. *Is het leven van Eenvoud echt zo zorgeloos?*

Hoe ze ook genoot van Heathers gezelschap, Grace was vast van plan om naar Becky toe te gaan. Het had haar de hele middag dwarsgezeten hoe haar vriendin had gereageerd toen ze Yonnie naast haar in Martins busje had zien zitten en Grace hoopte dat de spanning tussen Becky en haar uitgepraat kon worden. *O, ik hoop het zo!*

Ze haalde diep adem en roffelde op de hordeur in plaats van naar binnen te lopen zoals ze vaak deed. Marian riep haar: 'Kom binnen, Gracie,' voordat Becky zich zelfs maar had omgedraaid om naar haar te kijken. 'Kom, neem een lekker cakeje voor het avondeten,' zei Marian. Er zat een veeg chocolade op de mouw van haar jurk.

'*Denki*, maar we hebben al gegeten,' zei Grace terwijl ze de hordeur opende. De waarheid was dat ze totaal geen trek had in een lekker hapje als ze naar Becky's zure gezicht keek. Ze beet op haar lip en vroeg zich af of ze ooit nog de kans zou krijgen om haar vriendin alleen te spreken, nu Marian bezig was met het eten. Grace keek of ze kon helpen, ze liep naar het aanrecht en pakte een vuile bakplaat. 'Kan ik misschien helpen opruimen?'

'O, wil je dat doen?' Marian deed haar vuile schort af. 'Er moet iemand naar het kippenhok om eieren te rapen.' En even vlug liep ze op haar blote voeten de achterdeur uit.

Becky stond met haar rug naar haar toe bij de gootsteen en liet heet water lopen.

'Ik kan niet lang blijven,' zei Grace. 'Mandy doet de afwas en ik moet gauw terug. Ik heb het haar de laatste tijd al te vaak alleen laten doen.'

Nog steeds met haar gezicht naar de muur achter de gootsteen knikte Becky.

'Ik weet dat je boos bent,' zei Grace vlug, bang dat ze anders niet meer durfde. 'Maar ik hoop dat je kunt begrijpen wat er vandaag gebeurd is.'

'Het was toch duidelijk?' antwoordde Becky kortaf.

'Ik had er niets mee te maken, Becky. Eerlijk niet.'

'Maar toch...'

'Kunnen we erover praten?'

'Nou, wat doen we nu dan!' snauwde haar vriendin.

Grace voelde zich steeds ellendiger en stond met haar mond vol tanden. *Wat nu?*

'Ik wil het liever nooit meer over Yonnie Bontrager hebben,' zei Becky. Ze begon de mengkommen te boenen. 'Als hij verkering met je wil, dan zij het zo.'

'*Ach*, Becky... nee.'

'Nou, waarom denk je dat hij naast je zat in de bus? Je moet wel blind of stom zijn of allebei...'

'Je hoeft je stem niet te verheffen. We zijn hartsvriendinnen.'

'*Jah*... sorry.' Becky's stem werd zachter.

'We kunnen er toch verstandig over praten? Yonnie reed per slot van rekening alleen maar mee naar huis... hij ging niet met me mee naar Eli's om boodschappen te doen of zo.'

'In elk geval had hij voorin bij Martin Puckett moeten gaan zitten.'

Grace pakte de theedoek. 'Ik wil niet dat er een jongen tussen ons komt.'

Het bleef een hele tijd stil in de keuken en Grace wist niet wat Becky ging zeggen. Uiteindelijk draaide haar vriendin zich verdrietig naar haar om. 'Het is mijn schuld. Ik had niet moeten doen of ik je niet zag in de bus en in de winkel.'

Grace legde haar hand op haar schouder. 'Nou, van mijn kant is alles vergeven.'

'Weet je het zeker?' Becky's ogen stonden vol tranen.

'Daarom ben ik gekomen. Ik kon het niet verdragen, die vreselijke wig tussen ons. Je bent mijn liefste vriendin.'

Becky knikte en spoelde de mengkommen af. Ze droogde haar ogen met de bovenkant van haar arm en wilde nog iets zeggen, maar wendde haar blik af. Ze keek Grace nog een keer aan... maar nog steeds zei ze niets.

Wat heeft ze nog meer op haar hart?

★

Judah klopte op zijn buik terwijl hij naar boven ging. Hij had meer dan genoeg gegeten. Aan tafel had hij de spanning tussen hem en Grace gevoeld. Aan haar verdrietige gezicht te zien waren de kleine stapjes die ze in hun relatie hadden gedaan nu haast tevergeefs. Hij stond zijn dochter per slot van rekening in de weg om Lettie te gaan zoeken. Met een zucht bedacht hij dat ook hij moest overwegen te gaan, al was het maar vanwege de afgesproken vergadering met de broeders. *Ik hoor degene te zijn die vraagt of Lettie thuiskomt.*

Hij ging rechtstreeks naar zijn kamer, deed de deur dicht en ging in zijn lievelingsstoel zitten, waar hij de Bijbel pakte en de Psalmen opsloeg. In de rust om hem heen kwam Judah tot leven. Dit was het tijdstip van de dag waarop hij zich het dichtst bij God voelde. Het was ook het tijdstip van Lettie en hem alleen geweest, of ze nu een woordje spraken of gewoon zwijgend in elkaars armen lagen. Was die tijd voorgoed voorbij?

Wat had hij van haar gehouden toen ze net verkering hadden. In die tijd liet Lettie zijn hart zingen, al dacht hij wel dat ze nog steeds veel om haar vorige *beau* gaf. Toch had Judah hoop dat ze door de tijd heen hem eens met volle tederheid zou liefhebben. En hij geloofde dat die dag gekomen was. Tot dat blije besef was hij gekomen kort nadat Lettie wist dat ze zwanger was en ze samen de geboorte van Adam afwachtten. In al die maanden en daarna straalde haar gezicht letterlijk van genegenheid voor Judah.

Hun eerste dagen en weken als pasgetrouwden waren een ander verhaal, al had hij niet laten merken wat hij vermoedde – dat Lettie meer dan haar hart had weggegeven aan Samuel. Alle jaren van hun huwelijk had Judah dat vermoeden en de daarbij komende droefheid, teleurstelling zelfs, met zich meegedragen. Maar nooit had hij het onderwerp aangesneden.

Hij sloeg zijn Bijbel dicht en voelde een onverwacht verlangen om met zijn vrouw te praten. Hij wist niet of dat een einde zou maken aan haar droefheid of wat het dan ook was dat haar gedrongen had om weg te gaan. Wat zou hij er niet voor overhebben om de sluier van tranen van dit huis op te heffen! Judah had Grace en Mandy vaak genoeg verderop in de gang 's nachts horen snuffen en huilen en zachtjes praten – *waarschijnlijk bidden voor Lettie.* Hij was niet blind voor de pijn en zorgen van zijn kinderen, maar de houding van Letties ouders bleef hem hinderen. Sinds Letties vertrek had Jakob hem ontlopen alsof hij een besmettelijke ziekte had en hij was zelden meer naar de schuur gekomen om te helpen, zoals vroeger. Het deed Judah geen pijn meer; het was uitgesproken irritant. Als hij niet iemand was die een conflict uit de weg ging, dan was hij erheen gelopen om zijn schoonvader erop aan te spreken. Nu had hij geen zin meer om een nieuwe bron van spanning in hun leven te brengen. En in zijn eigen leven.

Judah stond op uit zijn stoel en knielde voor zijn bed om

God geluidloos te smeken, niet alleen voor Lettie, maar ook voor zichzelf. Toen bad hij voor zijn kinderen, dat ze niet te veel hoop hadden op de terugkeer van hun moeder. Hij wist hoe koppig Lettie kon zijn en niemand wist hoelang ze verkoos weg te dwalen van huis en haard. En in wat voor geestelijke staat ze was als ze terugkwam.

Wat had ze me die laatste avond willen vertellen? Hij staarde naar haar kussen, pakte het en begroef zijn gezicht erin.

★

Na het Bijbellezen van die avond baden Grace en haar zusje in de eenzaamheid van Mandy's slaapkamer trouw voor de veilige terugkeer van hun moeder. 'We kunnen haast geen dag meer wachten, God,' zei Mandy en haar woorden braken Grace' hart. Ze klopte haar zusje op de hand.

'Mama is in Gods hoede, dus je zult vannacht vredig slapen.' Daar was ze zelf niet zo zeker van, met de herinnering aan *Mammi* Adahs zorgwekkende woorden tegen *Dawdi*. Omdat het onmogelijk was om *Mammi* daarnaar te vragen, moest ze het ook aan God toevertrouwen.

'Voordat je naar bed gaat,' zei Mandy met gedempte stem, 'wil ik je iets vertellen, zus.'

Aan de verlegen blijdschap op Mandy's ronde gezicht te zien had ze iets wonder-*guts* te vertellen. '*Jah?*'

'Ik zou het nooit aan iemand vertellen, behalve aan jou,' begon Mandy. 'Je hebt me de laatste tijd vast weleens met een bepaalde jongen gezien.'

Grace had haar de afgelopen maanden met heel wat jongemannen gezien, maar ze wilde Mandy's verrassing niet verknoeien.

Mandy's ogen lachten, de appeltjes van haar wangen straalden. 'Ik hoop dat we deze zomer een heleboel selderij zullen moeten planten, Gracie.'

Voor de selderij in room die op een bruiloftsfeest wordt geserveerd! Lieve help, *dat* had ze niet zien aankomen! Was Mandy op het eerste gezicht verliefd geworden? Gewoonlijk vertelden meisjes hun zussen of nichten met wie ze een hechte band hadden zoiets pas als ze er zeker van waren. 'Hoop je gauw verloofd te zijn... zoals Adam en Priscilla?'

'Het is niet zeker.' Mandy knipperde met haar grote bruine ogen. 'Maar ik weet dat hij om me geeft en ik ben zo gelukkig, Gracie.'

'O, zusje,' was het enige wat ze kon uitbrengen. Grace boog zich over het bed en nam Mandy's gezicht in haar handen. *We moeten mama gauw thuishalen.* Ze vroeg zich af hoe haar zusje het zou vinden als hun moeder er niet was bij haar bruiloft. Zelf kon ze zich zo'n dag zonder mama niet voorstellen.

Mandy knelde haar armen om haar heen en Grace fluisterde: 'Wacht eens, ik heb iets voor je.' Ze snelde weg naar haar eigen kamer.

Ze opende de lade van haar kast en haalde mama's witte zakdoekje eruit. Ze had het met de hand gewassen en netjes gestreken. *Mama zou willen dat Mandy het kreeg,* dacht ze toen ze terugging naar de kamer van haar zusje.

'Wat heb je daar in je hand?' vroeg Mandy. Ze had grote ogen opgezet.

'Dit heb ik laatst in het maïsveld gevonden.' Ze gaf het aan Mandy. 'Het is van mama.'

'O, Gracie...'

'Draag het op je trouwdag... wanneer die ook komt.'

Mandy drukte het mooie zakdoekje tegen haar wang, zoals Grace had gedaan toen ze het vond. Even kon Mandy niets zeggen door haar tranen. 'Dat ik dit heb... geeft me hoop,' fluisterde ze. 'Je weet maar nooit.'

Jah, hoop. Daar wist Grace alles van.

★

Grace kon niet slapen, ze lag te woelen en te draaien. Daarom kwam ze uit bed, kleedde zich aan en glipte naar buiten om de frisse lucht in te ademen. Het was erg donker, maar ze vond troost in het zwakke licht van de afnemende maan, terwijl Adams kwetsende woorden in haar hoofd bleven klinken. Ze dacht aan alle nachten dat mama het huis had verlaten om in het maïsveld te gaan wandelen. *Dat begrijp ik nu beter.*

Ze wandelde langs de weg, iets waar ze overdag niet over zou denken. Maar zo laat was er zelden verkeer. Zwaaiend met haar armen haalde ze diep adem, hield hem vijf seconden vast en blies dan uit. Niemand had ooit gezegd dat ze dat moest doen, maar in het verleden had ze ontdekt dat het hielp om de spinnenwebben uit haar hoofd weg te halen. En haar angsten onder ogen te zien.

Het had haar aan het denken gezet wat Adam zo ineens had verteld. Voordat hij zo openhartig had gesproken, had ze zich nooit om trouwen bekommerd. Maar nu ze wist wat de jongens zeiden, of wat Prissy *zei* dat ze zeiden, vroeg ze zich af of ze zich zorgen moest maken. Was het erg als zij als vrouw alleen bleef? Adam had er duidelijk op gewezen dat ze er een afschuw van zou krijgen om *Maidel* te zijn. Maar was het niet veel beter om haar leven door te brengen met zorgen voor de familie die ze al had, dan uit wanhoop een slechte partij te kiezen? Ze was Prissy en Adam beslist niet dankbaar voor hun voorspelling van wat er van haar zou worden! Nee, in haar hart was ze er zeker van dat ze alleen uit liefde kon trouwen.

Ze liep verder dan ze van plan was geweest en was blij dat ze de tijd had genomen om zich aan te kleden, al liep ze op blote voeten. In de verte hoorde ze paardenhoeven op de weg en zacht lachen. Het was per slot van rekening een avond voor verliefde stelletjes.

Daar had je het weer. Ze kon het zich verbeelden, maar het leek Becky's lach wel. Maar voor zover ze wist, treurde Becky nog steeds om Yonnie. *Of heeft Yonnie zich soms bedacht over Becky?*

Maar hoe verder Grace liep en hoe dichter het paard en rijtuig naderden, hoe meer ze ervan overtuigd raakte dat het inderdaad de stem van Becky Riehl was die opklonk in de avond. Grace wilde zich niet laten zien, zodat Becky en haar *beau* niet zouden denken dat ze even eigenaardig was als mama, en schoot achter een groepje bomen.

Met bonzend hart bleef ze staan en hield haar adem in om beter te kunnen horen. Ze leunde met haar handpalmen tegen de ruige bast van de boom om steun te zoeken.

De stem van de jongeman rees en daalde. Ze spande zich in om te horen, maar ze kon maar een paar woorden verstaan voordat hij helemaal ophield met praten. Op dat moment daagde het haar dat Becky door de avond reed met niemand anders dan Henry Stahl.

Haar adem stokte en ze sloeg haar hand voor haar mond. *Nou, hij laat er geen gras over groeien! Becky trouwens ook niet...*

De opluchting die Grace op dat moment voelde, toen het tot haar doordrong dat het Henry was en niet Yonnie, verraste haar meer dan ze kon bevatten.

Hoofdstuk 20

De Dag des Heeren brak aan met geruststellend vogelgezang. Grace sloop naar Mandy's kamer en opende de donkergroene jaloezieën om haar te wekken. Haar zus kwam in beweging en geeuwde slaperig.

Ze keek met half dichtgeknepen ogen in de stralende zon, in de hoop de verschillende soorten vogels te zien die er op dit uur waren, vooral mama's geliefde treurduiven. Ze dacht aan iets moois wat mama een keer had gezegd: 'Vogels zijn net sterretjes in beweging.'

Haar moeder kon het zinnetje wel uit een gedicht in een van haar geliefde boeken hebben. Grace hoopte maar van niet. Ze werd onrustig van elke schakel, hoe zwak ook, met mama's eerste *beau*. Daar had ze gemengde gevoelens over, net als over die vreemde onthulling van gisteravond. Blijdschap voor Becky en Henry... en opluchting. Vrijheid zelfs.

Ze keerde zich af van het raam en leunde op het voeteneind, neerkijkend op Mandy's gestalte onder de quilt. Op zulke momenten vroeg ze zich af hoe het voelde om moeder te zijn. Ze ging op de rand van het bed zitten. 'Ik zie dat je wakker bent.'

'Nu wel.' Mandy glimlachte slaperig en ging rechtop zitten, de quilt dicht om zich heen getrokken. 'Ik heb zo *gut* geslapen na ons gebed. En jij?'

'Genoeg.' Een vredige nachtrust was tegenwoordig zeldzaam en daarom een zegen.

Mandy keek haar aan. '*Ach*, Gracie... je hebt niet goed geslapen.'

Ze sloeg geen acht op haar opmerking. 'We moeten gauw het ontbijt op tafel gaan zetten. Ik zie je beneden.' Ze wuifde met haar vingers terwijl Mandy zich uitrekte en in haar ogen wreef.

Hoewel ze zich verheugde op de bijeenkomsten met de leden op de Dag des Heeren, was ze in zekere zin heimelijk blij dat er deze zondag geen kerk was. Dan kon het hele gezin wat rustiger aan doen. In gedachten had ze al plannen gemaakt voor de dag, te beginnen met een bezoek aan de paardenstal om bij Willow te zijn. Beetje bij beetje ging het beter met het paard. Pa en de jongens waren zo zorgzaam voor haar geweest na de adviezen van de dierenarts en Yonnie.

Grace ging zich vlug aankleden, ze had trek in appelpannenkoeken. Dat zou pa ook lekker vinden, want hij genoot er altijd van hoe mama de appels in het beslag raspte voor een mooie structuur. En dan zelfgemaakte stroop erbij van suiker, melasse en vanille – dat vond mama lekkerder dan die met ahornsmaak.

Of doen appelpannenkoeken pa pijnlijk aan haar denken?

Eigenlijk herinnerde alles hen aan hun vermiste moeder.

★

Susan Kempf had een diep invoelingsvermogen voor anderen. Maar het was haar luisterend oor dat Lettie vanmorgen het verlangen gaf om zich uit te spreken… om iemand te vertellen waarom ze haar gezin had verlaten.

Ze waren lang aan de ontbijttafel blijven zitten. Het zonlicht stroomde vriendelijk naar binnen terwijl ze keken naar een zeldzame woudzanger die op een tak voor het raam zat. 'Tijd om nesten te gaan bouwen,' zei Lettie, wijzend naar het tere gele vogeltje met de blauwgrijze vleugels en een duidelijke zwarte lijn om zijn oogjes. Susan en zij hadden beiden maar een seconde nodig gehad om hem te ontdekken nadat ze zijn hoge tjirpen hadden gehoord.

'Ik lijk totaal niet op die kleine woudzanger,' verzuchtte Lettie om een balletje op te gooien. 'Mijn nest is een bende.'

Susan keek haar met zachte ogen aan. 'Je bent weggelopen, hè?'

Lettie boog treurig haar hoofd, de levendige roep van de

vogel nog in haar oren. Waarom stak ze haar nek uit? *Lieve help, ik ken die vrouw nog maar net.*

'Ik voelde meteen dat er iets mis was toen ik je alleen zag zitten bij Miller's.'

Lettie kromp ineen. Wat had ze zich opgelaten en verloren gevoeld in dat stampvolle restaurant. 'Het valt niet mee om alleen te reizen.'

'Nou, je bent nu toch niet alleen?' Susan glimlachte hartelijk en schonk Lettie nog een kop thee in.

'En daar ben ik dankbaar voor.' Haar nieuwe vriendin schepte twee lepeltjes suiker in Letties kopje en roerde voor haar. 'Ik kan me niet heugen dat er zo voor me gezorgd is.' Ze perste haar lippen op elkaar om niets meer te zeggen.

'Ik geloof dat je voor mij hetzelfde zou doen, Lettie.'

Jah, dacht Lettie, denkend aan het Schriftwoord: *Voor zoveel gij dit een van deze Mijn minste broeders gedaan hebt, zo hebt gij dat Mij gedaan.* Ze was oprecht geroerd door de fijngevoeligheid en grootmoedigheid van deze vrouw. Drinkend van de zoete, hete thee bedacht ze dat God haar naar deze veilige schuilplaats had geleid.

Judah zal wel voor me bidden… en Gracie ook.

'Je gezin moet je erg missen,' zei Susan zacht.

De woorden raakten Lettie in het hart. 'O, en ik mis hen ook,' zei ze. Ze begon zich ongemakkelijk te voelen om meer te zeggen. 'Maar ik voelde dat ik dit moest doen… ze zijn namelijk niet mijn enige familie.' Ze vertelde over haar zoektocht naar haar kind. 'Ik was jong… ik wist niet wat ik wilde.' Onder tranen gooide ze fluisterend haar lang bewaarde geheim eruit. 'Ik moest Minnie vinden.'

Susans gezicht weerspiegelde de smart die Lettie voelde. 'Geen wonder…'

Lettie kon niets zeggen, ze knikte langzaam.

'Wat een moeilijke reis voor zo'n gekwetst iemand.' Susans mondhoeken gingen naar beneden.

'Jij hebt me de weg gewezen naar Minnie. Daar ben ik innig dankbaar voor,' zei Lettie. Ze voelde zich ineens doodmoe.

'Ik bid dat je zult ontdekken wat het beste is, Lettie… dat je met je kind herenigd zult worden, als het Gods wil is.'

'Vind je het erg als ik een poosje ga liggen?'

'Helemaal niet.' Susan stond op om met Lettie mee te lopen naar de logeerkamer voorbij de zitkamer. 'Ga maar lekker rusten.'

'*Denki.*' Glimlachend ging Lettie op de rand van het bed zitten. 'God zegene je.'

'Dat heeft Hij gedaan, daar kun je zeker van zijn.' Susan pakte een gehaakte deken en legde hem aan het voeteneind van het bed. 'Ik ben in de keuken… als je iets nodig hebt.'

Opnieuw bedankte Lettie haar beschermengel. Met een diepe zucht liet ze zich neer op de zachte matras.

★

Grace snelde langs de weg naar de Riehls. Hoog in de bomen hoorde ze de kraaien krassen. Niet ver van het kippenhok renden een haan en een paar kippetjes over de oprijlaan. *Een volmaakte dag voor een ritje in het rijtuig,* dacht ze.

Voordat ze een voet in huis kon zetten, verscheen Heather uit de achterdeur en liep vlug naar haar auto. 'Hoi, Grace! Leuk je weer te zien.'

Grace zwaaide en glimlachte. 'Hoe gaat het?'

Heather opende het portier. 'Eigenlijk ben ik vandaag nog niet buiten geweest.' Ze keek naar de lucht. 'Het is warm genoeg om met een mooi boek onder een boom te zitten.'

'Dat vind ik ook,' antwoordde Grace, verbaasd dat Heather in haar auto stapte. *Denkt ze soms dat we met de auto naar Sally gaan?* Ze hield zich aarzelend op de achtergrond.

Heather stak haar hoofd uit het raam en keek haar nieuwsgierig aan. 'Vind je het goed als we met mijn auto naar de Smuckers gaan?'

'Eigenlijk rijden we op de Dag des Heeren liever niet in een auto, behalve in noodgevallen.'

'O, mijn fout…'

'Ik had duidelijker moeten zijn.' Grace verklaarde dat ze had willen teruglopen naar haar huis. 'Dan kunnen we met paard en rijtuig gaan. Dat gaat wel wat langzamer, maar…'

'Nee, dat is best,' zei Heather en ze stapte uit.

Grace voelde dat ze een beetje verbluft was. 'Weet je zeker dat je het niet erg vindt?'

Heather schudde haar hoofd. 'Helemaal niet.'

'Goed, dan. Laten we naar mijn huis gaan.'

Terwijl ze het kleine eindje over de weg liepen, reden er meerdere gezinnen in rijtuigen langs hen heen. Ook ratelde er een ponykar langs, tot de rand toe gevuld met jonge kinderen. Een tienerjongen had de teugels in handen.

'Is er een wettige leeftijd om te mogen mennen?' vroeg Heather. 'En houden jullie je daaraan?'

'Er is geen rijbewijs nodig en er is ook geen leerboek voor. Maar meestal zijn jongens vijftien of zestien voordat ze lange stukken rijden op de tweebaanswegen.'

'Het lijkt me zo raar dat zo'n jong iemand een rijtuig bestuurt op een drukke weg.'

Grace wist niets te zeggen. Zij ging al met hun ponykar heen en weer naar de Riehls toen ze pas acht was. 'Er zullen wel meer dingen raar aan ons zijn,' waagde ze.

Heather viel stil en Grace vroeg zich af of ze haar boos had gemaakt.

Bij haar thuis stond het paard al voor het grijze rijtuig van haar vader gespannen en ze gingen de weg op. Grace probeerde van het landschap te genieten, maar ze voelde de spanning op de voorbank waar Heather met haar armen over elkaar naar het spatscherm zat te staren. *Zo stijf als een plank.*

Maar eindelijk begon Heather wat spraakzamer te worden. 'Wat heb je vanmorgen gedaan?' vroeg ze.

Grace hield de teugels stevig vast terwijl ze vertelde dat ze ontbijt had gemaakt en zeven hoofdstukken had gelezen uit pa's oude Duitse Bijbel. 'En toen heb ik dezelfde hoeveelheid gelezen uit de Engelse Bijbel,' zei ze. 'En jij? Hoe heb jij de ochtend doorgebracht?'

'Ik heb uitgeslapen, wat ik vaak doe op zondag. Mijn familie ging vroeger af en toe naar de kerk... voordat mijn moeder stierf.'

'Nu niet meer?' vroeg Grace zacht.

'We zijn de gewoonte kwijtgeraakt,' zei Heather. 'Ik kan niet zeggen dat ik het erg mis.'

'Misschien heb je dan de juiste kerk niet gevonden.'

Ineens keek Heather haar aan. 'Daar heb ik nooit aan gedacht.' Vlug begon ze over iets anders, over de chatroom over gezondheid die ze graag bezocht. 'Ik heb zelfs een paar e-mails gewisseld met iemand die ik daar heb ontmoet. Zijn gebruikersnaam is Willeven.'

'Gebruikersnaam?'

Heather probeerde uit te leggen wat het was, maar in Grace' oren klonk het als een geheime code. *Waarom niet gewoon zeggen wie je bent?* 'Willeven is een interessante naam, hè?' merkte ze op.

Heather lachte. 'Hij viel mij tenminste op.'

'Dat geloof ik.' Grace dreef het paard aan, blij dat Heather wat spraakzamer was geworden.

'Maar genoeg daarover.' Heather schoof haar haar naar achteren over haar schouders. Ze zuchtte hoorbaar. 'Ik weet niet hoe ik er op een beleefde manier over moet beginnen, maar Becky's kleine zusje Sarah stelde gisteren een nogal pijnlijke vraag.'

'Waarover?'

Heather keek haar aan. 'Ik denk dat ik eerst moet vragen of Lettie Byler soms familie van je is.'

Grace kreeg een schok. 'Dat is mijn moeder.'

Heathers adem stokte. 'Nou, dat was een beste flater van me.'

'Waarom vraag je dat?'

'Nou, Sarah vroeg of Lettie overleden was.'

'*Ach*... dat arme kind.' Grace aarzelde om meer te zeggen.

'Ze was van streek. Daarna nam Marian Rachel en haar mee naar binnen.'

Grace kneep hard in de teugels, haar schouders spanden zich. 'Ik denk dat veel kleine kinderen in de kerk zich afvragen wat er met mama is gebeurd.' *Net als ik.* 'Er wordt over gezwegen in de Gemeenschap van Eenvoud.'

Heather keek bezorgd. 'Is… alles goed met je moeder?'

Grace stelde haar bezorgdheid op prijs. Iedereen in de buurt van Bird-in-Hand wist van mama's verdwijning, dus waarom zou ze het stilhouden? Terwijl ze naar de boerderij van prediker Smucker reden, peinsde ze over wat ze moest zeggen… en aan de andere kant, wat beter ongezegd kon blijven.

Grace haalde diep adem. 'Ik zal het je eerlijk vertellen, mijn moeder heeft ons verlaten… en ik weet niet waarom. Niemand weet het.' Vlug legde ze uit dat zoiets ongehoord was in de Gemeenschap van Eenvoud. 'Hoewel het om allerlei redenen wel gebeurd is.' Ach, *dat was meer dan ik had hoeven zeggen.*

'Is er niet naar haar gezocht?' vroeg Heather.

'Mama is niet ontvoerd, als je dat soms denkt.'

'Dat kwam wel in me op.'

Grace vertelde dat Lettie een chauffeur had gehuurd om haar naar het treinstation te brengen. 'Daarna heeft ze een keer opgebeld naar het huis van die man, om ons te laten weten dat ze het goed maakte.' Ze hoestte even. 'En vorige week is er een brief van haar gekomen, met het poststempel van Ohio.'

'Je vader moet toch wel weten waar ze heen is… en waarom.'

Ineens was het gesprek veel te persoonlijk geworden. 'Om het netjes te zeggen, niemand van ons weet het. Zelfs pa niet.'

Heather scheen erover na te denken. 'Ik kan redenen bedenken waarom een vrouw bij haar man wegloopt,' zei ze ongevraagd. 'Maar wil je zeggen dat Amish vrouwen en moeders niet dezelfde moeiten hebben als vrouwen buiten jullie gemeenschap?'

Dit gesprek ging veel verder dan Grace had bedoeld. Ze voelde zich haast ontrouw. 'Ik weet niet veel van *Englische* vrouwen, dus ik kan er niets van zeggen.'

Heather keek verbluft. 'Als ik zo vrij mag zijn, ik kan het me moeilijk voorstellen dat je zo onder de beheersing van een man leeft.' Ze keek haar onderzoekend aan. 'Jij komt tamelijk onafhankelijk over, Grace – je werkt buitenshuis bij Eli's en zo. Je hebt toch wel je eigen mening en gedachten.' Heather staarde haar nu aan. 'Vind je het… nou ja, moeilijk om Amish te blijven?'

'Het is het enige wat ik ken… het enige wat ik hoef te weten.'

'Heeft je moeder een andere mening? Omdat ze weg is, bedoel ik?'

'Dat is moeilijk te zeggen. Maar als ze over zeg maar een halfjaar nog niet thuis is, gaan we denken dat ze ons voorgoed heeft verlaten.' Grace zag het huis van prediker Smucker in zicht komen en ze wilde het paard wel aansporen tot een galop om een eind te maken aan dit pijnlijke gesprek.

'Is ze in april vertrokken?'

'De tweeëntwintigste,' zei Grace, die met droefheid aan haar verjaardag dacht.

Gelukkig drong Heather niet verder aan. Ze zweeg zelfs.

Ik wou dat ik openhartiger tegen haar kon zijn, dacht Grace, hopend dat ook Heather meer zou vertellen over de ziekte en het overlijden van haar eigen moeder.

Maar verderop lag vredig Josiahs glooiende groene grasveld en zijn statige boerderij van drie etages. *Misschien een andere keer.*

Hoofdstuk 21

Terwijl ze op de ochtend van deze Dag des Heeren over het grote erf naar de boerderij van May Jaberg liepen, stelde Susan Lettie vriendelijk gerust. 'Je zult het enig vinden om kennis te maken met May,' zei ze terwijl haar rok tegen die van Lettie ruiste. 'Ze kent haast geen vreemden.'

Omdat er die dag net als thuis geen kerkdienst was, ging Lettie met alle plezier op bezoek bij Susans grootmoedige buurvrouw met haar geadopteerde kinderen. 'Vindt May het geen probleem om over haar adopties te praten, denk je?' vroeg Lettie terwijl ze naar de hoge vogelhuisjes van de vrouw keek.

'O, dat zul je wel zien. Daar is May heel openhartig over.'

Ik zal er voorzichtig over beginnen, beloofde Lettie zichzelf, terwijl ze naast Susan lopend haar hoofd boog om onder de lange rijen waslijnen door te lopen. Haar hart sprong op bij de gedachte.

May Jaberg stond met een rood gezicht en gezellig dik bij de deur. Ze glimlachte breed toen ze hen aan zag komen. Ze zette de hordeur op een kier en wenkte hen naar binnen. 'Hallo… *Kumm rei*.'

'*Denki*, May,' zei Susan terwijl ze Mays keuken binnenstapte. Ze wendde zich tot Lettie en voegde eraan toe: 'Mag ik je voorstellen: dit is Lettie Byler uit Lancaster County.'

May knikte haar toe, de bandjes van haar *Kapp* waren netjes vastgebonden onder haar dubbele kin. '*Wie geht's*, Lettie? Wil je koffie met een stuk taart?' Vlug zette ze een ketel water op het vuur. 'Of heb je liever thee?'

Susan keek Lettie met twinkelende ogen aan, als om haar te herinneren aan Mays goedhartige karakter. May sneed dikke punten bananenroomtaart terwijl het water aan de kook kwam. Lettie voelde zich niet half zo gespannen als ze had gedacht. Ze begreep heel goed waarom zo'n vrouw graag een heleboel kinderen wilde.

Toen voor May en Lettie pepermunthee was getrokken en ingeschonken, en koffie voor Susan, waren de drie al uitgepraat over het weer... en zelfs over de damesochtend van aanstaande woensdag. 'Je moet meekomen, Lettie,' nodigde May haar uit.

'Ik zal het in gedachten houden.'

'Nou ja, waarom niet als je er nog bent?' drong Susan aan.

Als ik er nog ben. Lettie stak haar hand uit naar de suikerpot.

'Het wordt heel gezellig en druk,' voegde May eraan toe. 'Mijn twee getrouwde dochters komen helpen met de kleintjes, dat is erg aardig.'

Lettie spitste haar oren en ineens wilde ze May graag houden aan haar vriendelijke uitnodiging.

Later zei Lettie tijdens een stilte in hun plezierige gesprek nadenkend: 'Ik hoorde van Susan dat jij en je man een paar kinderen geadopteerd hebben.' Sinds ze Minnie had gesproken, had ze overwogen wat het voor haar eigen dochter kon betekenen om te ontdekken dat ze geadopteerd was.

May knikte met volle mond en glimlachte vrolijk. 'Ik moet zeggen dat we haast hadden om een gezin te stichten en in het begin lukte het niet. Maar toen we onze eerste drie geadopteerd hadden, behaagde het God om ons een hele rij baby's te sturen. Dus we zijn dubbel gezegend.'

Lettie luisterde en overdacht wat Lettie had gezegd. 'Zijn ze op zoek gegaan naar hun biologische ouders?'

'Nou, de oudste van de drie, Ruth, wilde dat voordat ze lid werd van de kerk.' May veegde haar mond af met een papieren servetje. 'Maar toen ze haar biologische moeder gevonden had, is ze boos op haar geworden en nu heeft ze helemaal geen contact meer met haar. Het is allemaal heel verdrietig.'

Susan ving Letties blik en scheen haar aan te moedigen om door te vragen.

'En de andere twee?' Lettie hield haar adem in.

'De middelste van de drie niet,' antwoordde May zachter. Ze zweeg even en staarde naar het restje taart dat nog op haar bordje lag. 'Maar ze heeft vaak gezegd dat ze zich nooit compleet heeft gevoeld en in de toekomst wil ze haar biologische moeder vinden.'

'Hoe oud is ze?' De woorden bleven haast steken in Letties keel.

'Vesta Mae is vierentwintig.'

Letties hart bonsde. *Zou Vesta Mae mijn eigen kind zijn?*

Susan schepte nog een stuk taart op en legde het zwijgend op haar bordje. Intussen deed May hetzelfde, maar haar tweede stuk was royaler en ze klokte als een dikke, tevreden kip.

Lettie had de moed niet om May naar Vesta Maes geboortedatum te vragen. Maar de vraag bleef in haar hoofd hangen, lang nadat ze haar thee op had aan de grote keukentafel van deze vrouw.

★

'Joehoe!' riep Grace aan de achterdeur van de Smuckers.

Altijd blij met onverwacht bezoek lichtten Sally's ogen op toen ze hen binnenliet. 'O, Gracie, zo *gut* dat je er bent,' zei ze. 'En Heather… leuk om je weer te zien.'

'Kennen jullie elkaar?' vroeg Grace verrast.

'We hebben laatst kennisgemaakt,' zei Sally glimlachend. 'Heather en haar vader Roan kwamen de ligging van zijn land bekijken – op papier dan. Josiah bouwt een huis voor hen.'

'Het huis is eigenlijk voor mijn vader,' voegde Heather eraan toe.

'Maar ga jij er dan niet wonen tot je trouwt?' vroeg Sally en toen betrapte ze zichzelf. '*Ach*, ik bedoel…'

Heather lachte begrijpend. 'Dat geeft niet,' zei ze vlug terwijl ze Sally volgde door haar smetteloze keuken, waar de vaat gewassen en opgeruimd was.

Het viel Grace op hoe stil het was in huis. 'Je kleintjes doen zeker een dutje,' zei ze toen Sally hen meevoerde naar de kleine zitkamer die zich naast de keuken bevond.

'O, lieve help, jazeker.' Sally bood hun de makkelijkste stoelen en nam zelf de stoel met de rieten rug. 'En... hoe hebben jullie tweeën elkaar ontmoet?' vroeg ze, terwijl ze haar armen over elkaar sloeg en achteroverleunde.

'Bij Eli's.' Grace keek naar Heather, die ongeduldig wachtte tot de plichtplegingen voorbij waren.

'*Willkumm* jullie beiden,' zei Sally. 'Straks nemen we wat lekkers. Ik heb een taart gebakken die smeekt om geproefd te worden.'

Grace had de volmaakt goudbruine taart al zien staan toen ze door de keuken liepen. 'Maar hij zit vast en zeker vol met gezonde ingrediënten,' merkte ze op.

Sally glimlachte. 'En hij is gezoet met druivensap.'

'Klinkt heerlijk,' zei Grace. Toen vertelde ze dat Heather graag iets wilde horen over Sally's gezonde manier van eten... en haar natuurlijke weg tot genezing.

'Wonder-*gut*... ik praat er graag over.' Opnieuw klaarde Sally's gezicht op en ze keek van Grace naar Heather. 'Grace heeft je zeker al verteld dat ik hersteld ben van kanker?'

Heather knikte. 'Ze heeft iets verteld... en ze denkt dat het voor mij ook goed zou kunnen zijn.'

Toen Sally begreep dat Heather zelf aan een ernstige ziekte leed, zette ze haar stoel naast die van Heather. Ze boog zich naar haar toe en richtte haar blik uitsluitend op het *Englische* meisje. 'Laat ik beginnen met te zeggen dat ik geloof dat God me naar het kuuroord van dokter Marshall heeft geleid. Ik was stervende en had nog maar een paar maanden te leven, toen ik me inschreef.'

Heather luisterde met een strak gezicht.

'Ik ben nu vrij van kanker en ik kan niet genoeg goeds over het programma zeggen.' Sally kneep haar ogen tot spleetjes. 'Ik hoop dat je niet zo ziek bent als ik was... Heather, kind.'

Heather trok een gezicht. 'Vorige maand was mijn kanker uitgezaaid naar drie gebieden van lymfeknopen,' zei ze zacht.

Sally fronste haar wenkbrauwen en keek bezorgd. Toen

schudde ze haar hoofd. '*Ach*, ik weet niet veel van andere soorten kanker… maar als je een afspraak maakt met dokter Marshall, zal ze je alles leren over een gezond dieet.'

'Ik ben al bij haar geweest,' zei Heather. 'Maar ik ben op een grote hindernis gestuit.'

Het werd stil in de kamer, alsof niemand iets wist te zeggen. Het was duidelijk dat Heather niet meer wilde onthullen.

Ten slotte zei Sally: 'Wat het ook is, Heather, ik hoop dat het snel opgelost kan worden. Veel patiënten van dokter Marshall zijn enorm geholpen. Er zijn talrijke getuigenissen… allemaal heel bezielend.'

Grace zag dat Heather bleek werd en ze was bang dat Sally te opdringerig overkwam. 'Misschien wil je over jouw ervaring vertellen, Sally?' opperde Grace zacht.

Sally knikte en vertelde een halfuur over de behandelprocedures in het oord. 'Als je gaat, Heather, zul je een paar heel aardige mensen ontmoeten. En dan heb ik het alleen over het personeel. Sommigen zijn patiënt geweest en zoveel beter geworden door het programma, dat ze terug zijn gekomen om anderen hun tijd te geven.'

Ze praatten verder over het naleven van de nuttige lessen in het oord. Sally vergeleek het met de hand aan de ploeg slaan en niet omkijken. 'Het is zwaar, maar ik wil mijn kinderen zien opgroeien.'

Grace stond op en liep naar de keuken, om Heather en Sally de gelegenheid te geven vertrouwelijk te praten. Ze dwaalde rond en keek naar de taart op het aanrecht. Sally had er beslist talent voor om heerlijke gerechten te maken en toch een gezond dieet te handhaven. Hoe moeilijk was het om uit tarwemeel zo'n broze korst te maken?

Toen ze hem later opaten, bedankte Grace Sally voor de smakelijke traktatie, die bekroond was met een glazuurlaag van bruine rijststroop en zetmeel. Toen Sally hen bedankte voor hun komst drong ze er bij Heather op aan vaak op bezoek te komen. 'Je komt maar wanneer je wilt. Ik zal je zo goed mogelijk helpen.'

Grace en Heather verlieten het huis door de achterdeur. Terwijl ze probeerde alles te verwerken wat Sally had verteld, stond Grace buiten stil om Sassy's hals en manen te strelen terwijl Heather in het rijtuig stapte. Ze hoopte maar dat Willow weer net zo gezond werd als Sassy. *Aardig van Adam om me vandaag zijn paard te lenen. Hoe kan ik boos blijven op zo'n broer?*

Toen ze weer op de hoofdweg waren, zei Heather: 'Sally moet wel erg gedisciplineerd zijn om zo te eten.'

'Dat denk ik ook.'

'Gaat ze nooit in de fout om te eten wat zij "slecht voedsel" noemt?'

'Volgens mij niet.'

Heather scheen verbijsterd. 'Maar hoe doet ze dat met een man en kinderen? Dient ze elke keer als ze gaan eten twee maaltijden op?'

'Nee, het hele gezin eet nu gezond, organisch voedsel, heel interessant.'

'Wat bedoel je?'

'Je hebt ongetwijfeld van ons boerderijdieet gehoord – voornamelijk vlees en veel meelkost zoals aardappels en noedels.'

Heather zei dat ze het gemerkt had. 'De meeste mensen denken dat zwaar eten meer energie oplevert, maar het tegendeel is waar. Het lichaam heeft er meer werk aan om al dat eten te verteren en houdt minder energie over voor de genezing.'

'Dat zal wel.'

Heather glimlachte. 'Bedankt dat je de tijd hebt genomen om me aan Sally voor te stellen. Ik hoop contact met haar te houden.'

'Als het je maar helpt om beter te worden.'

Heather leunde achterover en rekte haar hals. 'Eerlijk gezegd heb ik nogal tegenstrijdige gevoelens over dit alles.' Ze ging weer rechtop zitten.

'O, ja?'

'Mijn vader is te voorzichtig. Hij eiste zowat dat ik naar huis terugga om met de conventionele behandeling te beginnen.'

Heather haalde diep adem. 'Hij is tegen die "reinigingsnon-sens", zoals hij het noemt. Als ik minderjarig was, zei hij, had hij me zo naar mijn oncoloog meegesleept.'

'Dan snap ik niet waarom je twijfelt.'

Heather zweeg even. 'Het is begrijpelijk dat pap bezorgd is.'

'En je valt nog onder hem, *jah*?'

'Wat bedoel je?'

'Je bent onderworpen aan je vader, onder zijn gezag – zoals hij is onder God.'

Heather keek verbijsterd. 'Eh... wij leven niet zo.' Ze lachte. 'Als ik besluit om naar dat kuuroord te gaan, dan doe ik dat.'

'Tegen de wensen van je vader in, bedoel je?'

'Tja, wil hij een gehoorzame dochter of eentje die leeft en ademhaalt? Mijn moeder heeft zijn zin gedaan en kijk eens waar dat haar heeft gebracht: twee meter onder de grond.'

Grace was er helemaal niet aan gewend om iemand zo res-pectloos te horen praten, zeker niet over zijn ouders. 'Mis-schien moet je er nog wat beter over nadenken?'

Heather trok aan haar loszittende blauwe blouse en klopte op haar spijkerbroek. 'Ik ben niet meegaand en mild zoals jij, Grace. Mijn moeder heeft me altijd geleerd om voor mezelf te denken... en pap ook.'

Grace lachte zenuwachtig, ze werd er verlegen van dat ie-mand zo ronduit sprak.

Aan de overkant van de weg renden drie kleine meisjes in lichtroze jurkjes op blote voeten achter een cyperse kat aan. 'Kijk daar eens,' wees Heather. 'Amish kinderen zijn zo geluk-kig, alsof ze geen zorg in de wereld hebben.'

'De vrije zondag is onze dag om in de Bijbel te lezen en vrienden en familie te bezoeken. Op die dagen hoort alles meer ontspannen te zijn.' Grace legde uit dat er zoveel vrien-den en familieleden waren om te bezoeken, dat haar ouders altijd bijhielden naar wie ze toe gingen. 'Op die manier kun-nen we iedereen minstens twee keer per jaar bezoeken.'

Heather zette grote ogen op. 'Hebben jullie zoveel familie-leden?'

'Mama heeft negen broers en zussen. Mijn vader elf. En allemaal zijn ze getrouwd en hebben ze een hoop kinderen... dus er is familie in overvloed.'

'Daar heb ik vaak over nagedacht.' Heather hield haar hoofd schuin. 'Bijna mijn hele leven eigenlijk.'

'Waarover?'

'Hoe anders het voor mij had kunnen zijn.'

'Met broers en zussen?' vroeg Grace.

'Ja.' Heather zweeg en haalde diep adem. 'Weet je, ik vertel het haast nooit aan iemand, Grace, want ik vind het niet zo belangrijk. Maar ik ben geadopteerd.'

'Och, echt?' Nog meer dan van het nieuws, stond Grace versteld van Heathers plotselinge openhartigheid.

Heather knikte. 'Het is waar.'

'*Ach*, je lijkt precies op je vader.'

'Dat zeggen mensen wel vaker,' erkende Heather. 'Maar ik lijk nog meer op mijn adoptiemoeder.'

'Je moet je heel bijzonder voelen als je door je ouders met zorg bent uitgekozen.' Grace wist niet goed waarom ze het precies op die manier zei.

'Het is niets voor mij om je dit zo te vertellen. Zelfs mijn vroegere verloofde weet het niet van me, kun je dat geloven?' Heather kermde even.

'Tja, er zijn veel dingen die ik ook nooit aan mijn *beau* heb verteld.' Grace vertrouwde haar toe dat zij degene was die hun verloving had verbroken.

'Dan hebben we iets gemeen. Alleen heeft mijn verloofde mij gedumpt.'

Ze sloegen de oprijlaan van de Riehls in en Becky kwam door de achterdeur naar buiten rennen. 'Ik zal mijn mond houden, goed?' zei Grace zacht.

Heather gaf een kneepje in haar arm. 'Vergeet liever wat ik heb verteld. Ik had altijd een hechte band met mijn moeder, dus ik heb nooit overwogen om op zoek te gaan, zoals sommige geadopteerde kinderen doen.' Heather glimlachte lief. 'Nogmaals bedankt dat je me naar Sally hebt gebracht.'

'Je weet me te vinden als ik iets voor je doen kan.'

Becky kwam rood van verlegenheid op hen toe. 'Ik wil niet storen, maar je vader is daarstraks langs geweest, Heather. Hij zei dat hij een boodschap zou inspreken op je telefoon.'

'Bedankt, Becky. Ik zal mijn voicemail afluisteren.' Heather wendde zich tot Grace. 'Ik hoop dat we elkaar binnenkort weer spreken,' zei ze. 'Ik ben ook erg geïnteresseerd in je kruidentuin. Als het goed is, kom ik morgen even langs.'

'Ja, hoor. Dan kun je mijn zusje Mandy ook ontmoeten... en mijn broers, als je wilt.'

'Met je oma heb ik al kennisgemaakt, hoewel ik dat toen niet wist.' Heather rekte zich uit.

'*Mammi* Adah?'

Heather knikte. 'De eerste dag dat ik hier was bracht ze haar afschuwelijk lekkere koffiebroodjes. Ik weet zeker dat Sally Smucker en dokter Marshall die *niet* zouden goedkeuren.'

'*Jah*, al die varkensreuzel en die suiker...' Grace zag met enige verbazing dat Becky alweer naar huis was gelopen.

'Ik weet zeker dat *Mammi* het leuk zal vinden om je weer te zien.' Grace draaide zich om naar het rijtuig. 'Ze kan al je vragen over kruiden beantwoorden.'

'Over genezende kruiden toch?' zei Heather.

'Waar heb je dat gehoord?'

'Internet... Als ik een dodelijke ziekte heb, hoor ik daarvan af te weten. En over internet gesproken, mijn laptop wacht.'

Verbijsterd over het gemak waarmee Heather over haar slechte gezondheid sprak, zei Grace zacht: 'Een gezegende Dag des Heeren.'

Heather zwaaide en liep over het pad naar het huis.

Nog steeds verbluft zei Grace tegen Sassy: 'Kom, meid, we gaan naar huis, kijken hoe het met Willow gaat.' De merrie hinnikte zachtjes bij het horen van Willows naam.

Hoofdstuk 22

Waarom heb ik mijn hart uitgestort bij Grace?

Geërgerd dat ze zo openhartig was geweest tegen iemand die ze amper kende, en die bovendien Amish was, snelde Heather in het huis van de Riehls naar haar kamer boven. Ze deed de deur achter zich dicht en zette haar iPhone aan om haar e-mail te checken en de voicemail van haar vader af te luisteren.

'Ha, kleine. Kom je eind van de middag naar de plek van het huis? Bel me even.'

Hoopte hij op een nieuwe kans om het haar in te peperen? Ze startte haar laptop op omdat ze een poosje in haar dagboek wilde schrijven. Ze haalde haar vingers door haar haar terwijl ze wachtte en ging met gekruiste benen op het bed zitten. Ze verbaasde zich nog steeds over de band die Grace en zij vanaf hun eerste ontmoeting hadden gehad. Ze waardeerde het hoe Grace het nieuws over haar ziekte had opgenomen, en vandaag het bericht over haar adoptie. Ze had lange tijd niet aan dat laatste gedacht. Ze was er altijd blij mee geweest een dochter van Roan en Karen Nelson te zijn.

Ze pakte haar telefoon en belde haar vader terug. Toen hij opnam, zei ze: 'Ik heb net je voicemail gehoord.'

'Zeg, ik kreeg ineens een idee.' Er klonk onmiskenbaar iets vrolijks in zijn stem.

'Over het huis?'

'Kun je naar de locatie komen?'

Nu? Ze wilde de ontmoeting met Sally verwerken. 'Kan het wachten tot morgen, pap?'

'Ja, hoor. Je bent zeker moe. Het verbaast me trouwens dat je het zo goed uithoudt – en zo lang – zonder chemo, Heather.'

Daar gaan we weer…

'Pap, als ik niet bezorgd ben, hoef jij het ook niet te zijn.'

'Hoor es, kleine, ik heb nieuws voor je: ik ben je vader en het is mijn taak om bezorgd te zijn.'

Ze zuchtte; ze hoorde een spoor van angst in zijn stem. En van koppigheid.

'Ik wil dat je me laat uitpraten.'

'Vandaag niet, pap, alsjeblieft.' Ze zweeg, wachtend op zijn tegenwerpingen. Toen die niet kwamen, voegde ze eraan toe: 'Moeten we hier echt ruzie over maken?'

Hij zuchtte diep. 'Ga met me mee naar huis. Dan is alles opgelost.'

'We praten er verder over als je dokter Marshall hebt gesproken. Goed?' Het was haar laatste poging. Ze had geen woorden en geen energie meer.

'Best. Maar toch wil ik je morgenochtend vroeg zien. Dag, Heather.'

Ze fluisterde: 'Dag, pap,' en hing op.

Enigszins opgelucht begon Heather de laatste blog van Willeven te lezen. Ze schreef een reactie die hij onmiddellijk beantwoordde. Het hielp dat ergens iemand op haar golflengte zat, al was die persoon in wezen een vreemde.

In gedachten liep ze het boeiende gesprek met Sally nog eens door. Sally was de meest gedisciplineerde persoon die ze ooit was tegengekomen. Ze had slimme plaatsvervangers gevonden voor alles van suiker tot zuivel. En ze at geen rood vlees meer en ze hield bij hoog en bij laag vol dat ze, toen haar vreselijke hunkering afgenomen was, die dingen amper miste. 'Nu ik mijn eten al zo lang op deze manier klaarmaak, denk ik er niet eens meer over na,' had ze gezegd. Heather vroeg zich af of ze het kuuroord niet gewoon kon overslaan om aan de voeten van de predikersvrouw te gaan zitten.

Ze legde haar iPhone opzij en pakte haar laptop weer op.

Ik heb vandaag een interessante Amish vrouw ontmoet. Tijdens alle bezoeken hier met mijn ouders in mijn jeugd dacht ik dat al die vrouwen erg verlegen waren. Maar Sally niet! Ze kikkerde er helemaal van op te vertellen dat ze genezen was van kanker en ze

stond open voor al mijn vragen.
Als ik niet zo sceptisch was, zou ik me afvragen waarom ik hier
in Amish land terecht ben gekomen. Niet dat ik denk dat ik een
marionet ben of zo. Maar hoe kan ik het anders verklaren dat ik
hier ben en mensen als Grace en Sally heb ontmoet? Het lijkt wel
of Iemand daarboven zich echt om me bekommert.

Ze stortte al haar gedachten en vragen uit tot ze zich kalmer
voelde. Eindelijk sloot ze haar computer af en strekte zich uitgeput uit op het bed. *Ik hoop dat pap niet boos is,* dacht ze, *dat ik
hem tot morgen heb afgescheept.*

★

Grace zat in de stal bij Willow toen pa binnenkwam en naast
hen neerhurkte. 'Hoe gaat het nu met haar?' vroeg hij.
'Beter, als ik het me niet verbeeld.'
'Ik dacht het ook.'
Haar hart werd vervuld van hoop.
'Ik ben om het uur bij haar geweest – en Adam ook,' zei pa.
'Ik moet toegeven dat het schijnt te helpen wat Yonnie heeft
gedaan.'
'Denkt u echt?'
'Het is onmiskenbaar.'
'Wonder-*gut*,' zei ze rechtuit.
'Als we de hoefbevangenheid maar onder controle kunnen
krijgen, dat is het belangrijkste.'
'Geven we haar wel genoeg poederaluin? Dat geeft Andy
Riehl aan zijn hoefbevangen paarden.'
'*Jah*, dat heb ik ook gedaan.' Pa veegde zijn voorhoofd af.
'Twee keer daags een theelepel levertraan moet haar een beetje
soepeler maken.'
'Ik heb gehoord dat levertraan bij veel oudere paarden
helpt.'
Pa knikte langzaam. 'Misschien kunnen we haar nog een
poosje in leven houden.'

'Als we haar eens in een modderpoel met ijs zetten?' Een paar maanden geleden had Henry Stahl het daarover gehad en hij had volgehouden dat het werkte. Even schoot het door haar hoofd: *heeft Yonnie daar weleens van gehoord?*

Pa's blik was op de merrie gericht. 'Als het jou gelukkig maakt dat Willow bij ons blijft, dan moet het maar.'

Het was het aardigste wat hij ooit had gezegd. 'Ik wil niet egoïstisch zijn,' fluisterde ze.

'Dat ben je niet, Gracie.'

Nu ze naar hem keek, met zijn schouders gerond terwijl hij gebukt zat, leek hij wel een oude gewonde vogel. 'Pa... het spijt me erg dat ik u gevraagd heb of ik Martin mocht huren om...'

'Nee... nee, ik begrijp hoe je je voelt.' Hij keek over zijn schouder om te zien of ze alleen waren. 'Ik voel... dezelfde trekkracht.'

'Ik zie haar in gedachten voor me. Weer thuis, alsof ze nooit weg is geweest.'

Pa vertelde met onvaste stem hoe hij zich soms verbeeldde dat hij mama vertrouwde vogelgeluiden hoorde maken op het erf. 'Of dat ze op de veranda zit te praten tegen de vogels die vlak bij haar rondhippen.' Hij haalde diep adem. 'Het valt niet mee om dat allemaal uit je gedachten te zetten.'

Al die mooie herinneringen.

Grace hoorde het onvervulde verlangen in de stem van haar vader. Was dit dezelfde man over wie *Mammi* Adah had gezegd dat mama nooit met hem getrouwd zou zijn? 'Mama's vertrek is het ergste wat er kon gebeuren,' zei ze.

Hij zweeg even en streek met zijn hand heen en weer over Willows schouder.

Ze wist dat ze niet moest wagen het te vragen, maar ze deed het toch. 'Misschien mag ik het niet vragen, pa... Denkt u dat het nodig was dat mama een poosje wegging?'

Een lange stilte volgde. Toen verraste hij haar door te zeggen: 'De avond voordat ze vertrok, was er een probleem met een van de nieuwe lammeren. Adam had mijn hulp nodig.'

Hij zuchtte en wreef over zijn neus. 'Maar je moeder had me harder nodig...' Hij boog zijn hoofd. 'Ik had het gewoon te druk.'

Ze stond versteld van zijn oprechtheid. '*Ach... pa.*'

'En dat ik het niet goed kan maken met haar... dat is het ergste.' Pa begon de onderkant van Willows hoef te inspecteren. 'De dierenarts heeft natuurlijk gekeken of er een abces zat. Maar ik houd het toch in de gaten.'

'Tja, dat zou makkelijk te verzorgen zijn, *jah*?'

Hij beaamde het. 'Gewoon openmaken, leeg laten lopen en onderdompelen in epsomzout.' De warme oplossing trok het pus eruit en doodde de bacteriën vanbinnen.

'Het zou fijn zijn als dat het uiteindelijk maar bleek te zijn,' zei ze.

'Vind ik ook.'

Ze bleven nog een tijdje zitten zonder iets te zeggen. Na een poosje vertelde ze dat ze de middag met Heather Nelson had doorgebracht. 'Ze is pensiongast bij de Riehls. Ik heb haar vandaag meegenomen naar Sally.'

Pa trok zijn wenkbrauwen op. 'O?'

'Ze wil morgen mijn kruidentuin zien.'

'Ik vind het best.' Hij leek ineens op te gaan in een dagdroom en ze wist niet zeker of hij haar wel gehoord had. Nog een paar keer probeerde ze een praatje te beginnen, maar hij was zeker moe. Of hij kon zich maar korte tijd onttrekken aan zijn saaie, stille natuur. *Hij is weer in zichzelf weggezonken.*

★

Maandag na het ontbijt reed Heather met haar ramen open om de warme lucht door haar haar te laten waaien. De veldkrekels telden af tot de zomer. *Heel erg gauw*, kwaakten de brulkikkers langs de molenkreek.

Ze weigerde zich te laten verleiden tot een nieuw dispuut met haar vader, denkend aan de herhaaldelijke discussies tussen haar ouders. Mam was in paniek geweest en wenste dat ze niet was gezwicht voor alle aandrang van de oncoloog en pap. Kon het zijn dat… ze de wil om te leven was kwijtgeraakt?

Soms dacht Heather dat van zichzelf ook. Kwam het door het verdriet om Devon, versterkt door de pijn om het verlies van haar moeder? Het was bespottelijk om te denken dat ze voor altijd ontevreden zou zijn zonder Devon of een andere man. *Ik kan gelukkig zijn zonder vent.*

Toen ze paps huurauto verderop in de berm zag staan, stuurde ze de weg af en parkeerde. Er stond ook een rijtuig met een paard ervoor en twee Amish mannen stonden met haar vader te praten.

'Ha, kleine… we gaan de grond beoordelen,' riep pap.

De anderen droegen eenzelfde gele strohoed als ze bij Andy Riehl en zijn zoons had gezien, en de kenmerkende zwarte bretels met lichtblauw overhemd en zwarte broek.

'Wie zijn die mannen?' fluisterde Heather toen ze buiten gehoorsafstand waren.

'Die ene is Potato John, een oom van je vriendin Grace Byler.'

Ze stond versteld van de vele connecties die haar vader de laatste tijd onder de Amish had gemaakt. 'Wauw, pap. Je wordt een echte sociale netwerker.'

Hij lachte. 'Straks zal ik nog een strohoed moeten hebben.'

'En wie is die andere man?'

'Peter Stahl, een neef van Josiah Smucker. Ze wonen allebei in de buurt van Akron.' Hij vertelde dat de mannen in de streek bij familie op bezoek waren en dat Josiah dacht dat Potato John makkelijk water of zelfs olie op het land kon vinden.

'Echt waar… olie? *Dat* zou nog eens gaaf zijn.'

Pap sloeg zijn arm om haar schouders. 'Ik heb eens nagedacht.'

'En, deed het zeer?' plaagde Heather.

'Ik zal je wat beloven. Geen gepraat meer over chemo totdat ik je natuurarts heb ontmoet. Goed?'

'Afgesproken!' Ze liep met hem mee naar de kant van het veld waar Potato John druk stond te gebaren.

'Dit is een *gute* plek om uw bron te graven, meneer Nelson,' kondigde hij grijnzend als een schooljongen aan.

'Wel, allemensen.' Pap rende naar hem toe.

Hij begint zelfs al Amish te klinken. Heather schudde haar hoofd. *Wat krijgen we nou weer?*

★

Wasdag was altijd hectisch en Grace was blij dat Mandy vanmorgen hielp. Ze wenste bijna dat Becky een handje kwam helpen, zoals ze soms deed. Ze zag dat Becky en haar kleine zusjes buiten in het vroege ochtendlicht samen hun eigen wasgoed ophingen.

Grace vond het komisch dat Yonnie de schuur in en uit bleef lopen alsof hij niet wist waar hij wezen moest. Soms zwaaide hij naar haar en een andere keer riep hij: 'Hallo, Grace,' net als tien minuten ervoor.

'Het lijkt erop dat je een nieuwe *beau* hebt,' zei Mandy toen ze een nieuwe handvol knijpers kwam halen.

'*Ach*, Mandy.'

'Nee, ik meen het. We moeten deze zomer maar een halve hectare selderij planten, nu Adam en misschien ik en…'

'Yonnie komt niet voor *mij*.'

'Nou, pa staat de was niet op te hangen, hè?' Mandy's ogen twinkelden. 'Wat zeg je als hij je zondagavond mee uit rijden vraagt?'

'Dat zul jij nooit weten, hè?' plaagde Grace terug.

Mandy lachte hardop. Ongetwijfeld dreef het vrolijke geluid helemaal tot aan het schapenweiland. 'Je vindt hem *echt* leuk!'

Het ergerde Grace dat haar zus er maar over doorging en ze was bang dat Yonnie hun geklets kon opvangen. 'Stil nou.'

Mandy dook onder pa's grote beddenlaken en bloosde. 'Sorry, zus.'

'Het spijt je helemaal niet.' Grace schudde haar hoofd en probeerde niet te lachen.

De wind trok aan de uiteinden van het laken en er fladderde een vlucht vogels over de silo. Hoe meer ze erover nadacht, hoe banger ze werd dat Yonnie brutaal genoeg was om haar op de zangavond te benaderen, zoals Mandy suggereerde. En dan? Of was het beter als ze thuisbleef en helemaal niet ging?

Onmiddellijk na de breuk met Henry had ze nooit meer naar een jeugdbijeenkomst gewild. Veel van de beschikbare meisjes, en zelfs een paar jongens, waren in hun tienerjaren en jonger dan zij. Grace was ouder dan zij allemaal en ze was kieskeurig geweest; daarna had ze te lang gewacht met haar beslissing over Henry.

Maar vreemd genoeg was ze nieuwsgierig of Prissy gelijk had en de jongens haar nu inderdaad met een schuin oog bekeken. En zo niet, wat dan? En ook wilde ze weten of het pijnlijk was voor Henry en Becky als zij ineens verscheen. 'Niet dat ik ooit nog verkering wil,' fluisterde ze.

Mandy stak haar hoofd onder een groene jurk door die aan de waslijn hing. 'Praat je in jezelf?'

'Gaat je niks aan.'

Mandy giechelde en toen Grace in de richting van de schuur keek, ging Yonnie net weer naar binnen met een klein lammetje in zijn armen.

Grace voelde zich schuldig omdat ze zich niet in bedwang had gehad. Het was niet goed als Mandy of iemand anders op ideeën kwam. *En Yonnie zeker niet.*

'Zus?' vroeg Mandy. 'Ik moet Adam en Joe helpen de schuur uitmesten. Heb je het in huis voor elkaar?'

'Je moet geen mannenwerk doen, rare.'

'Het is gewoon zo leuk om mijn toekomstige zwager te leren kennen,' grapte Mandy en ze verdween met een zwaai.

'Je hoofd staat alleen maar naar bruiloften!' Grace drukte een laatste knijper hard op pa's schone nette overhemd en keerde terug naar huis.

Adah kon alles horen wat Grace en Mandy buiten zeiden. Hun stemmen dreven recht door het keukenraam naar binnen, waar ze havermout voor Jakob maakte – meestal 's morgens zijn lievelingskostje.

Ze betrapte zich erop dat ze elke keer moest lachen als Grace pogingen deed Mandy de mond te snoeren. *Kijk eens aan wat Lettie allemaal mist,* dacht ze.

Adah pakte de kaneel en bestrooide de havermoutpap. Toen maakte ze een kuiltje in het midden voor een klontje boter, vers van de melkveehouderij van de Riehls. Ze zette de kom op een blad en droeg het naar boven naar Jakob, die weer niet lekker was.

'Hiervan zul je beter worden, lief,' zei ze toen ze de slaapkamer binnenkwam.

Hij kwam langzaam overeind tot zit en trok de quilt plat op zijn schoot. 'Zo, zet dat blad maar neer,' mompelde hij.

Ze gaf hem een kus op zijn wang en ging zitten om hardop voor te lezen uit de Bijbel, maar het was duidelijk dat haar man van de wijs was.

'Ik lees later zelf wel,' mompelde hij.

'Goed.' Ze stond op en legde de Bijbel op het bed. 'Ik laat je met rust.'

'Ik zei niet dat je weg moest gaan,' snoof hij. 'Ik wil alleen een beetje rust.'

Ze wist niet of hij zelf wel wist wat hij wilde. 'Nou, wil je dat ik hier alleen ga zitten ademhalen?'

Hij lachte. 'Jij bent me d'r een!'

Ze ging met gevouwen handen in de deuropening staan kijken hoe hij at... als een zwarte kraai op stok in hun bed. Hij zag er zo klein en haast hulpeloos uit. Hoeveel jaren had hij nog, als God het wilde?

'Ik houd van je, ouwe man,' zei ze zacht.

Hij draaide zijn hoofd naar haar om, zijn glazige blauwe ogen glinsterden. 'Ik vroeg me al af wanneer ik dat weer eens te horen kreeg.' Hij schonk haar een zwak lachje.

'*Ach,* Jakob... wat is er?'

'Het is Lettie. Ik kan er niet over uit wat ze gedaan heeft.'

Adah reikte naar de rieten stoel bij het bureau en trok hem

dicht bij het bed. 'Zo. Onze dochter is in Gods hand. Dat mag je nooit vergeten.'

Hij fronste zijn wenkbrauwen, in zijn rechterhand hield hij nog de lepel die dieper in de warme havermoutpap zonk. '*Jij* zou er nooit over piekeren om zoiets te doen, wel?'

'Had best gekund...' Adah glimlachte en hij begreep dat het een grapje was. '*Ach*, je weet dat ik je nooit verlaten zou, Jakob Esh.' En ze meende het met haar hele hart, net als op die dag zo lang geleden dat ze gehuwd waren.

Hoofdstuk 23

Grace kon het niet geloven, maar daar stond Yonnie vlak achter haar de vuile borden op te stapelen. Ze perste haar lippen op elkaar om niet al te breed te glimlachen terwijl ze de kraan liet lopen. *Waarom doet hij dat?*

Pa of *Dawdi* Jakob hadden nog nooit geholpen in de keuken. Dat deden mannen gewoon niet. Hun werkdomein was buiten, in de schuur of op het land, hoewel een groeiend aantal plaatselijke Amish mannen zich bezighield in een smederij of timmermanswerkplaats.

Voorzichtig zette Yonnie een stapel borden op het aanrecht. 'Zo.' Hij keek ernaar. 'Ik dacht dat je wel wat hulp kon gebruiken.'

'Dat zie ik.'

Hij bleef met zijn handen in zijn zakken staan grijnzen. 'Wat kijk je nou?'

'Veeg je ook de keukenvloer?' vroeg ze half schertsend.

Yonnie bleef haar verrassen.

Hij lachte. 'Soms.'

'Het gaat er vreemd aan toe in Indiana.'

Zijn wenkbrauwen schoten omhoog. 'Waarom zeg je dat?'

'Alleen omdat... tja... hier doen mannen de vaat niet.'

Yonnie knikte. 'Eigenlijk is het in Indiana niet zo heel anders, maar mijn ouders... nou ja, die nemen niet altijd de manieren in acht zoals sommige Amish echtparen.'

'*Ach*, werkelijk?'

Yonnie haalde zijn schouders op.

Grace was nieuwsgierig. 'Zoals wat nog meer?'

'Nou, mijn vader helpt bijvoorbeeld met mijn kleine broertjes.' Hij wreef zijn kin en wendde zijn blik af. 'Ik kan beter niets meer zeggen.'

Ze kon haar lachen niet meer inhouden. 'Bedoel je dat hij luiers verschoont?'

'Nou, *dat* heb ik niet gezegd, hè? Maar hij brengt ze weleens naar de luieremmer.' Hij grinnikte. 'Je zou mijn vader aardig vinden, dat weet ik zeker.'

'Hij moet opgegroeid zijn met oudere zussen.'

Yonnie knikte grijnzend.

'Hoeveel?'

'*Achde.*'

'*Un Bruder?*'

'Ook een heel stel broers, *jah*.' Hij lachte. 'Je zou medelijden met hem hebben als hij alleen maar zussen had, hè?'

Dat was ze met hem eens. Natuurlijk.

Yonnie keek naar de schuur. 'Nou, ik moet weer eens gaan. Anders begint je vader zich af te vragen wat er van me geworden is.'

'*Jah*... pa wacht.' Nu glimlachte ze niet. '*Denki* voor je hulp.'

'Graag gedaan,' zei hij zonder in beweging te komen. Toen haalde hij iets uit zijn zak. 'Voordat ik ga, wil ik je dit laten zien.' In zijn handpalm lag een mooie, ronde, glasachtige steen. 'Het is mijn Cape May diamant waarover ik je vertelde. Die ik op het strand heb gevonden.'

Zonder na te denken raakte ze hem aan. 'O, wat is hij glad... wat prachtig.'

Hij gaf hem aan haar. 'En hij is van jou, Gracie.'

'Maar...'

'Ik wil dat jij hem hebt.'

'Yonnie...' Ze was zich bewust van zijn blik. 'Je hoeft niet...'

'Weet ik.'

Ze schudde haar hoofd, verwonderd dat hij afstand wilde doen van zo'n schitterende schat. 'Ik weet echt niet wat ik moet zeggen.'

Hij glimlachte toen ze haar vingers eromheen sloot.

'*Denki*... heel veel dank,' zei ze. Het plotselinge klotsen van water achter haar bracht haar aandacht terug naar de overstromende gootsteen. '*Ach*, lieve help!' Vlug ging Grace de kraan dichtdraaien.

Hij zei niets meer en duwde de hordeur open om het trapje af te gaan.

Ze klemde Yonnies juweel uit de zee in haar hand en liep op haar tenen naar het raam om naar buiten te kijken. Ze paste op om uit het zicht te blijven, zodat hij haar niet zou zien staan als hij omkeek.

★

'Ik ben van plan om koekjes te bakken om naar de Spanglers te brengen,' zei Grace terwijl ze de zoom aftekende op *Mammi* Adahs haast voltooide jurk.

Haar grootmoeder keek van bovenaf op haar neer. 'Wat aardig.'

'Langzaam omdraaien.' Grace haalde de spelden uit haar mond en stak ze in het speldenkussen. Ze was blij dat er een verkoelende bries door het open raam naar binnen zweefde.

Mammi draaide. Toen trok ze haar schouders net zo ver op dat Grace een verandering opmerkte in de zoomlengte. 'Marian zegt dat de familie in beroering is,' zei *Mammi* zachtjes.

Net als bij ons… Grace liet niet los wat Jessica vorige week aan haar had verteld. 'Nou, misschien dat iets lekkers hen weer opvrolijkt, *jah?*' zei ze terwijl ze een speld in de zoom stak.

Mammi Adah zei niets terwijl Grace vlug het afspelden afmaakte. Het was één ding om onder elkaar over de Gemeenschap van Eenvoud te praten, maar je tijd verspillen met roddelen over de *Englische* buren was een heel ander verhaal.

★

Toen Grace bij de buren aan de zuidkant arriveerde, kwam Brittany Spangler naar de deur. Er brak een glimlach door op haar knappe gezichtje toen ze de schaal boordevol koekjes zag. 'O, Gracie, dat had je niet moeten doen! Heel hartelijk bedankt!' Vlug riep ze Jessica, die in haar badjas en op slippers naar de deur kwam.

'Eh, let maar niet op mij. Het is weer zo'n dag.' Jessica zag er ellendig uit.

'Lekker hoor!' Brittany pakte vlug een koekje en verdween met een dankbare armzwaai.

'Fijn om je te zien, Grace. En niet alleen omdat je die fantastische koekjes brengt,' zei Jessica terwijl ze de voorveranda op kwam. 'Kun je een paar minuten blijven?'

Grace knikte. 'Ja, een klein poosje.' Ze had gehoopt dat Jessica even tijd had om te kletsen. Nu er praatjes over de Spanglers begonnen te circuleren tussen *Mammi* en Marian was ze ernstig bezorgd om haar vriendin.

'Heb je al iets van je moeder gehoord?' vroeg Jessica terwijl ze de koekjes neerzette op het tafeltje tussen twee gemakkelijke stoelen. Grace nam de stoel die uitkeek op het maïsveld in het zuiden.

Dat vraagt iedereen...

'Ik hoop dat je het niet erg vindt dat ik het vraag,' voegde Jessica er vlug aan toe.

'Dat geeft niet... en nee, ze heeft niet weer gebeld of geschreven, als je dat bedoelt.' Grace had Jessica over mama's brief verteld toen ze afgelopen dinsdag langskwam met de eieren. 'Eerlijk, Jessica, ik heb erover zitten denken haar te gaan zoeken.'

'Wauw, meen je dat?'

'Ik zeg niet dat ik het doe. Maar ik heb er meer dan eens over gedacht.'

Jessica trok haar blote benen onder zich en drapeerde haar blauwe badjas eroverheen. 'Ik kan het je niet kwalijk nemen. Ik zou het ook willen... als ik wist waar ik moest zoeken.'

Grace kreeg een ingeving en vroeg: 'Je kunt me zeker niet met de auto naar Indiana brengen... als ik de benzine betaal?'

Jessica trok rimpels in haar voorhoofd. '*Ach*, Grace, ik zou het graag doen... maar het is nu gewoon onmogelijk.'

'Nou ja, voor mij is het eigenlijk ook niet praktisch, al krijg ik tegenwoordig niet veel uren bij Eli's.' Ze had kunnen weten dat Jessica vastzat vanwege haar werk, vooral nu ze de kosten moest dekken voor haar bruiloft komende winter. 'Ik moet eigenlijk ook hier blijven. Het is niet zo'n *gut* moment. En Mandy heeft het druk met helpen met het lammeren, dus ik ben binnen nodig,' vertelde Grace. 'Soms komt Andy Riehl 's avonds zelfs langs om pa en de jongens te helpen met de nieuwe lammetjes.'

'Toch krijg ik de indruk dat jij degene bent die voor je moeder invalt.'

'Nou ja, het is moeilijk om in haar schoenen te gaan staan.' Grace had niet willen klagen.

Jessica sloeg haar armen om haar benen en leunde met haar kin op haar knieën. 'Ik snap echt niet hoe je het voor elkaar krijgt... terwijl je niet weet waar ze is. Ik zou er gewoon gek van worden.'

'Het is moeilijk, dat geef ik toe.'

'Ik neem aan dat je niet weet waar ze heen is gegaan?'

Grace schudde langzaam haar hoofd. 'Ik zou er haast alles voor overhebben om dat te weten.'

Ze bleven een poosje zwijgend voor zich uit staren. Grace wilde vragen hoe het er voorstond tussen Jessica's ouders, maar ze had geen flauw idee hoe ze daar discreet over kon beginnen.

Net toen Grace begon te denken dat ze te lang gebleven was, zei Jessica: 'Ik wilde nog eens met je praten... over mijn verloofde en mij.' Bijna onmiddellijk stonden haar ogen vol tranen.

'Gaat het?' Grace boog zich naar voren. 'Kan ik iets voor je doen?'

Jessica snufte en schudde verdrietig haar hoofd. 'Het spijt me.' Ze perste haar lippen op elkaar. 'Als ik het je vertel, zul je je afvragen wat me bezielt.'

'*Ach*, wees maar niet bang,' stelde Grace haar gerust. 'Vertel me maar wat je op je hart hebt.'

Jessica viste een zakdoekje uit de zak van haar badjas. 'Het is erg ingewikkeld.' Ze veegde haar ogen af. 'Ik heb het nog niet eens aan die arme Brittany verteld.'

Grace zuchtte. Wat het ook was, Jessica had een goede vriendin nodig.

'O, Grace… ik heb erover zitten denken de bruiloft af te zeggen.'

Toen Grace het ernstige gezicht van haar vriendin zag, ging haar hart naar haar uit. Ze wist goed hoe Jessica zich voelde, en in meer opzichten dan ze zeggen kon.

'Ik bedoel niet dat er iets mis is tussen Quentin en mij. Het gaat eigenlijk heel goed met ons.'

Grace luisterde met gevouwen handen.

'Het zijn mijn ouders die alle opschudding veroorzaken. Ze praten over een wettelijke scheiding.' Jessica snoot haar neus. 'Ik kan haast aan niets anders denken.'

Grace knikte verdrietig.

'Ik wou maar dat ze in therapie gingen… om te proberen hun huwelijk te redden. Dat ze eens iets verstandigs deden.'

De moed zonk Grace in de schoenen.

'*Ach*, waarom maken mensen elkaar toch kapot… en hun kinderen erbij?' Jessica snikte.

Grace had zin om ook te huilen. *Wat een vreselijk nieuws.*

'Hoe kan ik weten of mijn verloofde me trouw blijft?' sputterde Jessica door haar tranen heen. 'Hoe kan iemand dat weten? Je kunt niet in de toekomst kijken en weten hoe je man over tien of twintig jaar is. Het is zo oneerlijk.'

Peinzend zei Grace zacht: 'Tja, je kunt alleen weten wat *jij* zult doen. En wat je in je eigen hart voelt dat je voor hem wilt zijn.' Ineens werd ze afgeleid door Jessica's knalrood gelakte teennagels. Ook had ze op de nagels van haar grote tenen kleine witte madeliefjes geverfd. Grace probeerde er niet naar te staren terwijl Jessica als een hoopje verdriet zat te snikken alsof ze nooit meer op zou houden.

Is er dan niemand meer tevreden? dacht Grace.

'Je weet het waarschijnlijk zelf niet, maar je zou een goede hulpverlener zijn,' zei Jessica eindelijk terwijl ze haar betraande gezicht droogde.

'O, ik weet het niet...'

'Door wat je net hebt gezegd, heb ik zin om er eens goed voor te gaan zitten om Quentin een paar lastige vragen te stellen.'

Grace verschoof in haar stoel. 'Misschien beter nu dan later.'

'Ik hoop alleen dat mijn ouders het uithouden tot na mijn bruiloft. Het zal wel egoïstisch klinken, maar... ik heb het niet aan zien komen. Brittany ook niet.'

Ze praatten nog een poosje, tot Jessica zelf weer terugkwam op de citroenkoekjes die Grace had gebakken. 'Je bent de aardigste buurvrouw die ik me kan voorstellen.' Ze stond op om haar vlug een knuffel te geven. 'Ik hoop dat je moeder gauw thuiskomt,' fluisterde ze tegen Grace' schouder. 'Ik hoop het echt.'

Grace worstelde met de brok in haar keel toen ze elkaar loslieten. 'Ik zal bidden voor je ouders... dat er vrede mag komen.'

Jessica veegde met beide handen haar tranen af en beheerste zich. 'Mijn mascara zal wel over mijn hele gezicht zitten.'

Grace glimlachte medelijdend. Terwijl Jessica de ceintuur van haar badjas strakker trok, zei ze: 'Nogmaals bedankt... voor het luisteren.'

Dat kan ik tegenwoordig het beste.

'Graag gedaan.' Grace daalde de verandatrap af. '*Da Herr sei mit du,*' zei ze. Toen ze twee kolibries naar Carole Spanglers stralend gele forsythiastruik zag fladderen, fluisterde ze nog een keer: 'God zij met jou en je familie.'

★

Opgelucht dat dokter Marshall morgenochtend een gaatje had voor een consult, belde Heather haar vader om hem te laten weten waar en wanneer. 'Ik rijd toch in de richting van Route

340, dus ik kan je net zo goed ophalen bij het hotel,' stelde ze voor.

'Prima. Dan rijd ik met jou mee.' Maar verder scheen hij meer zin te hebben om te praten over de bron die Josiah wilde laten graven. 'Niet te geloven, hè, hoe snel alles op zijn plaats valt?'

'Nou ja, als je het leuk vindt om als pionier te leven... eh, vast wel, pap.'

Hij lachte hartelijk en ze hoopte dat hij de strijd die in het verschiet lag vergeten was. Dacht hij werkelijk dat hij haar ervan kon overtuigen dat chemo de aangewezen weg was?

'Heb je plannen voor vandaag?' vroeg hij.

'Alleen een bezoekje aan Grace Bylers kruidentuin straks.'

'Kruiden?' Hij grinnikte. 'Niet *dat* weer.'

'Pap... je hebt het beloofd.'

Hij zweeg schuldig. 'Ik hoopte dat je tijd had om een paar catalogussen en stalen met me te bekijken.'

'Je laat je toch niet al te erg meeslepen door dat gedoe met dat huis?'

'Dat is plezier, geen werk.'

'Wat is er vandaag aan de beurt? Tegels uitkiezen en tapijt-kleuren?'

'Ja, en badkamerkastjes en muurverf.'

Ze kon geen nee zeggen. 'Wanneer had je willen gaan?'

Hij bood aan haar korte tijd later op te komen halen. 'Dan kunnen we weer lunchen bij zo'n Amish tent.'

'Dat zijn *restaurants*, pap.'

Hij lachte weer en Heather genoot.

★

Binnenkort staat de guldenroede in bloei, dacht Lettie toen ze door Susans achtertuin wandelde. Ze genoot van de warmte van de zon en het kalmerende windje. *Ik zal hem thuis niet zien bloeien in de berm.* Met groot gemak stelde ze zich Beechdale Road in de zomer voor.

Op momenten zoals dit wenste ze dat Grace hier was. Of haar zus Naomi… als ze nog geleefd had. Maar niet *Mamm*. Nee, ze voelde grote afstand als ze dacht aan het samenzweerderige fluisteren van haar moeder tegen Minnie toen de vroedvrouw met Letties pasgeboren kind in haar armen stond. *Al die jaren geleden*… Wat had haar moeder Minnie op die noodlottige dag zo dringend geadviseerd?

Ik zal het misschien nooit weten. Lettie liep naar de achterveranda, vooral aangetrokken door de rieten stoelen met de dikke, blauwgeruite kussens. Op de rustieke houten veranda waren lange, rechthoekige plantenbakken met gele tulpen neergezet. Ze nestelde zich in de stoel die uitkeek op het stadje Baltic. Waarom deed het haar zo aan thuis denken? Kwam het door Susan, die net zo attent was als Grace?

Haar ogen dwaalden over het boerenland en ze ontspande zich. In geen van de nabije weilanden waren schapen te zien. Was de schapenhouderij hier geen winstgevende zaak? Een vluchtig ogenblik had ze zich bijna omgedraaid om Judah naar zijn mening te vragen. Ze schrok er zelf van.

Oude gewoonten…

Ze deed haar ogen dicht en nam het vogelgezang in zich op. Ze dronk de rust in. Was het een stilte voor de storm? Of zou er eindelijk een vredige oplossing komen door met dokter Josh in Nappanee te praten? Ze hoopte dat haar nicht Hallie meteen antwoord gaf.

Ze staarde naar het huis van May Jaberg, waar haar dochters de heggen knipten, en liet zich wegzinken in een dagdroom. Na een poosje, ze wist niet hoelang, hoorde ze Susan met iemand in huis praten. Lettie draaide haar hoofd naar de oprijlaan en zag een rijtuig geparkeerd staan met een paard ervoor. Was ze zo diep in gedachten verzonken geweest dat ze het niet had horen aankomen?

Toen het onbekende rijtuig wegreed, riep Susan haar. 'O, Lettie, kom vlug!' Haar stem klonk schril, alsof er iets vreselijks gebeurd was.

Lettie stond onmiddellijk op en snelde het huis in, waar ze

Susan in elkaar gedoken op de houten keukenbank vond, waar ze met haar handen voor haar gezicht geslagen heen en weer zat te wiegen. 'Nee... nee... dit kan niet waar zijn.'

Lettie haastte zich naar haar toe en knielde neer. '*Ach, Susan... wat is er?*'

'Edna, mijn jongste zus... was op weg in het rijtuig met vier van haar kleine kinderen en de nieuwe baby.' Haar handen trilden en Susans gezicht was asgrauw terwijl de tranen over haar wangen stroomden. 'Het rijtuig werd bekogeld met stenen toen ze naar de markt reed. Danny van twee jaar is ernstig gewond.'

Lettie greep haar hand vast. *O, arm kind...*

'Ik moet naar Edna toe om te helpen met de baby en de andere kinderen.' Susan kneep terug en stond op om naar boven te gaan.

'Natuurlijk.' Lettie wilde aanbieden mee te gaan, maar ze was verstijfd van afschuw. *Help Susans arme zus, o Vader... en haar gewonde jongetje!* Ze werd overmand door tranen om Edna en haar zoontje.

Toen Susan weer naar beneden kwam, waren haar ogen rood en opgezwollen. 'Moet je wel alleen gaan rijden?' vroeg Lettie.

'Het stadje is met het rijtuig nog geen veertig minuten hiervandaan... het gaat wel.' Susan haalde haar omslagdoek van de haak. 'Pak maar wat je vinden kunt. Er is eten in overvloed in de bijkeuken.'

'*Denki.*'

'Ik ben voor donker terug.'

'Weet je zeker dat het gaat?'

Susan bespeurde kennelijk wat er in Lettie omging. 'Ik reis deze route een paar keer per maand.' Ze veegde haar ogen af en zuchtte diep. 'Wat erg voor mijn zus. De politie dringt erop aan dat Edna aangifte doet tegen de jongens die dit hebben gedaan. Ze zal binnenkort naar de rechtbank moeten.'

Susan noemde de naam niet van het stadje waar Edna met haar gezin woonde, en dat was maar goed ook. *Soms is het beter om iets niet te weten*, dacht Lettie.

'Neem de tijd, hoor!' drong ze aan.

'Je wilde toch in mijn keuken koken, *jah?*' Ze glimlachten droevig naar elkaar. 'May Jaberg zal je met plezier rijden als het nodig is. Ze heeft ook een telefoon... als het noodzakelijk mocht zijn.' Susan kuste Lettie met een betraand gezicht op de wang. 'Doe of je thuis bent.'

Lettie volgde Susan het trapje af om haar te helpen het paard voor het rijtuig te spannen. In het veld, vlak achter het hek, lachten en riepen een paar boerenjongens in overalls met rafelige zomen vrolijk naar elkaar.

Toen Susan veilig op weg was en de achterkant van het rijtuig nog maar een zwart stipje, draaide Lettie zich om en klom het trapje weer op het huis in. De stilte was haast meer dan ze kon verdragen toen ze voor het keukenraam naar buiten stond te kijken. Het was mooi weer, het zonlicht speelde op het gammele tinnen dak van de houtschuur van de buren en allerlei soorten vogels klommen omhoog in de lucht.

Vandaag ging ze niet naar May. Ze was te verdrietig en emotioneel. Ze werd verscheurd door de gedachte aan Edna's smart, maar Lettie wist dat de politie Edna nooit kon overhalen om een aanklacht in te dienen. De Bijbel leerde hun 'zeventig maal zeven maal' te vergeven en dat was precies wat Edna en haar man zouden doen, ondanks het letsel van hun zoontje. Hoe vaak had haar eigen bisschop niet gezegd dat ze de andere wang moesten toekeren?

Zou Judah mij ook op een dag vergeven? De onrust kwam uit het diepst van haar hart. Lettie vreesde dat ze haar geheime zonde, die ze zo lang voor zich had gehouden, bekend zou moeten maken. *Zou ik de moed hebben mijn echtgenoot te vertellen over Samuel en mijn baby... als de tijd daar is? En hoe zou Judah reageren als hij het hoort?*

Als op zoek naar antwoord dwaalde Lettie door de kamer waar ze logeerde. Op het bureau lag haar lievelingsdichtbundel en voorzichtig sloeg ze hem open bij het gedicht *De brug.* Zwijgend las ze het hele gedicht, maar haar ogen bleven hangen bij twee coupletten in het bijzonder.

En voor altijd en voor altijd,
Zo lang de rivier zich wendt,
Zo lang het hart zijn passies
En het leven smarten kent;

Schijnt de maan met brekende stralen
En schaduwen stil en bedaard,
Als het teken van liefde in de hemel,
En haar wankelend toonbeeld op aard.

Ze werd overvallen door een plotselinge schrik en ze werd bang... Leefde haar eerste kind nog wel? Lettie sloeg de dichtbundel dicht en hield hem in haar armen als een baby.

Wat als mijn zoektocht helemaal voor niets is?

Hoofdstuk 24

Heather zag op tegen het consult bij LaVyrle morgen. Ze had geen idee wat haar vader zou zeggen. *Zou hij vrijuit zijn mening geven?*

Door het komende bezoek kon ze niet helemaal genieten terwijl haar vader haar de hele ochtend en middag bezighield, en snelle beslissingen nam over verf en badkamertegels, wasbak en kasten, en alle andere kleine bijzonderheden die kwamen kijken bij de bouw van een huis. Het had de hele dag in beslag genomen, maar zijn gezelschap was haar nog dierbaarder nu ze het kon kwijtraken. En trouw aan zijn woord begon pap niet één keer over haar ziekte.

Tussen catalogussen en stalen door spraken ze vol liefde over mam. Zo vaak dat Heather zich afvroeg of hij nog steeds worstelde met wat er mis was gegaan met haar behandeling. Als dat zo was, wilde hij dan niet overwegen het dit keer anders te doen? *Een soort tweede kans?* Wensten de meeste mensen niet dat ze de tijd tot een bepaald punt konden terugdraaien en ten minste een deel van hun verleden overdoen?

Op de terugreis naar het huis van de Riehls stopte haar vader en parkeerde bij de bouwlocatie. Leunend op het stuur bekeek hij zijn bezit nog eens bewonderend. 'Schitterend, hè?'

Ze kon het alleen maar met hem eens zijn. 'Wanneer beginnen ze met graven?'

'Volgens Josiah over een paar dagen, als de bouwvergunning binnen is. Intussen wil ik ons huidige huis klaarmaken om het in de markt te zetten, al is het een hopeloze tijd om te verkopen. Gelukkig zit er genoeg actief vermogen in.' Hij vertelde dat hij op zijn werk nog wat dingen moest doen. Hij had zijn baas nog niet verteld dat hij overwoog met vervroegd pensioen te gaan. 'Maar daar is geen haast bij, het andere huis moet immers ook nog verkocht worden.'

Ze stond er versteld van dat hij zo opging in het bouwen, iets wat hij samen met mam nooit had nagestreefd. Als ze hem zo zag, verkwikt door de uitdaging die voor hem lag, wilde ze het liefst in haar hoofd een foto van hem maken om ergens veilig op te bergen.

'Vergeet niet dat we morgen een afspraak hebben,' zei hij ineens.

Ze knikte, maar verheugde zich niet op de discussie met hem die zeker zou volgen op het gesprek met LaVyrle. *Tenzij het natuurlijk goed gaat...* En terwijl hij doorratelde over de noodzaak een elektricien in te schakelen – voor het werk dat Josiah niet deed – dacht ze weer aan de rondleiding door Grace' kruidentuin die ze vandaag zou krijgen. *Die loopt niet weg.* En Grace was zo begrijpend geweest, ze vond het vast niet erg als Heather het te goed hield.

Haar gedachten dwaalden af naar Grace' vermiste moeder en ze voelde oprecht verdriet. Het verlies van een ouder, dat was herkenbaar.

Ze plukte aan haar blouse toen het vertrouwde huis van Andy en Marian in zicht kwam. Hun dochtertjes gaven aan de voorkant de bloembedden water.

'Nou, je bent er... tot morgen.' Pap boog zich naar haar toe en gaf haar een kus op haar wang. 'Bedankt voor het optrekken met je ouwe heer.'

'Och, pap.'

'Het was leuk... vond ik, tenminste.'

Ze glimlachte. 'Tot morgen.'

Wat een vrolijkheid, dacht Heather terwijl ze de deur opendeed. *Morgen wordt het een ander verhaal.*

★

Grace had het erg druk met de was en ze had de hele middag bij Eli's gewerkt, daardoor was ze Heather en de kruidentuin helemaal vergeten, tot het donker begon te worden. Ze snelde naar de voordeur, keek naar het huis van de Riehls en zag Heathers auto op de oprijlaan geparkeerd staan. *Misschien is zij het ook vergeten.*

Grace was vast van plan geweest om het *Englische* meisje hartelijk te ontvangen. Allemensen, het arme kind was vreselijk ziek... ze moest alle informatie over natuurgenezing hebben die ze krijgen kon. Maar het bezoek aan Sally was nuttig geweest en ze wist dat Heather binnenkort terugging naar de natuurarts.

Grace had verstelgoed in haar hand en dacht ineens weer aan *Mammi* Adahs jurk. Hij was gestreken en klaar om aan te trekken. Ze liep naar de naaikamer en legde het verstelgoed in een net stapeltje op tafel. 'Ik heb uw jurk gestreken,' zei ze tegen haar grootmoeder, die druk bezig was met vierkantjes uitleggen voor een geel met groene babyquilt. 'Hij is helemaal klaar.'

Mammi keek op en glimlachte. 'Je hebt het keurig gedaan, Gracie... zoals altijd.'

'Zegt u het maar als u er nog meer nodig hebt. Ik help u met alle plezier.' Grace keek naar de babyquilt waaraan *Mammi* Adah werkte en haar hart zwol op in haar borst. Dagenlang wilde ze de knagende vraag al stellen. Ze raapte haar moed bij elkaar en zei: 'Ik heb u iets niet verteld, *Mammi*... nadat ik naar het hotel in Kidron had gebeld. Ik had het moeten vertellen, denk ik.'

Mammi's glimlach stierf weg en ze trok rimpels in haar voorhoofd.

'Misschien vindt u het vreemd klinken... nou ja, vast wel.'

'Wat, Grace?'

Ze durfde het haast niet te zeggen. Maar toen ze haar grootmoeder in de ogen keek, voelde Grace dat ze haar deze zorg kon toevertrouwen. 'Waarom zou mama een vroedvrouw nodig hebben? Kan het zijn... nou ja, dat ze een kind verwacht?'

Mammi knipperde met haar ogen. 'Hoe kom je op dat idee?'

'De hotelhoudster zei het... van die vroedvrouw, bedoel ik. Ik wilde het aan niemand vertellen.' Ze zweeg even. 'Dat was bijna gelukt.'

Mammi had een eigenaardige glans in haar ogen. Ze bleef even zwijgen en keek op naar Grace. 'Ik neem aan dat je vader het dan zou weten.'

Grace schudde haar hoofd. 'Het is te pijnlijk om over te beginnen.' Ze piekerde er niet over... veel te gênant. En trouwens, het was genoeg om te weten dat mama en hij een ernstig meningsverschil hadden gehad voordat mama vertrok. Ging dat om een baby?

'Ik kan me niet voorstellen dat je moeder in verwachting is, nee.' *Mammi's* gezicht was ineens vochtig van het zweet. Ze pakte een van de quiltvierkantjes op en wuifde zich koelte toe.

'U houdt het toch stil?' smeekte Grace.

'Op mijn woord.'

Bang dat ze iets onthuld had waarover ze had moeten zwijgen, bracht Grace de pas voltooide jurk naar *Mammi* Adahs slaapkamer. Haar hartslag bonsde in haar oren toen ze het kledingstuk op een houten haak bij de commode hing. Ach, *het spijt me, mama... als ik voor mijn beurt gesproken heb.*

★

Adah deed haar best om zich te concentreren op het plaatsen van de pastelkleurige vierkantjes voor de babyquilt. Dus Lettie was op zoek naar de vroedvrouw die haar eerstgeborene had verlost. Dat en dat alleen was de reden geweest dat ze haar gezin had verlaten.

Adahs hart was zwaar en schuldig. Ze was oneindig verstoord door haar eigen reactie op Grace' onschuldige vraag. *Ik heb de waarheid verdraaid tegenover mijn eigen kleindochter! Gelogen, eigenlijk...*

Ze deed een paar stappen naar achteren om het patroon van de vierkantjes op tafel te bekijken. De wiegenquilt zou een

welkome aanvulling zijn op de babyspullen van haar schoon-
dochter Hannah. Als Adah zich niet vergiste, werd het zevende
kind van haar zoon Ethan en Hannah over een paar maanden
verwacht.

Ineens hapte ze naar adem. Kon Hannahs baby de aanlei-
ding zijn van Letties onverwachte zoektocht?

Adah staarde naar het kleurenpatroon. Ze verlangde naar
het nieuwe kleinkind en voelde zich tegelijkertijd vreselijk
schuldig om haar eigen bedrog. Jakob wilde ze niet in vertrouwen nemen, dat kon hij er niet bij hebben. Nee, ze moest
het gewicht van Letties verdriet diep vanbinnen zelf dragen.
Maar ze wist heel goed dat als Lettie wel thuiskwam, de zaken
hier er niet beslist beter op hoefden te worden. Zeker als het
verleden boven tafel kwam, kon haar terugkeer het alleen maar
erger maken!

O, was er maar een manier om het goed te maken met haar
dochter. Adah legde haar hand op haar hart en dacht aan alle
jaren van Letties verdriet. *Dit hebben Jakob en ik haar allemaal
aangedaan,* dacht ze verdrietig.

★

Judah stond naast de deur en gluurde Adahs keuken binnen.
Hij wilde een gesprek van man tot man met Jakob en gelukkig
was Adah nergens te zien. Ze was zeker bezig met de babyquilt
voor alweer een nieuw kleinkind. Zoiets had Grace een paar
minuten geleden in het voorbijgaan gezegd, toen hij naar haar
grootmoeder had geïnformeerd.

Grace was zenuwachtig geweest toen hij door de zitkamer
naar de grote gang was gelopen. Hij wist niet of het door Yonnies aanwezigheid kwam… of door Letties afwezigheid.

Hij schraapte zijn keel om Jakob niet te laten schrikken. De
oudere man keek om en wenkte hem de kamer binnen. 'Ha,
Judah… kom, pak een stoel. Laat je vermoeide botten rusten.'

Hij kon er niet omheen: het was een lange dag geweest. En
hij begon genoeg te krijgen van de lammertijd. Hij had geen

zin in praatjes voor de vaak, nu Adahs bewegingen boven on-voorspelbaar waren. Nee, wat hij te zeggen had, moest eruit. 'Ik heb zitten denken...' begon hij aarzelend. 'Over Lettie.' 'Dat is je geraden,' klonk het kille antwoord. 'Ze is al veel te lang weg.'

Judah zat stijf rechtop en keek de oude man die al die jaren geleden Lettie onder zijn aandacht had gebracht strak aan. 'Is er iets in het verleden van mijn vrouw dat een verklaring zou kunnen zijn voor het feit dat ze ertussenuit geknepen is?'

Jakob was als met stomheid geslagen. Toen begon hij aan zijn oude bretels te trekken. Door het open keukenraam zag Judah de zon achter de horizon verdwijnen.

'Nou, jongen... waarom zou je zoiets denken?'

Sinds Lettie en hij man en vrouw waren geworden, had Jakob hem niet één keer jongen genoemd. Maar Judah was niet van plan om zich met onnodige vragen te laten bestoken. 'U weet iets of u weet niets,' antwoordde hij. 'Zo simpel is het.'

Jakob krabde aan zijn gerimpelde gezicht en streek met zijn eeltige vingers door zijn lange, grijze baard. 'Ik weet niet waarom je vanavond zo *ferhoodled* bent, Judah.'

'Ik vraag me af of u iets verzwijgt.'

Jakob schudde langzaam zijn hoofd, alsof er een last op hem was neergedaald.

'Is er iets wat ik moet weten?' Judahs toorn was gewekt. Dagenlang had Jakob hem ontlopen... zelfs tijdens de geza-menlijke maaltijd had hij geen oogcontact gemaakt. Hij had gedacht dat Jakob zich niet goed voelde, zoals Adah aldoor zei. Maar ook zij gedroeg zich vreemd, zo niet afstandelijk. En waarom zou dat zijn?

Hij keek weer naar Jakob, in wiens ogen de gewone leven-digheid was gedoofd. Lieve help, Judah kende deze man even goed als zijn eigen zoons, en hij merkte dat er iets niet in orde was.

'Wat is het, pa? Wat kunt u me vertellen over Lettie?'

★

Lettie had besloten op Susan te wachten. Ze had een ketel water op het vuur staan, klaar om thee te zetten zodra Susan aankwam. Ook had ze als verrassing chocoladekoekjes gebakken, om haar vriendin op te vrolijken. Het was vast en zeker een moeilijke dag voor haar geweest.

Toen ze het rijtuig op de oprijlaan hoorde, snelde Lettie naar buiten om te helpen het paard uit te spannen. Daarna voerde ze het paard mee naar de stal terwijl Susan naar huis sjokte. Ze had weinig gezegd over de dag.

Lettie zette het paard op stal en gaf het voer en extra water. Met een gebed in haar hart liep ze terug naar het huis, waarvan aan de achterkant de ramen verlicht werden door enkele gaslampen. *Als gouden gezichten stralend in het donker...*

'Wil je iets lekkers?' vroeg ze toen ze de keuken betrad. Ze waste haar handen en liet de theezakjes in de pot vallen.

Susan ging aan tafel zitten, haar gezicht stond lusteloos.'*Ach, wat een dag.*'

Lettie ging tegenover haar zitten en schoof haar de schaal met koekjes toe.'Misschien helpt dit.'

Susan knikte halfslachtig en pakte een koekje.'Ik ben helemaal uitgeput.' Ze begon te vertellen. De politiechef was naar het huis van haar zus gekomen en had geëist dat Edna aangifte deed tegen de stenen gooiende jongens.'Het was gewoon vreselijk. En ze waren stomverbaasd dat haar man en zij dat niet wilden.' Ze zette haar *Kapp* af en masseerde met draaiende bewegingen haar slapen.'Ze begrijpen ons gewoon niet. En geen verklaring die we gaven kon hen overtuigen. Edna weigerde gewoon iemand verantwoordelijk te stellen.'

Lettie had al eerder gehoord hoe perplex *Englischers* soms stonden als de Gemeenschap van Eenvoud vergaf zoals de Almachtige God gebood.

'Een man zei zelfs dat de jongens die dit gedaan hadden neergeschoten moesten worden.' Susan schudde bedroefd haar hoofd.'Wat een haat.'

Lettie voelde met haar vriendin mee. 'En waar waren Edna's kinderen al die tijd?'

'In het *Dawdi Haus*... Edna en Jonas wilden hen niet nog erger van streek maken.'

Erg genoeg dat ze gezien hebben dat hun kleine broertje gewond raakte.

'Voordat ik wegging hebben we gebeden of Gods soevereine wil mag geschieden in dit onheil,' zei Susan haast fluisterend. 'Jonas heeft de ouders van die jongens al opgespoord, hij wil proberen vriendschap met hen te sluiten. De politie was ontzet. "Hoe kunt u dit door de vingers zien?" vroeg een van hen hoofdschuddend. Hij werd bijna kwaad. Ik heb nog nooit zoiets meegemaakt.'

De thee had lang genoeg getrokken. Lettie stond op en schonk twee kopjes in. Ze roerden er suiker door en drupjes room, dronken de smakelijke kamillethee en aten bijna alle koekjes op. Terwijl ze zich samen ontspanden, hoopte Lettie contact te houden met Susan nadat ze naar Hallie was vertrokken.

'Ik wil je graag laten weten wat er gebeurt met mijn zoektocht,' zei Lettie toen ze uitgepraat waren over de kleine Danny, die in het ziekenhuis moest blijven, hoewel de artsen verwachtten dat hij volledig zou herstellen. 'Je hebt me in veel opzichten geholpen.'

Susan sprak af contact te houden door brieven te schrijven. 'En het ziet ernaar uit dat je er nog bent voor de damesochtend bij May op woensdag. Dat is *gut*.'

'Misschien wel, maar ik vertrouw erop dat nicht Hallie snel antwoord geeft. Ik wil niet later weg dan woensdagmiddag.'

'Gewoonlijk is een brief uit Indiana er binnen een dag,' zei Susan.

'Daar hoop ik op.' Het laatste wat Lettie wilde was langer blijven dan ze welkom was, maar in zekere zin zag ze ertegen op om weg te gaan. Het werd emotioneel moeilijk om haar zwerftochten vol te houden. 's Nachts droomde ze over een verdwaalde zwerfster, die niet wist of ze thuis ooit nog met open armen zou worden ontvangen. De uren overdag werden gevuld met verlangen. Ze smachtte voortdurend naar haar kinderen thuis en naar hun vader... haar Judah.

Ze dacht even aan haar geliefde dichtbundels: Samuels geschenk van jaren geleden. De boeken waren een troost geweest in dit alles. *Misschien al te troostend*, dacht ze treurig.

Toen Susan welterusten had gezegd en ze de lichten uit hadden gedaan om ieder naar hun kamer te gaan, pakte Lettie haar meest geliefde dichtbundel. Ze overwoog de eerste bladzijde eruit te scheuren, waarop Samuel een wens voor haar zestiende verjaardag en zijn naam had geschreven.

Maar iets hield haar tegen. Stel dat haar vermiste dochter – de dochter van Samuel en haar, waar ze ook mocht zijn – dit boek graag wilde hebben? *Als ik haar gevonden heb...* Ze dacht aan Vesta Mae, de geadopteerde dochter van de Jabergs aan de overkant. Lettie wilde zo graag een glimp van haar opvangen. 'Op de damesochtend,' fluisterde ze terwijl ze het boek op de ladekast legde.

Ze deed haar hoofdbedekking af en trok haar nachtgoed aan. Ze gleed in haar lange katoenen badjas en maakte haar haren los. Toen knielde ze neer op de vloer en stopte de dichtbundel diep in haar koffer bij de andere. Dat speciale boek was meer dan twintig jaar een steun voor haar geweest, iets wat ze niet langer nodig had. Ze geloofde zelfs dat ze van nu af aan zonder verder kon.

Mijn ziel wacht op de Heere...

Met een nieuw gevoel van hoop dekte Lettie de boeken af met de kleren die ze al ingepakt had voor haar reis naar Hallie. Ze stond op, sloeg de lichtgewicht quilt open en gleed in bed.

Hoofdstuk 25

Dinsdagochtend zigzagde Heather door een doolhof van Amish rijtuigen om haar vader op te halen. Was het verbeelding of reden er met de dag meer paard en wagens langs de weg?

Ze kneep haar ogen tot spleetjes, gespannen bij het vooruitzicht van het consult met dokter Marshall en hoe het zou verlopen. Zou pap beleefd blijven en aandachtig luisteren? Of zou hij een scène maken?

Toen ze parkeerde bij de ingang van het hotel kwam hij zelfbewust naar de auto lopen, in een sportief marineblauw jasje en een nette beige broek. Waarschijnlijk had hij voornamelijk vrijetijdskleding bij zich op reis. 'Je ziet er strak uit, pap,' zei ze toen hij het portier opende en instapte.

Nog voordat ze het parkeerterrein af was en op de snelweg zat, begon hij haar te bestoken met vragen over LaVyrle; waar ze gestudeerd had, wat voor diploma's ze had en hoelang ze al praktiseerde. Heather wilde het liefst zeggen: 'Vraag het haar zelf,' maar ze hield zich in.

Op het parkeerterrein bij de natuurarts was het drukker dan bij haar eerste afspraak vorige week. *Geen goed teken*, dacht ze, bang dat haar vader nog prikkelbaarder zou worden als ze lang in de wachtkamer moesten zitten.

Tot haar verrassing duurde het maar een kwartiertje voordat haar naam werd afgeroepen. Ze stelde haar vader voor aan de assistente die hen meenam door de gang. Tot nu toe gedroeg hij zich als een volmaakte heer. Ze volgden de vrolijke assistente naar de praktijk van LaVyrle, een mooi ingerichte ruimte met gemakkelijke stoelen tegenover een gerestaureerd antiek bureau. Heather had deze kamer nog niet gezien, de vorige keer had ze in een onderzoeksruimte gezeten.

De kamer had een zeegroene stoffen zonwering die onderaan geplooid het bovenste kwart van de ramen bedekte. Ze bewonderde LaVyrles smaak in het donkere hout van haar mooie oude bureau en de ingebouwde boekenplanken. 'We hadden dokter Marshall om hulp moeten vragen bij het uitzoeken van je kasten, pap.' Ondanks zijn twijfels kon ze zien dat ook hij ingenomen was met het aantrekkelijke kantoor.

Toen ze zaten, wees Heather naar de muur en zei schertsend: 'Nu heb je de kans om dokter Marshalls kwalificaties te bekijken. Kijk, pap, ik heb nog nooit zoveel ingelijste certificaten gezien.'

'Geen stuiver waard,' wierp hij tegen.

Ik zie het al; dit wordt een ramp.

'Het schijnt dat ze alles heeft, van een diploma chiropractie tot een vergunning voor massagetherapie voor sportblessures.' Hij wees enkele certificaten aan, stond toen ineens op en liep naar de wand, waar hij met zijn neus haast tegen het glas gedrukt naar de woorden tuurde. 'Helaas zie ik nergens een artsenbul.'

'Ze is natuurgenezer... houdt al zeventien jaar praktijk. Veroordeel haar alsjeblieft niet voordat je haar ontmoet hebt, pap.'

Na een paar minuten kwam LaVyrle binnen en deed de deur achter zich dicht. Ze droeg een mooi blauwgroen pakje met zilveren sieraden om haar hals. De tint van haar kleding accentueerde het blauw van haar ogen, die straalden toen ze haar hand naar pap uitstak. 'U moet Heathers vader zijn,' zei ze met een glimlach.

'Roan Nelson.' Hij knikte en glimlachte terug. 'Heather heeft onafgebroken over u gepraat sinds mijn komst.'

Dat is overdreven. Heather vond het vermakelijk dat haar vader zo'n haast had om ter zake te komen. *Misschien wordt het toch een schot in de roos.*

'Wat kan ik voor u doen?' LaVyrle leunde achterover in haar bureaustoel en maakte oogcontact met Heather zowel als met haar vader.

Pap liet geen tijd verloren gaan en vatte de reden voor hun

bezoek meteen samen. 'Mijn dochter heeft een ernstige ziekte. Ze weigert conventionele wijsheid...'

'En dat is?' vroeg LaVyrle.

Pap wendde zich tot Heather. 'Heb je alles netjes aan de dokter verteld?'

Bah. Ze voelde zich net een klein kind.

'Pap... dokter Marshall is heel goed op de hoogte van de reden waarom ik hier ben.' Ze zweeg even. 'Waarom *wij* hier zijn.'

Het was niet de bedoeling geweest dat het een therapiesessie werd, maar LaVyrle kwam meteen tussenbeide en werd een soort scheidsrechter. Ze herhaalde wat zij begreep dat Heathers bedenkingen waren bij chemotherapie en bestraling, en noemde de voordelen op van reiniging en sap drinken en andere belangrijke aspecten van het verblijf in het kuuroord.

Heathers hoofd stond er niet naar om haar vader tegen te spreken. 'Wat zijn de nadelen?' vroeg ze namens hem.

LaVyrle legde uit dat het programma fysiek zwaar en afmattend kon zijn. 'Maar ik kan je verzekeren dat het dieet makkelijker wordt als je je eraan houdt.' Ze bood hun ook statistische gegevens over het slagingspercentage, zonder opdringerig te zijn. Ze was wel wijzer dan radicale beloften te doen. 'Ik geloof dat Heather veel voordeel kan hebben van het kuuroord, net als vele anderen. We willen haar graag helpen.'

'Zijn er garanties?' vroeg pap. Zijn vingers knepen in de armleuning van zijn stoel.

LaVyrle keek hem recht in de ogen. 'Helaas moet ik u zeggen, meneer Nelson, dat er in dit leven geen garanties zijn.' Ze keek naar Heather, met een veelzeggende blik op haar knappe gezicht. 'Het komt erop neer dat we hier geen gemakkelijk geneesmiddel bieden, maar we bieden hoop... door heropvoeding bijvoorbeeld. Cliënten leren werken *met* hun lichaam om de vergiften en tekorten die in eerste instantie het vermogen van het lichaam om tegen ernstige ziekten te vechten verzwakt hebben, terug te drijven.'

LaVyrle gaf hun een brochure met het dagelijkse programma in het kuuroord, waaronder lessen, therapeutische massages, kuren en supplementen om het bloed te reinigen, maaltijden op basis van reinigende theeën, organische sappen en andere aspecten van dokter Marshalls plantaardige dieet, dat bestond uit tachtig procent rauw voedsel en twintig procent gekookte groenten en granen.

In Heathers oren klonk het veelbelovend en ze proefde opnieuw LaVyrles passie.

'Dus als ik het goed begrijp, is het mogelijk dat mijn dochter de ontberingen van uw programma doorstaat en toch ziek blijft?' Pap boog zich naar voren en zette zijn vuist onder zijn gladgeschoren kin.

'Ik zal eerlijk tegen u zijn, meneer Nelson. Het slagingspercentage is erg laag voor patiënten die dit programma in hun eentje proberen te doen. Deze benadering is alleen geschikt voor wie gemotiveerd is en zich inzet om zijn levensstijl te veranderen. In het kuuroord is men verzekerd van de benodigde steun en begeleiding tijdens de ontwenningskuur. De kennis die Heather bijvoorbeeld zou verkrijgen, zal haar toerusten met de vaardigheid en het zelfvertrouwen om de leefregels thuis voort te zetten,' zei LaVyrle. 'Ik moet u eerlijk zeggen dat er patiënten zijn van wie de ziekte nog steeds met medicijnen of een operatie bestreden moet worden, afhankelijk van het stadium en type ziekte waaraan ze lijden.'

Heather nam haar vader op. Ze verwachtte dat hij alles gehoord had wat hij horen wilde, dat hij LaVyrle zou bedanken voor haar tijd en Heather aanmoedigen zich onmiddellijk in te schrijven om zo snel mogelijk aan de beurt te zijn.

'Op internet kunt u extra getuigenissen van patiënten lezen, als u wilt.' LaVyrle vouwde haar handen op haar bureau.

Dat is het teken dat het consult voorbij is, dacht Heather, in de hoop dat haar vader het oppikte.

'Hartelijk dank voor uw tijd.' Heather schoof naar het puntje van haar stoel. 'Wanneer begint de volgende sessie in het kuuroord?'

Haar vader haalde zijn hand door zijn haar en wierp haar een snelle blik toe.

LaVyrle keek in de computer. 'Aanstaande maandag hebben we nog een paar plaatsen open.'

Dat duurt geen week meer. 'Ik wil graag vandaag de aanbetaling doen.' Heather keek naar haar vader, in de hoop dat hij het benodigde bedrag wilde neertellen. Maar zijn ogen gaven klaar en duidelijk een heel andere boodschap af.

'En *ik* wil er graag verder over discussiëren.' Hij stond op van zijn stoel.

'Pap...'

'Ik vind dat je hier je tijd verspilt, Heather,' zei hij. Hij bedankte LaVyrle haastig, deed de deur open en liet Heather verbijsterd zitten.

'Dit komt vaak voor,' zei LaVyrle zodra ze alleen waren. 'Er zijn vele stadia van ontkenning... en je vader is kennelijk buitengewoon bezorgd om je.'

'Hij weet het pas drie dagen, dus hij is nog helemaal van de kaart. En hij vergeet hoe volkomen afgemat mijn moeder was van de conventionele medische behandeling.' Heather zette uiteen hoe hopeloos ze zich allebei hadden gevoeld.

LaVyrle glimlachte nadenkend. 'Ik begrijp het helemaal. En ik zal je naam onder voorbehoud op de lijst zetten, als je wilt.'

'Precies wat ik dacht.' Ze besefte dat haar vader op dit moment niet veel reden had om op haar beslissingen te vertrouwen. Ze had de diagnose tenslotte voor hem verzwegen, zij het uit liefdevolle zorg. Maar hij vond het nog steeds onverantwoordelijk van haar. *Geen wonder dat hij zoveel weerstand biedt.*

Over het bureau heen schudde ze LaVyrle de hand. 'Pap weet het nog niet, maar ik ben van plan om de volgende patiënt van je te worden die geneest.' Ze vertelde dat ze Sally Smucker kortgeleden had ontmoet.

LaVyrle knikte en glimlachte. 'Sally krijgt veel steun van haar man.'

Daar dacht Heather over na. 'Is het absoluut noodzakelijk

om steun te krijgen van eh… een partner?' vroeg ze. Misschien moest zij het zonder de morele steun van haar vader stellen.

'De ervaring met patiënten leert dat dat een grote hulp kan zijn… maar een goede vriend of vriendin is ook voortreffelijk en veel cliënten ontmoeten vrienden voor het leven in het kuuroord.'

Vrienden voor het leven. Voor het eerst klonk dat haar niet angstaanjagend in de oren.

★

Adah verstijfde toen Jakob haar vertelde van Judahs bezoek. Hij had diepe rimpels in zijn vaalgele gezicht; ze was vergeten hoe afgetobd hij eruitzag als hij zo bleek was. Ze stond op van de keukentafel en ging naar het fornuis om water op te zetten voor thee. 'Wil je honing in je thee?' vroeg ze.

'Suiker is ook best, lief.'

Voorzichtig zette ze de ketel op de brander en zette de vlam halfhoog. 'Je denkt toch niet dat Judah iets bijzonders vermoedt?' Over haar schouder keek ze naar Jakob.

'Het is me een raadsel wat hij denkt te weten.'

'Dus je hebt hem niks verteld?' Ze kwam weer naar de tafel en leunde tegen de rug van Jakobs stoel, aan het hoofd van de tafel.

Hij bleef met gebogen hoofd stil zitten en ademde veel te snel.

'*Ach…* wat?' Ze ging rechts van hem zitten, op haar gewone plaats, en boog zich naar voren over de tafel. 'Nee toch, Jakob?' *Alstublieft, God, nee…*

Hij reikte naar zijn leesbril op de tafel voor hem. 'Breng me de Bijbel, Adah. Het is tijd voor de Schriftlezing.'

Met een zwaar hart sjokte ze naar de hoektafel, waarboven de klok op de plank de minuten wegtikte. Gehoorzaam bracht ze de Bijbel en legde hem voor Jakob neer. 'Zeg alsjeblieft dat je niks aan Judah hebt verteld over Letties baby?' smeekte ze.

Jakob nam het zware boek en sloeg het open bij de Psalmen. 'Je weet toch hoeveel ik van je houd, Adah... *jah*?'

Ze knikte langzaam, met tranen in haar ogen.

'En je hebt toch altijd op me vertrouwd?'

Haar handen trilden. 'Altijd.'

'Judah is een verstandig mens,' zei hij vriendelijk. 'Hadden we hem daarom niet uitgekozen om met onze Lettie te trouwen?' Zijn blik hield de hare vast. 'Hij voelt vast en zeker nattigheid, en dat is allemaal *gut* en wel. Maar Lettie is de enige die het recht heeft om haar man te vertellen wat ze gedaan heeft voordat ze trouwden, *jah*?'

Adah slaakte een diepe zucht van verlichting. 'O... gelukkig.' Het geheim was nog steeds veilig.

★

Na een ochtend bij Eli's bracht Grace de middag door met het bakken van citroenschuimtaarten, één als toetje voor henzelf en twee die ze naar de Riehls wilde brengen, in de hoop Heather weer tegen te komen. Ze vroeg zich af waarom Heather nog niet naar haar kruidentuin was komen kijken, wat ze zondagmiddag zo graag had gewild.

Toen ze bij de buren kwam, ontdekte ze dat Becky en Heather allebei niet thuis waren. Daarom liet ze de taarten achter bij Marian, die haar uitvoerig bedankte. 'Ik zal de meisjes zeggen dat hun vriendin langs is geweest.'

Thuis ging Grace bij Willow kijken en tot haar verrassing trof ze Yonnie. 'Hallo,' zei ze meteen.

'Hoi, Grace.' Er verscheen onmiddellijk een glimlach om zijn mond en hij stond vlug op. 'Willow doet het goed op de zachtere stalbodem.'

'Hoe weet je dat?'

'Ze is minder gevoelig bij aanraking... en ze heeft meer vertrouwen,' zei hij.

'We hebben het smeersel aangebracht, zoals je gezegd had.'

Yonnie streelde Willows schouder. 'Je vader heeft geen haast, maar hij denkt dat we over een paar dagen kunnen proberen haar langzaam te laten stappen. Een klein eindje maar.'

We?

'Ik denk dat je blij zult zijn dat al die speciale zorg Willow uiteindelijk weer op de been zal helpen.' Hij boog zich naar Willow toe. 'Hè, meisje?' Het paard draaide zich meteen om en snuffelde aan zijn elleboog, zacht hinnikend alsof ze oude vrienden waren.

'Pa denkt niet dat ze ooit weer zal draven,' merkte Grace op.

'Tja, ze zal waarschijnlijk ook nooit meer een rijtuig trekken, maar ik denk dat ze nog wel een poosje mee kan.'

Ik denk... ik denk, zegt hij. Maar zijn veronderstellingen ergerden haar nu minder dan een paar dagen geleden. Misschien kwam het door de manier waarop Willow haar ogen op hem gericht hield. 'De dierenarts zal verbaasd opkijken van die kleine stapjes vooruit, *jah?*'

Yonnie beaamde het. 'Eigenlijk is het niet zo raar, hoor. Met een beetje liefde kun je heel veel bereiken.'

Ze bloosde om zijn opmerking en hoopte van harte dat hij het niet merkte.

Yonnies ogen straalden terwijl hij zich met haar paard bezighield. *Iemand die zo gek is op een oud paard moet wel een goed hart hebben.*

Grace verontschuldigde zich en vertrok naar huis.

★

Heathers vader hield een hele tirade. 'Dokter Marshall heeft het zelf gezegd... er is geen makkelijk geneesmiddel. Snap je het niet?' zei hij.

Geen makkelijk geneesmiddel...

Hij had haar in een hoek gedreven, dat gevoel had ze tenminste. Ze zaten in de auto voor het hotel waar hij logeerde. Ze zat met haar rug naar het portier en de armleuning van de auto prikte in haar rug. Ze voelde zich letterlijk in een hoek gedreven. 'Ik zie dat je zelfs voor zoiets essentieels als dit de controle niet los kunt laten,' zei ze.

Hij leunde even met zijn hoofd op het dashboard. 'Iets essentieels als dit? Wat bedoel je daarmee... je leven? Hoor es, ik geef om je, kleine.' Hij richtte zich op en mepte met de brochure tegen de versnellingspook. 'Ik heb elk woord gelezen wat hier in staat: "... het lichaam kan zichzelf genezen van degeneratieve afwijkingen" enzovoorts. Kom op, Heather. Je bent een geniale studente... waarom kun je dit niet onder ogen zien?'

Waarom jij niet?

Ze was wel wijzer dan een boos antwoord te geven. Zelfs LaVyrles redelijke opmerkingen hadden geen deuk geslagen in zijn onbuigzaamheid. 'Waarom zie je dit niet als een haalbaar alternatief voor chemo?' Ze keek hem verdrietig aan. 'Wat kan het voor kwaad?'

'Het antwoord daarop wil ik liever niet te weten komen,' vuurde hij terug.

Zo kwamen ze nergens. 'Ik vind dat we er voor vandaag mee op moeten houden,' stelde ze voor.

'Nou, ik vertrek morgenmiddag.'

De moed zonk haar in de schoenen. Ze had zijn bijstand hierin bitter hard nodig, financieel en anderszins. Ze had al moeite genoeg om de wekelijkse huur voor haar kamer bij de Riehls op te brengen. 'Pap, je weet dat ik je hulp nodig heb om het kuuroord te betalen. Ik heb niet eens de vijftienhonderd dollar voor de aanbetaling.' Het consult bij dokter Marshall en het daaropvolgende gesprek hadden een eind gemaakt aan het beetje hoop dat ze had gehad op zijn bemoediging en steun.

Hij schudde zijn hoofd en bladerde nog een keer door de brochure. 'Weet je, Heather, als ik het verleden terug kon draaien en alles anders doen – en ik zou er je moeder mee terug kunnen krijgen – dan deed ik het meteen.'

'Pap, alsjeblieft...'

Hij haalde zijn portefeuille tevoorschijn. 'Je bent net zo koppig als ik.' Hij overhandigde haar zijn creditcard. 'Hier is mijn bijdrage… voorlopig althans.'

Verrast nam ze hem aan. 'Dank je,' zei ze, in de veronderstelling dat hij bedoelde dat hij de eindrekening zou betalen. 'Ik wou dat ik kon zeggen dat je er zeker weten geen spijt van krijgt.'

'Het is een gok, hè?'

'Dat hoeft misschien niet. Mam bad soms voor zulke dingen.' Ze stopte het kaartje in haar tas.

Hij knikte en keek haar aan met zachte, glinsterende ogen. 'Volgende week kom ik terug om je op te zoeken in het oord.' Hij pakte haar hand. 'Je gaat niet alleen door die idioterie heen, oké?'

'Bedankt, pap.' Ze slikte haar tranen weg. 'Ik meen het… bedankt.'

Hoofdstuk 26

Woensdagochtend werd Lettie wakker met het vooruitzicht van een mogelijke brief van nicht Hallie en de damesochtend bij May. May had per slot van rekening gezegd dat haar getrouwde dochters zouden komen om de kleine kinderen te vermaken en Lettie hoopte van harte aan hen te worden voorgesteld. Als Vesta Mae inderdaad haar dochter was, zou de jonge vrouw dan op Samuel of haar lijken, zodat de waarheid duidelijk werd?

Susan was weer weg om haar zus Edna te helpen en Lettie wilde haar hoofd en handen bezighouden. Taartdeeg uitrollen met een stel andere vrouwen van Eenvoud was misschien net iets voor haar, vooral nu ze ontmoedigd was omdat ze nog niets van nicht Hallie had gehoord.

Lettie scharrelde neuriënd door Susans keuken en pakte het eten in dat ze als bijdrage mee wilde nemen voor het middagmaal. Ze had het al met Susan besproken: drie dozijn ingelegde bieteieren, een royale kom aardappelsalade en de rest van de chocoladekoekjes die ze maandag had gebakken om Susan op te vrolijken.

Lettie keek uit het keukenraam en zag dat er al enkele zwarte rijtuigen de smalle met bomen omzoomde oprijlaan van May inreden. Terwijl ze de drukke activiteiten gadesloeg, werd ze ineens overvallen door zenuwen. De eenzaamheid die ze voelde, was enorm. Ze moest zich haasten om te gaan, om met eigen ogen te zien of Mays geadopteerde dochter echt de reden was dat ze zich hier in Baltic bevond.

Zou ik eindelijk oog in oog met haar staan?

★

Lettie had er geen idee van dat ze gebak en koekjes gingen maken, evenals genoeg vruchtenmoes om zeven naburige gezinnen te voeden. De enorme hoeveelheid die ingevroren werd voor de winter, bestond uit geperste ananas, gesneden bananen en cocktailkersen in een stroop van sinaasappelsap, suiker en water. Ze had het vaak gemaakt met Grace en Mandy, maar vanmorgen waren er dertig vrouwen aanwezig; een heel efficiënte lopende band. May heette Lettie welkom aan de achterdeur.

In de keuken en de zitkamer waren werktafels neergezet. Drie jonge vrouwen waren al bezig het deeg te mengen voor vierhonderd koekjes; pindakaas-havermout- en kaneelkoekjes. In één hoek van de keuken stonden manden vol belegde broodjes en andere luncharticelen die meegebracht waren voor het middagmaal. En twee vrouwen waren samen aan het werk in de zomerkeuken, waar ze een lange tafel opzetten met papieren bordjes en plastic bestek. *Als bij een picknick*, dacht Lettie vermaakt.

Intussen bleef ze uitkijken naar Mays dochters, vooral naar Vesta Mae. Een jolige vrouw zei dat ze boven verhaaltjes vertelden aan een stel peuters. 'De kinderen dossen zich uit met oude stukken quiltstof,' kreeg ze te horen.

Vesta Mae is getrouwd, heeft zelf kleintjes? Die gedachte leidde tot de volgende en binnen korte tijd stelde Lettie zich voor hoe het zou zijn om niet alleen haar dochter, maar ook haar eerste kleinkind te ontmoeten! *Hoe kan ik stiekem even naar boven om een kijkje te nemen?* Ze keek almaar naar de trap in de hoop dat het meisje ineens verscheen.

Maar May was haast alomtegenwoordig als de perfecte gastvrouw. Ze flitste van de ene plek naar de andere en coördineerde de verschillende groepen. Ze babbelde honderduit terwijl de dames aan het werk waren en ongehaast een praatje maakten. May nam de tijd om met een jonge vrouw te praten die er uitgesproken neerslachtig uitzag. 'O, Anna,' zei ze, 'ik weet dat het niet makkelijk is, maar doe nog beter je best, kind... het huwelijk is heilig. Je moet het oplossen.'

Doe nog beter je best, dacht Lettie terwijl ze een stoel bijtrok en zich voorstelde aan een vrouw van haar leeftijd genaamd Maryann. Ze begonnen massa's verse ananas te snijden en legden de kleine blokjes voorzichtig in een grote kom. En omdat Maryann haast even verlegen leek als Judah, moest Lettie aan haar trouwdag denken. In alle jaren dat ze hem kende, had haar man nooit zo geglimlacht. Ze wist nog dat ze een beetje geschrokken was van zijn blijdschap en wenste dat ze hetzelfde kon voelen. *Omwille van hem*. Ze was heel dankbaar geweest dat ze met een hardwerkende man ging trouwen die vooral haar vader, maar ook *Mamm* hoog in het vaandel had.

De gesprekken tussen haarzelf en haar moeder waren drastisch afgenomen na hun terugkeer uit Ohio, Lettie met lege armen, smachtend naar haar kindje. Maar Judah had er nooit van afgeweten. Hij scheen te denken dat ze doordat ze de stad uit was geweest had beseft dat ze meer van hem hield dan van Samuel.

Nu ze mijmerde over die koude bruiloft in november, vroeg ze zich af of Judah er ooit over had nagedacht dat ze vanaf het begin van hun verbintenis niet gelukkig was geweest. Zo ja, dan moest het erg verdrietig voor hem zijn om te vermoeden dat hij haar tweede keus was… hoewel hij haar vaders *eerste* keus was als partner voor haar, volgens Naomi.

Lettie beleefde in gedachten opnieuw haar huwelijksbeloften en herinnerde zich hoe verlegen ze daar voor de bisschop en de hele Gemeenschap van Eenvoud had gestaan… en voor de Almachtige God. Judah was even zacht en vriendelijk als ze had verwacht. Maar tegelijkertijd bespeurde ze in zijn blik zijn onwankelbare toewijding aan haar; hij had geloofd dat zij de bruid voor hem was.

Weet hij dat ik ook van hem ben gaan houden?

Nadat ze een paar kommen met ananasblokjes had gevuld, had Lettie een stijve nek. Ze stond op om naar de voorkamer te gaan om haar benen te strekken en trof twee vrouwen die hun baby's voedden. Toen ze zich omdraaide naar de trap hoorde ze een klein kind huilen en met medelijden in haar hart ging ze naar boven.

Ze volgde het geluid van het snikken naar een grote slaapkamer, waar een knappe jonge vrouw een klein jongetje wiegde en fluisterde in zijn oor. 'Zo, zo… alles komt goed,' zei het meisje terwijl ze het jongetje over zijn rug wreef. 'Stil maar, kleintje.'

Is dit Vesta Mae met haar kind? Lettie probeerde haar niet aan te staren, maar ze voelde zich sterk aangetrokken tot het knappe, donkerharige meisje met de grote bruine – bijna zwarte – ogen. 'Kan ik helpen?' zei Lettie terwijl ze de kamer binnenging. Ze liep snel langs het bed en om een paar kleine kinderen heen, die op de grond met blokken zaten te spelen. Sommigen hadden nog verkleedkleren aan.

Op dat moment, toen haar ogen die van de jonge vrouw ontmoetten en lange tijd vasthielden, besefte ze opnieuw hoe graag ze de waarheid wilde weten. 'Ben jij Vesta Mae?' vroeg ze zacht.

'*Jah…* mijn mama is vandaag de gastvrouw.' Elegant rees ze overeind uit de schommelstoel en liep met het blonde jongetje van een jaar of twee in haar armen door de kamer. Het huilen was opgehouden, maar ze bleef zijn mollige, rode wangetjes kussen. 'Dit is mijn zoon Levi.' Ze streelde zijn haar. 'Lach eens naar die lieve mevrouw.'

'Ik ben Lettie Byler.' Ze keek naar het raam en knikte in de richting van Susans huis. 'Ik logeer een poosje bij jullie buurvrouw.'

'O ja, mama zei al dat u zou komen.' Vesta Maes gezicht klaarde op. 'Ze zei dat u naar adoptie had gevraagd.'

Lettie hoorde haar amper, zo geboeid was ze door de vorm van Vesta Maes mond… die volle, diepe tint van haar haar. *Samuels vader had donker haar.*

'We kennen een dokter die de kindertjes snel plaatst…' Vesta Maes stem brak af toen Lettie zich afsloot voor haar woorden, in beslag genomen door de boog van haar wenkbrauwen en de lijn van haar kin.

Nog steeds, al die jaren na de gebeurtenissen, zag ze Samuels gezicht haarscherp voor zich. Letties blik dwaalde nu naar de kleine Levi en ze bestudeerde ook zijn gezicht... in de hoop op een aanwijzing. Hij was net zo blond als Lettie als kind was geweest... even blond als Adam en Grace nog steeds waren.

Letties ogen gleden over de kaaklijn van het jongetje, zijn neus en de stand van zijn ogen. Toen deed ze hetzelfde bij de jonge vrouw.

Maar ze wist zonder enige twijfel dat dit niet haar dochter en kleinzoon waren. Hoe graag ze het ook had gewild, ze was niet op wonderlijke wijze het leven van haar vermiste dochter binnen getuimeld.

'Je hebt een lief zoontje... leuk je ontmoet te hebben,' mompelde Lettie gegeneerd. Ze liep langs de groep kinderen op de grond heen naar de gang. Ze was doodmoe. 'Sorry dat ik je gestoord heb,' zei ze over haar schouder, in de hoop dat Mays dochter zich niet afgewezen voelde.

Niet toegeven aan neerslachtigheid, zei ze tegen zichzelf. *Houd je hoofd omhoog.*

Ze pakte de leuning en sloop de trap af, denkend aan de Psalm die ze die ochtend nog gelezen had: *Wat buigt gij u neder, o mijn ziel!... Hoop op God.* Gesterkt ging ze terug naar Maryanns tafel en de vruchtenmoes. Lettie was geen slappeling; ze zou haar taak afmaken. Maar ze kon alleen maar denken aan dokter Josh, de man die haar baby had geplaatst.

Alstublieft, God, laat me gauw iets van mijn nicht laten horen!

Lettie betrad de keuken vol bedrijvigheid en keek naar de tafel waar bananen gesneden werden. Iemand had haar plaats ingenomen, daarom liep ze naar de gootsteen om water te drinken. Ze keek op haar horloge. *Bijna etenstijd.* Ze had het gevoel dat de andere vrouwen haar aangaapten. Per slot van rekening was ze een vreemde voor hen. Hoe konden ze weten waarvoor ze was gekomen?

Ze schonk een glas water in en dronk het bijna helemaal in een teug leeg. Toen ze het glas aan de rechterkant van de gootsteen had gezet, achter een schuursponsje in een wit bekertje, draaide ze zich om en keek uit naar een lege plaats waar ze kon gaan zitten om door te werken. *Om even bij te komen.*

Op dat moment zag ze Nancy Fisher en haar zus Sylvia aan de andere kant van de ruimte bij de dubbele oven, waar ze bakplaten met hete koekjes uithaalden. Vlug wendde Lettie zich af, hopend dat ze niet gezien was. Daarbij botste ze tegen een soeplepel op het aanrecht, die kletterend op de grond viel. Het maakte zo'n kabaal dat de meisjes Fisher opkeken... en haar zagen.

Nancy's ogen werden zo groot als schoteltjes en Sylvia snakte hoorbaar naar adem. '*Ach*, Lettie Byler... hoe is het mogelijk. Bent *u* het?'

Lettie klemde haar handen tot vuisten en worstelde om haar emoties te bedwingen. Ze wist heel goed dat dit nieuws spoedig Judahs oren zou bereiken.

Ach, nee... wat nu?

Hoofdstuk 27

Heather zat op haar bed bij de Riehls en had veel zin om Willeven te vertellen over haar plannen voor het kuuroord. Hij zou voorstander zijn van haar besluit; een paar maanden geleden had hij in een andere staat iets soortgelijks doorstaan.

Hoi! Ik heb de aanbetaling gedaan voor het kuurprogramma. Aanstaande maandag is de eerste van tien dagen. Ik ben klaar voor de diepweefselmassage, maar minder zeker over de één-op-één hulpverlening en natuurlijk over al het ontgiften dat mijn lichaam moet doorstaan. Nog adviezen?
Bedankt voor je bemoediging. Ik stel de inbreng erg op prijs die ik krijg van je blog… en van je berichten. Ik zal je laten weten hoe het gaat.

Nadat ze het bericht met haar telefoon had verstuurd, deed Heather een raam open en keek naar buiten, verlangend naar zonneschijn en frisse lucht. De molenkreek voldeed beslist als het *rustige plekje* dat LaVyrle in haar brochure had benadrukt. Stress had per slot van rekening de macht om een massa gezondheidsproblemen te veroorzaken… evenals onverwerkt verdriet. Lichamelijk ontgiften was maar een onderdeel van beter worden. Een emotioneel trauma kon diep in de spieren vast gaan zitten, en op andere plaatsen, en het was even essentieel om de emoties te ontgiften als haar lichaam. *Ik moet ontspannen blijven.*

Heather hoorde het piepje dat aanduidde dat er een nieuwe e-mail was binnengekomen. Ze pakte haar telefoon om te kijken van wie en vond een antwoord van Willeven. Hij was zeker online geweest toen ze haar bericht had verstuurd.

Moedige zet!
Wees gewaarschuwd dat je tijdens de eerste dagen op het oord be-
kropen kunt worden door iets wat op euforie lijkt. Ik kreeg het op
de derde dag van de reinigingskuur. Een te gek gevoel, alsof je door
de ruimte zweeft.
Maar op de vijfde dag zonk ik als een baksteen. Het was de dag
van de leverspoeling en ik werd ontdaan van elektrolyten en ge-
dehydrateerd, volgens de arts. Maar het zal je best lukken als je
erin gaat met een goede mentale houding en heel veel water drinkt.
Bidden helpt ook.
Ik geloof dat God mensen leidt die openstaan voor Zijn ingrijpen.
Misschien ben jij ook tot die vaststelling gekomen. Zie je verblijf
in het oord maar als een krachtige zet in de goede richting. Hoe
lijkt je dat?
Ik wens je het allerbeste!
Willeven (alias Jim)
p.s. Houd contact!

'Jim? Dus we gaan elkaar bij de voornaam noemen?' Ze lachte
opgetogen. Ze staarde naar haar iPhone. *Zou ik mijn naam dur-*
ven bekendmaken? Hij was waarschijnlijk nog steeds online. En
hij vermoedde dat zij er ook nog was. *Kom ik te voortvarend over*
als ik nu antwoord geef?

Ze wilde graag ingaan op zijn opmerking over goddelijke
leiding – wat de Amish hier Voorzienigheid noemden of de
soevereiniteit van God. Becky had het daar een van de eerste
keren dat ze samen uit rijden gingen over gehad.

'Doe normaal, Heather,' mopperde ze. Waarom geen antwoord geven op zijn aardige e-mail? Ze waren tenslotte volwassen.

Ze begon haar antwoord te typen.

Hoi Jim,
Je opmerking over goddelijke leiding heeft me verder aan het den-
ken gezet over 'onze grote God' zoals iemand onlangs schreef op je
blog. Het Opperwezen met een beleid voor het universum dat Hij

schiep en voor elke mens op aarde.

Ik moet eerlijk zijn, Jim: voor mijn diagnose heb ik weinig over dit soort dingen nagedacht – na de dood van mijn moeder heb ik het hele concept van God zo'n beetje opgegeven. Toen ik daarna getroffen werd door het vooruitzicht te zullen sterven, belandde ik met een schok in een heel andere denksfeer. Is er meer leven dan we om ons heen zien? Is er inderdaad een hiernamaals dat op onze verschijning wacht?

Zo staat het er nu met me voor – ik denk na over mijn huidige leven en de mogelijkheid dat het volgende eerder komt dan ik had gedacht. En hoe of waar mijn geloofssysteem in die werkelijkheid past... áls het tenminste werkelijkheid is.

Ik denk dat jij veel meer verbonden bent met geestelijke dingen dan ik ooit was of wilde zijn. Maar zelfs als ik het geluk heb om te genezen, is het misschien tijd om eens dieper over God na te denken...

Bedankt voor je steun,
Heather

Zonder bedenkingen zette ze haar naam eronder. Een man die over God sprak, leek nogal onschadelijk. *En ongelooflijk boeiend daarbij.*

Ze pakte haar laptoptas, slingerde hem over haar schouder en ging naar beneden waar ze door Marians keuken liep. 'Ik ga een paar zonnestralen pakken,' zei ze opgevrolijkt. 'O, en trouwens, heeft er vanmorgen iemand voor me gebeld?' Ze lachte om haar eigen grapje.

Marian en Becky schaterden ook, met hun handen diep in het brooddeeg. 'Nou, gisteren was Gracie Byler hier voor je. Telt dat ook?' vroeg Marian. Ze had een veeg meel op haar wang.

Grace dacht zeker dat ze het vergeten was omdat ze niet was verschenen om de kruidentuin te bekijken. 'Ja, bedankt. Ik zal binnenkort echt met haar bijpraten.'

Verrassend zorgeloos wuifde ze naar Marian en Becky en ging de deur uit. Ze keek over het weiland naar het huis van de Bylers en kreeg een groep schapen in het oog die dicht tegen elkaar gekropen langs het hek stonden. Ze bedacht hoe zorgzaam het van Grace was geweest om haar zondagmiddag op te offeren om haar aan Sally Smucker voor te stellen.

Heather zocht het volmaakte plekje om in het gras aan het stromende water te gaan zitten. Eindelijk vond ze een mooie plaats onder een groepje wilgen en ze installeerde zich om een uurtje te gaan schrijven. Het was tijd om haar dagboek bij te werken.

Het was een overweldigend zonnige dag geworden, heel geschikt om wat te tuinieren. Grace was er al een poosje mee bezig en nu keek ze met toegeknepen ogen naar de lucht en maakte haar blauw met witte hoofddoek opnieuw vast. Yonnie had aangekondigd dat hij vanmorgen niet kon komen werken en Grace nam de gelegenheid om over het erf rond te dwalen. Ze was zelfs een heel uur bezig geweest haar kruidentuin te wieden. Vooral de bieslook had aandacht nodig. Ze hoopte nog steeds dat Heather kwam kijken, zeker nu alles er weer zo netjes uitzag.

Ze had de laatste lange rijen bijna af. In de oven stond op laag vuur een heerlijke schotel macaroni met tomaten en uien, dus ze kon zo lang buiten blijven werken als ze wilde. Als het tijd werd voor het middagmaal zou ze er een paar tosti's met ham en kaas bij bakken.

Maar nu snakte ze naar een wandelingetje. In de verte hoorde ze een hond blaffen toen ze over de weg in noordelijke richting naar Becky's huis liep. Ze lette er niet op totdat ze Yonnie aan de overkant van de weg aan zag komen rennen, met zijn Duitse herder trekkend aan de riem.

'Grace… hallo!' riep hij en liet zijn hond stilstaan.

Het lijkt wel een weggelopen paard, dacht ze over het grote huisdier.

'Mooie dag,' zei ze.

Zijn vertrouwde glimlach was aanstekelijk. Hij wikkelde de riem een paar keer om zijn pols. Vlug ging de hond aan zijn voeten zitten. 'Een wonder-*gute* dag, *jah?*' Yonnies haar glansde goudkleurig in het zonlicht.

Ze ademde de geurige frisheid om hen heen in. 'Ruik je dat?'

'Het duurt niet lang meer voordat het zomer is.'

Had hij deze ontmoeting gepland? Maar hoe had hij kunnen weten dat ze haar benen wilde strekken na urenlang wieden?

'Alleen aan de wandel?' vroeg hij.

Ze keek neer op zijn gehoorzame huisdier. 'Ik heb alleen schuurkatten en die houden niet erg van een riem.' Ze wist niet wat haar bezielde om zo'n grapje te maken.

'Nou, loop dan met *mij* mee.' Met zijn lippen licht uiteengeweken wachtte hij haar antwoord af... zijn blauwe ogen keken haar hoopvol aan.

'Goed.' Ze kwam naast hem lopen.

Ze liepen een eindje zonder iets te zeggen. Yonnies spraakzaamheid kennende, verbaasde het haar dat hij zo stil was, maar de stilte was helemaal niet ongemakkelijk. Genietend keek ze naar pa's lammetjes die achter het hek van de schapenwei ronddartelden.

Na een tijdje keek hij haar vragend aan. 'Weet je, Grace, ik heb er nooit iets over gezegd, maar ik kan zien dat je verdriet hebt om je moeder,' zei hij zorgzaam.

Ze wilde niets loslaten en knikte alleen. Dacht hij dat haar aanvankelijke afstandelijkheid te wijten was aan haar verdriet om mama?

'Ik heb veel over je familie nagedacht. Wat ik bedoel is... dit moet een moeilijke tijd zijn voor jullie allemáál.'

Nooit had een jongen zich zo om haar bekommerd, behalve Adam natuurlijk, maar dat was haar broer. Ze dacht aan de tedere manier waarop Yonnie met dieren omging. Misschien hoorde dit bij zijn karakter.

'Ik bid voor jullie,' voegde hij eraan toe. 'Dat wilde ik je laten weten.'

Ze moest haar blik afwenden. 'Aardig van je,' fluisterde ze.

Yonnie keek over zijn schouder. 'En er is nog iets,' zei hij, haar aankijkend. 'Ik kwam laatst je vader tegen bij de smid. Ik geloof dat het de Voorzienigheid was.' Hij zweeg even en glimlachte charmant.

'Waarom denk je dat?' Grace wist niet waarom de smid zo bijzonder was. Yonnie had pa de laatste tijd vaak genoeg gezien. *Wij allemaal trouwens.*

Hij stond stil, zette zijn hoed af en stopte hem onder zijn arm. 'Ik hoop dat je me niet te openhartig vindt, maar ik heb met hem over iets belangrijks gepraat. En ik wil dat je het van mij hoort.'

Ze luisterde verbaasd. Bijzonder dat hij zo open wilde zijn. Ze dacht aan Henry; het was moeilijk om hem niet te vergelijken met haar vroegere *beau*, zij het vluchtig.

'Ik heb je vader om toestemming gevraagd,' zei Yonnie.

'Waarvoor?'

'Waar ik vandaan kom, is het belangrijk om toestemming van de vader te vragen om zijn dochter het hof te mogen maken. Sommige bisschoppen dringen er sterk op aan.'

Haar gedachten raasden. 'O, Yonnie. Ik denk dat je je vergist.'

Hij fronste zijn voorhoofd en keek haar indringend aan. 'Bedoel je dat je bezet bent?'

Ze dacht aan wat ze tegen Becky had gezegd.

'*Ben* je verloofd, Grace... zoals je vader dacht?'

'Eerst wel... maar nu niet meer.'

Zijn snelle glimlach verraadde hem. 'Dan wil ik je graag het hof maken... tenminste, als je genegen bent.'

Voordat Henry kwam, had ze belangstelling gehad. Maar toen Yonnie met andere meisjes aanpapte, had ze afscheid van hem genomen met de gedachte dat hij wispelturig was... of erger. En Becky's hartzeer had zelfs de subtiele gevoelens die Grace had weten te onderdrukken gecompliceerd. Maar nu Becky met Henry ging, wat zou haar vriendin hierop zeggen? Dan was Grace toch ook vrij om te doen wat ze wilde?

'Ik ben bereid de gepaste tijd af te wachten,' drong hij aan.

Zodat het niet raar overkomt… na Henry, dacht ze.

'Nou, er woont een geweldig meisje voor je naast ons.' Ze wees naar Becky's huis. 'Wat zou je van haar zeggen?'

'Wat bedoel je?'

'Ik weet heel zeker dat ze je echt leuk vond. Ik snap niet wat je bezielt om haar te passeren.'

'Becky is een lief meisje, dat zal best.' Hij zweeg even en keek Grace diep in de ogen. 'Maar ze is *jou* niet.'

Ze was sprakeloos, Yonnie keek haar met zachte ogen aan. Hij gaf om haar; dat was duidelijk.

Ze zuchtte en duwde een steentje opzij met haar blote voet. 'Ik kan er niet aan denken mijn lieve vriendin pijn te doen…'

'Ik heb het nu over *ons* – over jou en mij, Grace. Ik wil verkering met je… als er genoeg tijd voorbij is, als je dat liever hebt.' Hij wilde antwoord en Grace wist dat hij dat verdiende.

'Alles is zo onrustig nu mama vermist wordt.'

Yonnie fronste zijn wenkbrauwen. 'Vermist?'

Grace zag zijn bevreemde blik en ineens drong het tot haar door dat hij niet op de hoogte was van het hele verhaal. Althans van de dingen die zij en haar familie wisten. Waarschijnlijk had hij zich verre gehouden van het gemene geroddel in de buurt.

Zijn frons werd dieper. 'Ik dacht dat ze… bij vriendinnen op bezoek was.'

'Niet dat we weten.' Ze schudde haar hoofd. 'Eerlijk gezegd kunnen we haar niet vinden.'

Hij zette zijn hoed weer op en keek ernstig. 'Grace… als ik je eens vertelde dat ik weet waar ze is?'

Ze keek hem ongelovig aan. 'Hoe kan dat?'

'Ik zeg je dat ik precies weet waar je moeder is.'

Als hij een grapje maakte of er luchthartig over deed, vond ze er niets leuks aan.

'Hoor es,' zei hij. 'Het roddelcircuit heeft maar een paar minuten nodig om van Baltic, Ohio naar Bird-in-Hand te reizen.'

Baltic is vlak bij Kidron, dacht ze onthutst. *Hij weet echt waar hij het over heeft!*

'Twee vriendinnen van je bij Eli's hebben haar vandaag nog gezien… Nog geen twee uur geleden.'

Grace' adem stokte. 'Hebben ze mama gezien? Waar?'

'Nancy en Sylvia waren op een bijeenkomst met andere vrouwen, vertelde Mary Liz me. Je moeder maakte vruchtenmoes.'

'Van wie heeft je zus dat gehoord?'

Hij vertelde dat Nancy Fisher had kunnen telefoneren uit het huis van een Amish-mennonitische vrouw. 'Ze zijn op bezoek bij een neef van hun vader, de Jabergs. Maar goed, Nancy belde naar Sally Smuckers mobiele telefoon… die ze heeft voor haar zeepwinkeltje.'

Grace was afgelopen zondag nog door de winkel heen gelopen. 'Noemde je zus de naam van de vriendin van mijn moeder… bij wie ze logeerde?' vroeg Grace, nog steeds ongelovig. Ze had mama nooit over iemand in Ohio horen spreken. Was ze misschien toegevoegd aan mama's rondzendbrieven?

'Ze heet Susan Kempf. Ze woont vlak achter de boerderij waar de meisjes Fisher op bezoek zijn.'

'O, wat is dit wonder-*gut*!' Ze wilde hem laten weten hoe dankbaar ze was, maar gauw duwde ze de gedachte aan een spontane omhelzing weg. 'Hoe kan ik je bedanken?' Yonnie verdiende meer dan een symbool van dank voor zijn informatie… en voor al het andere wat hij had gedaan.

'De blijdschap die ik op je gezicht zie… dat is genoeg dank voor me, Gracie.'

Ze was nooit bijzonder dol geweest op haar koosnaampje, maar hem uit Yonnies mond te horen gaf haar een warm gevoel door haar hele lichaam.

Ze veegde haar tranen weg, keek naar het huis en dacht ineens aan haar macaronischotel. '*Ach*, mijn eten!' Ze wrong verontschuldigend haar handen. 'Het spijt me erg, maar het middagmaal staat in de oven.'

Hij grinnikte en tikte tegen de rand van zijn hoed. 'Nou,

dan zou ik als ik jou was maar opschieten!'

De vraag om verkering bleef onder het eten almaar in Grace' hoofd malen. De tafel was erg leeg zonder Yonnie.

Ach, *nu heb ik hem niet eens antwoord gegeven!*

Hoofdstuk 28

Heather leunde achterover om naar de lucht te kijken en schermde haar ogen af. Ze verwonderde zich over de schoonheid om haar heen, op dit rustige plekje dat ze voor zichzelf in beslag had genomen. Was het zo'n ongewoon prettige dag door Jims opmerkingen over God? Of was het dat hij zijn gebruikersnaam had laten varen voor het meer persoonlijke Jim? *Hoe weet ik trouwens of dat zijn echte naam is?*

Ze mocht toch niet vallen voor iemand die ze op internet had ontmoet?

Ze richtte haar aandacht opnieuw op haar digitale dagboek en hoorde ineens vriendelijke stemmen op de weg. Lang voordat ze het stel zag, kon ze hun gesprek duidelijk verstaan… wat pijnlijk. De ene stem was onmiskenbaar van Grace Byler. De andere kennelijk van een jongeman die Yonnie heette, die nogal druk deed over Grace' moeder. Heather keek op van haar laptop, ze moest wel meeluisteren. Ze vroeg zich af of Grace doorhad dat Yonnie smoorverliefd op haar was.

Heather wilde ten minste een glimp van hem opvangen. Maar ze wilde niet loeren, ook al kreeg ze de kans toen ze langs de wilgen wandelden. Het was al erg genoeg dat ze zo'n persoonlijk gesprek had gehoord!

Te bedenken dat ze meeluisterde met een real-life Amish liefdesverhaal. Het was precies zoals ze gedacht had. *Nou, niet helemaal.* Ze had tot nu toe geen verdachte stiltes opgemerkt en ze betwijfelde sterk of kussen wel op het programma stond. Maar er klonk beslist verlangen door in Yonnies stem.

Nu kreeg Heather haar bedenkingen over haar beslissing de rondleiding door de kruidentuin uit te stellen. Waarom had ze zich niet gehouden aan de uitnodiging terwijl ze Grace Byler zo sympathiek vond?

Ben ik het haar niet schuldig om mijn woord te houden?

Ze stopte de laptop in haar tas en sprong op van haar grazige plekje. Ze liet de riem over haar schouder glijden en keek weer naar de weg. Ze zag Grace en haar jongen nog niet en kuierde naar de kreek. *Is Grace' moeder echt al die tijd bij vriendinnen op bezoek geweest?* En waarom had ze dat dan niet aan haar gezin verteld?

Over een Amish raadsel gesproken! En Yonnies zus had het via de spreekwoordelijke geruchtenmolen gehoord? Hoe moest Grace met zulk nieuws omgaan?

Algauw zag ze Grace aan komen rennen... *weg* van de blonde Amish jongen die haar om verkering had gevraagd. Heather zag hen nu allebei; Grace in een dofgrijze jurk met lange, zwarte schort, haar haar had de kleur van ruwe honing. Ze had een blauwe zakdoek in haar hand.

Vlug riep Heather: 'Grace!' zonder precies te weten waarom ze zich zo gedrongen voelde. 'Hier!'

Grace stopte met rennen en zwaaide. Ze veegde ademloos haar voorhoofd af. '*Ach*, ik zag je niet. Hoe gaat het?'

'Geweldig... ik heb veel met mijn vader opgetrokken.' *Plannen gemaakt om mijn leven te rekken.* Heather liep op haar toe. 'Zo te zien heb je haast.'

'Ik moet terug naar mijn eten.' Grace was buiten adem en nu keek ze om naar Yonnie en zijn hond. 'Wil je mijn tuin nog een keer zien?'

Heather nam aan dat ze het zei om een praatje te maken, vooral omdat ze zichtbaar in beslag genomen werd door Yonnie. 'Jazeker... ik kom wel een keer.' *Wat kan het voor kwaad?*

'Goed. Tot ziens dan.' Grace tilde haar rok op, haar schort wapperde en haar blote voeten vlogen over de weg. Ze stoof over het stukje gras langs de berm naar het schapenhek en gleed eronderdoor. Ze rende door het weiland. Nu kwam Yonnie op een sukkeldrafje Heathers kant op, met zijn hond naast zich en zijn ogen nog steeds op Grace gericht.

Straks stond Heather oog in oog met de jongeman die veel meer van Grace hield dan Devon ooit van haar had gehouden;

daar durfde ze haar hand voor in het vuur te steken. Toen hij dichter bij haar was, ontmoetten Yonnies ogen de hare en hij wendde zijn blik af. Hij kreeg meteen een rood hoofd. *Vermoedt hij dat ik hen heb horen praten?*

'Goedemorgen,' zei ze toen hij vlakbij was.

'Hallo,' antwoordde hij. Hij was zo te zien niet op zijn gemak nu hij aangesproken werd door een buitenstaander – en een van het vrouwelijke soort nog wel.

Heather keek hem na toen hij wegdraafde en herhaalde in gedachten het gesprek dat ze opgevangen had. *Had ik maar de kans gekregen om mijn moeder terug te halen,* dacht ze treurig en ze vroeg zich af of Grace haar moeder in Ohio wilde opzoeken.

In haar hoofd begon zich een idee te vormen. *Het programma in het kuuroord begint maandag pas. Zou Grace er met mij heen mogen met de auto?*

Er was maar één manier om daarachter te komen. Het was het minste wat Heather kon doen voor iemand die zo ongelooflijk grootmoedig was geweest.

★

Lettie beende in Susans voortuin heen en weer terwijl ze op de postbode wachtte, die ze aan het eind van de weg kon zien. Ze was uitgeput van de catastrofe van die ochtend. Na het middagmaal had ze zich verontschuldigd en was gauw weer hierheen gegaan in de hoop haar gemoedsrust terug te krijgen. Maar dat was nagenoeg onmogelijk. Ze kon zich de geruchten voorstellen die Bird-in-Hand in rap tempo zouden bereiken. Heel gauw zouden haar man en haar gezin weten waar ze verbleef. Misschien kwam Judah zelf wel op bezoek… of hij stuurde Adam om haar te halen. Wat zou dat een pijnlijke confrontatie zijn, als ze gedwongen werd om de lelijke waarheid te onthullen. En Lettie huiverde bij de gedachte dat haar zonde blootgelegd werd.

Met ingehouden adem wachtte ze de post af. Vandaag zou de brief van nicht Hallie toch wel komen!

★

Judah stond in de schuur te kijken hoe Grace met de *Englische* uit Virginia praatte. Hij had het gevoel dat hij de privacy van zijn dochter schond, ondanks het feit dat hij geen woord kon horen van wat ze met de lange, jonge vrouw in de kruidentuin besprak. Terwijl hij hen door het smoezelige raam gadesloeg, amuseerde het hem dat Grace nu en dan diep bukte om een blaadje munt of naar citroen geurende tijm te plukken. Ze bood ze aan het meisje aan, dat proefde of erin kneep om de geur op te snuiven. *Die weet weinig van tuinen*, stelde hij vast terwijl hij toekeek hoe de pensiongast van de Riehls achter Grace aan tussen haar geliefde kruiden door liep. De stadse jonge vrouw hurkte neer en streek met haar handpalm licht over de lage kamille met zijn witte madeliefachtige bloemetjes. Ze keek met eerbied naar de groene plantjes die uit hun volle zwarte aarde omhoog rezen.

Maar de manier waarop de twee meisjes samenzweerderig bij elkaar stonden, gaf hem te denken. Was dit niet de jonge vrouw die Andy Riehl op gedempte toon had beschreven? Wier vader prediker Josiah in de arm had genomen om een huis te bouwen? Andy had gezegd dat de jonge vrouw urenlang alleen op haar kamer zat. Hij had haar zelfs een keer laat op de avond met een kleine zwarte computer op de hooizolder aangetroffen, waar ze hartverscheurend zat te huilen.

Judah liep naar de ingang van de schuur, nieuwsgierig nu Grace met het meisje terug kwam lopen naar de weg terwijl ze honderduit praatten.

'Hoe wist je dat ik naar Ohio wilde?' vroeg Grace terwijl Heather en zij terugliepen naar de Riehls. Haar hart was opgesprongen bij de woorden van de *Englische* vrouw.

'Ik moet eerlijk tegen je zijn.' Heather bekende dat ze het gesprek van Grace en Yonnie had opgevangen. 'Ik vermoed dat je er niet over zou peinzen om alleen op reis te gaan om je moeder te zoeken, hè?'

Grace beaamde dat daar geen sprake van was. 'Dat heeft mijn vader dagen geleden al duidelijk gemaakt.'

Heather keek voor zich uit. 'Je moet het er moeilijk mee hebben,' zei ze zacht. 'Dat je moeder weg is.'

Grace' hart werd warm. 'Ik denk dat we allebei weten wat het is.'

Heather knikte langzaam. 'Nou, zou je willen gaan?' vroeg ze. 'Ik wil je met alle plezier brengen met de auto.'

Grace keek haar verrast aan. 'Wil je dat echt doen?'

'Het zal me afleiden van mijn eigen zaken,' zei Heather. De vochtigheid van de middag hing als een sluier zwaar en stil om hen heen.

'Wat een verrassing!' Grace kon haar wel omhelzen. 'Je bent het antwoord op mijn gebed. Echt waar.'

Heather knipperde vlug met haar ogen. 'Nou, eh, hoe snel kun je weg?'

Daar dacht Grace even over na, er stond haar niets in de weg dan haar vader. 'Als ik toestemming kan krijgen van pa, kunnen we meteen weg.'

Ze liepen verder, het zonlicht veranderde de kudzuranken in een glanzende groene mantel die het houtschuurtje rechts van hen bijna verborg. *Die verspreiden zich sneller dan een nieuwtje in de Amish gemeenschap.* Maar vandaag had Grace daar geen klagen over.

'Oké, dan hoor ik wel van je.'

'*Denki*… Ik hoor wel wat pa zegt en dan kom ik het vertellen.' Grace liep met haar mee naar Marians keukendeur. Om de een of andere vreemde reden was het moeilijk om uit elkaar te gaan. En ze hoopte Heather nog beter te leren kennen tijdens de lange reis naar Ohio.

Ik hoop maar dat pa me laat gaan.

★

Judah steunde de ooi tijdens haar zware weeën. Hij dacht aan de manier waarop Yonnie met de barende ooien omging, hoe hij zachtjes tegen ze praatte tot lang na de bevalling... als het jonge lam al op zijn spillepootjes stond te wiebelen. Die jongen wist meer over Gods schepping dan waar Judah ooit over had nagedacht. Maar pasgeleden had hij een beetje te veel belangstelling getoond voor Letties afwezigheid. Hij had hem zelfs in bedekte termen gevraagd of Lettie voordat ze wegging had geprobeerd hem te vertellen waarom ze weg wilde.

Sinds de eerste dag dat Yonnie had geholpen, had Judah hem dingen verteld die hij aan Adam niet eens had kunnen vertellen, dingen die een man alleen onder vier ogen met een prediker deelde eigenlijk, iemand met veel begrip. Niet met nog slechts een jongen die, terwijl hij nog nat achter de oren was, op het gebied van relaties wijzer leek dan Judah zelf.

Mandy had hem verteld dat Yonnie en Grace vandaag samen op de weg waren gezien, waar ze hadden gewandeld en gepraat.

Misschien heeft hij Gracie eindelijk door.

★

Heather nam aan dat haar vader zich al uren geleden had uitgeschreven bij het hotel, want ze had niets meer van hem gehoord. Ze had die middag afgezien van haar gewone taak in het koffiehuis, bang dat de verleiding te groot zou zijn, en knabbelde nu op een paar amandelen op haar uitkijkpunt op de voorveranda. Tot haar verrassing zag ze de auto van haar vader de oprijlaan in draaien.

'Ben je er nog?' Vlug daalde ze de trap af om hem te begroeten.

Hij gaf haar een kus op haar wang. 'Loop even met me mee,' zei hij met een glimlach in zijn ogen. 'Ik moet een beetje beweging hebben voor de lange rit.'

'Je wilt zeker naar de bouwlocatie, hè?' *Waar anders!*

Hij knikte. 'Is het goed als ik mijn auto hier laat staan?'

'Ja hoor, zolang er ruimte blijft dat het span erlangs kan.'

Hij keek haar verward aan. 'O, je bedoelt paard en wagen.'

'Zo, jij leert snel!'

Ze liepen in noordelijke richting over Beechdale Road en er stak een warme, zachte bries op. Er speelden fijne wolkjes aan de horizon, in de buurt van de groene heuvels in het uiterste noorden.

Het duurde niet lang of ze hadden de plek bereikt waar ze gisteren geparkeerd hadden om paps kant van de zaak te bespreken. 'Je weet wel een mooi plekje uit te kiezen, pap,' gaf ze toe. 'Maar ik begrijp nog steeds niet helemaal waarom je dit terrein hebt uitgekozen om op te bouwen.'

Hij keek haar onderzoekend aan. 'Ik ben aan verandering toe.'

Ze dacht er verward over na. 'Maar... pap, op het hoogtepunt van je carrière? Ik bedoel, je laat alles achter. Alles wat je hebt opgebouwd om te komen waar je nu bent.'

'Daar kan het wel op lijken.' Hij stopte zijn handen in de zakken van zijn nette broek.

'Neem je niet te veel risico?'

Hij nam haar mee naar de rand van het bezit.

Ze keek naar hem, naar deze man die zelden impulsief handelde. 'Ik snap het niet, pap. Waarom?'

Hij bekeek zijn anderhalve hectare en kneep zijn ogen toe. 'Er zijn dingen die je moeder en ik je nooit hebben verteld.' Zijn stem klonk ineens vermoeid.

'Wat voor dingen?'

Hij schermde zijn ogen af met één hand. 'Nadat mam gestorven was, begon ik te denken dat we een verandering van landschap nodig hadden, jij en ik. Alles in huis deed me denken aan haar... waar ik ook keek.'

Daarom houd ik er juist zo van.

'We gingen zo vaak als gezin naar Lancaster County om "het vredige gevoel te ervaren" zoals je moeder graag zei. Maar zij en ik gingen ook om een andere reden.' In zijn ogen stond een nieuwe zachtheid toen hij zich naar haar toe draaide om haar aan te kijken.

'Wat voor reden?'

'We wilden hier in de toekomst een huis bouwen. Je moeder en ik dachten dat het leuk voor je zou zijn om iets te ervaren... van je familiewortels.'

'Mijn... *wat?*' sputterde ze.

Op dat moment stond in paps ogen de ernst van de jaren te lezen. Alles om hen heen kwam langzaam tot stilstand – zelfs de wind leek te gaan liggen. 'Je biologische moeder was een jong Amish meisje, Heather.'

'Dat kun je niet menen.' Ze keek hem recht in de ogen. 'Zei je Amish?'

'Dat is *gut, jah?*' zei hij met een glimlach.

'Je maakt een grap.'

'Toen we voor het eerst over je hoorden van vrienden van ons in Ohio, ging je moeders hart open. En toen we erheen vlogen om je te zien, werden we meteen verliefd op de mooiste baby die we ooit hadden gezien.'

Ze probeerde het te begrijpen.

'We wilden je graag hebben.' Hoewel ze van een plaatselijk bureau in Richmond goedkeuring hadden om binnen de staat te adopteren, waren ze zich ontmoedigd gaan voelen en hadden ze de hoop bijna opgegeven. 'We hadden zo lang gewacht. Je moeder begon elke dag te bidden.'

De rest van het verhaal had Heather grotendeels al eerder gehoord, maar nooit over het bidden. 'Echt waar, bad mam?'

'Laten we maar zeggen dat ze herhaalde smeekbeden tot God richtte.'

'Wauw, dat wist ik niet.'

Pap keek ineens zo trots als de haan die de baas was op het erf van Andy Riehl.

'Waarom heb je me dat niet eerder verteld? En waarom heeft mam het me trouwens zelf niet verteld?'

'Tot nu toe leek het ons niet zo belangrijk.' Onder het lopen sloeg hij zijn arm om haar heen. 'Vanaf het moment dat we je thuis hadden, was je meteen een deel van ons leven. Eerlijk gezegd was het moeilijk om je te zien als afkomstig van iemand anders dan je moeder en mij. We waren werkelijk dol op je. Nog steeds.'

Ze leunde tegen zijn arm. 'O, pap...'

'Ik vertel het je nu alleen omdat het verklaart waarom ik me hier wil vestigen. Ohio zou meer recht doen aan je afkomst, maar omdat Lancaster County dichterbij is, gingen we graag hiernaartoe; de plek waar we ons echt een gezin voelden.'

Ze slikte moeilijk. 'Weet je, het maakt mij niet uit wie mijn biologische ouders waren. Het was heerlijk om op te groeien als jullie kind... van jou en mam.'

'En als een volledig modern meisje nog wel.'

Met Amish bloed dat door mijn aderen stroomt...

Ze hadden het midden van de lap grond bereikt. De zon bescheen de maïsvelden en het grasland daarachter. 'Ik wil dat jij later dit land en het huis krijgt.'

'Maar nog lang en lang niet, toch?'

Hij zuchtte en pakte haar hand. 'Je gaat die ziekte verslaan, hè lieverd?'

'Tuurlijk, pap.' Heather keek glimlachend naar hem op, de tranen stroomden over haar wangen. 'Dat is wel de bedoeling.'

Toen ze terugwandelden naar de Riehls begon Heathers vader over vertrekken. Ze kuste en omhelsde hem als reactie op zijn plechtige belofte om begin volgende week terug te komen. Toen ze zijn auto nakeek die langzaam de oprijlaan afreed, verbaasde Heather zich nog steeds over het lang bewaarde geheim van haar ouders. Niettemin veranderde het weten absoluut niets aan haar gevoelens voor hen.

Ze zag Becky en haar moeder die aan de andere kant van het erf voer strooiden voor de kippen... en Becky's zusjes op blote voetjes die gillend van de pret speelden bij de pomp. Ze zag hen in een verbazingwekkend ander licht. Heather keek naar haar eigen kleding en vergeleek in gedachten haar mouwloze blouse en verschoten spijkerbroek met de Amish pelerinejurken. *Daarmee had ik ook grootgebracht kunnen zijn...*

Ze liep om naar de voorkant van het ruime oude huis van de familie en ging op de verandatrap zitten. In zuidelijke richting zag ze de kleinste lammetjes mekkerend en blatend achter hun moeders aan lopen naar de andere kant van het hek. En niet ver van waar ze zat, tsjilpten vier jonge vinkjes vrolijk in een vogelbad.

'Ongelooflijk,' fluisterde Heather terwijl ze haar kin op haar handen liet rusten. Naar alle kanten om zich heen kijkend genoot ze intens van het immense erf voor haar en de vlakke, vruchtbare velden aan weerskanten.

Geen wonder dat ik me hier zo thuisvoel...

Hoofdstuk 29

Grace haastte zich naar binnen en haalde mama's grootste pan naar beneden. Ze had zin in spaghetti als avondeten! Onder het werken bedacht ze dat ze voor een paar dagen vooruit moest koken voor de familie. *Als pa het goedvindt dat ik morgen wegga.*

Lieve help, ze kon amper geloven dat Heather had aangeboden haar dat hele eind te brengen. Ze vulde de pan met water en bedacht hoeveel makkelijker het zou zijn om haar vader simpelweg een briefje met uitleg te schrijven. *Gewoon stiekem ertussenuit knijpen als het donker is, net als mama.*

Ze droeg de pan naar het fornuis en zette het gas aan. Ze zou het niet kunnen verdragen om haar vader zo te kwetsen, noch de rest van de familie. Ze ging naar de bijkeuken om de pakken pasta te zoeken die ze bij Eli's had gekocht en besloot onmiddellijk met pa te praten. Ze moest respectvol om zijn goedkeuring vragen en bidden dat zijn antwoord de weerspiegeling was van Gods wil hierin.

*

Judah hoorde Grace' voetstappen op de oprijlaan. Nadat hij aan tafel weer veel te veel gegeten had, was hij bij Willow gaan kijken. Grace had hem overrompeld toen ze zich, terwijl ze het dessert op tafel zette, naar hem toe gebogen had om in zijn oor te fluisteren met de vraag of ze hem even kon spreken. Wat had ze op haar hart?

Hij klopte Willow op de hals en rug, voelde de kracht in de spieren van de merrie. Het laatste wat hij wilde, was nieuwe onenigheid met zijn oudste dochter. Hij wenste bijna dat het Jakob was die hem vanavond wilde spreken. Wat hem betrof was het gesprek dat ze hadden gehad niet bevredigend. Hij had niets bereikt, Jakob had hem met een kluitje in het riet gestuurd.

Wanneer zal ik Lettie ooit weer zien? vroeg Judah zich af.

Grace arriveerde met een aangestoken lantaarn in haar hand, al duurde het nog minstens een uur voordat de schemering inviel. Hij zette zich schrap toen ze naar hem toe kwam en voor hem stil bleef staan.

'*Ach*, pa… ik heb zulk *gut* nieuws! Ik had het u aan tafel al willen vertellen, maar het leek me niet het juiste moment.'

Waar had ze het nu toch over?

'Dus ik heb gewacht om het u als eerste onder vier ogen te vertellen.'

Hij nam de lantaarn uit haar hand en zette hem neer, uit de buurt van Willows ligstro. 'Wat is er dan?'

'Het gaat om mama.' Haar stem beefde. 'Ik weet waar ze is.'

Zijn adem stokte in zijn keel. 'Hoe dat zo?'

'Yonnie heeft het me vandaag verteld.'

Judah stond versteld. Dit had hij niet verwacht.

'Yonnie heeft het uit een betrouwbare bron. En ik wil graag naar haar toe, pa.'

'Waar is ze?'

'Ze logeert bij een vriendin in Baltic, Ohio.'

Hij wreef over zijn gezicht, zijn hart bonsde. 'Weet je het zeker?'

'De meisjes Fisher hebben haar vanmorgen nog gezien op een werkbijeenkomst.'

'In Baltic?' Al die tijd had hij gewacht en gehoopt op zulk nieuws. En toch, nu hij het hoorde voelde Judah zich overrompeld, alsof hij niet wist wat hij moest beginnen.

'Mag ik gaan, pa? Heather Nelson, de jonge vrouw die bij Andy en Marian logeert, vroeg of ze me kon brengen. En omdat ik weet waar mama logeert, ik heb de naam van die vrouw opgeschreven, zullen we maar twee dagen weg zijn.' Grace wees hem erop dat ze voldaan had aan de voorwaarden die hij eerder had gesteld. Goed, de lammertijd was nog niet helemaal voorbij, maar ze vroeg niet of Adam mee mocht. Het was alsof ze ieder woord gerepeteerd had, in haar hoofd tenminste.

Het eerste wat in hem opkwam was zijn poot stijf te houden en het haar botweg opnieuw te weigeren. Maar het feit dat dit weleens een tweede kans voor hem kon zijn, viel moeilijk over het hoofd te zien. En misschien was het wel goed om Grace eens een paar dingen voor zichzelf te laten besluiten, nu ze eenentwintig was. Helemaal volwassen… en de verkeringsleeftijd al bijna voorbij. Judah wilde dat ze wist dat ze naar hem toe kon komen om over de dingen te praten; als de volwassene die ze geworden was. *Ze is altijd zo'n evenwichtige en trouwe dochter geweest…*

'Wanneer had je willen gaan?' Hij keek haar aan. Ze stond hem in de schaduw hoopvol aan te kijken.

'Zo gauw mogelijk, denk ik.'

'Nou, doe het dan maar.'

Haar ogen vulden zich met tranen en ze legde haar hand op zijn arm. 'Pa… meent u het?'

'Ga je moeder maar bezoeken,' bracht hij met moeite uit. 'Misschien wil ze dan eindelijk naar huis komen.'

'O, ik hoop het zo.' Ze keek naar de lantaarn en toen naar Willow. '*Denki* heel hartelijk. U weet niet hoe blij ik ben.'

'Ik zie het wel aan je gezicht.'

Grace glimlachte en wilde weggaan, haar rok ruiste langs de gloeiende lantaarn.

Judah keek haar na met een steekje van droefheid. Maar hoe beschermend hij ook altijd voor zijn meisjes was geweest, er was iets veranderd. Hoog opgericht slenterde hij weg om bij de nieuwste lammetjes te gaan kijken. Hij voelde zich op een nederige manier heel trots op zichzelf.

Adah had Grace met de lantaarn in haar hand naar de schuur zien snellen en was benieuwd wat ze in haar schild voerde. Er was iets, want ze had opgemerkt dat Grace onder het eten om de paar minuten naar haar vader zat te gluren. Ze woonden zo dicht op elkaar dat ze er geen moeite mee had de aarzeling en onrust bij haar kleindochter op te merken.

Wat kan het te betekenen hebben?

Het was enige tijd geleden dat Adah bij een werkbijeenkomst aanwezig was geweest. De meeste vrouwen hadden het druk met de tuin en de voorjaarsschoonmaak. Sommige jonge vrouwen hielpen hun man ook bij het hooien. Ze had in elk geval de laatste tijd weinig roddelpraatjes gehoord.

'Jakob, lief.' Ze keek naar hem, hij zat in zijn lievelingsstoel in de voorkamer. 'Je denkt toch niet dat de pensiongast van de Riehls en onze Grace vriendinnen worden, hè?'

'Hoe moet ik dat weten?'

'Ik zag ze vandaag samen wandelen, ze praatten honderduit.'

Hij wendde licht zijn hoofd. 'Is dat zo?'

'Ik hoop maar dat die *Englische* onze Gracie niet in haar macht krijgt.' Ze fronste haar voorhoofd.

'Kom, Adah, wat bedoel je?'

Ze haalde een zakdoekje uit haar mouw en begon zich koelte toe te wuiven. 'Ik heb er een eigenaardig gevoel over.'

'Je zoekt moeilijkheden waar ze niet zijn.'

Ze keek op en daar stond Grace, met een stralende glimlach op haar gezicht.

'Ben ik even blij dat ik jullie allebei in dezelfde kamer tref,' zei Grace, eerst naar haar en dan naar Jakob kijkend.

'Wat heb je op je hart, kind?' Jakob ging belangstellend rechtop zitten.

'Ik weet iets waar jullie heel blij om zullen zijn.' Grace kwam de schemerige kamer binnen en ging bij hen zitten. 'Naar verluidt is mama vanmorgen gezien in een klein stadje ten zuiden van Sugarcreek, Ohio.' Ze legde uit dat een vriend van haar het gehoord had van Nancy en Sylvia Fisher. 'Ze hebben mama met eigen ogen gezien.'

'Wel, allemensen!' zei Jakob.

Adah wuifde zich nog energieker koelte toe. 'Dat is inderdaad *gut* nieuws.'

Grace begon allerlei details te vertellen, maar ineens liet ze hen schrikken door te zeggen dat ze toestemming van haar vader had om erheen te reizen. 'Ik vertrek morgen... met Heather Nelson.' Grace gebaarde naar het raam aan de noordkant. 'Maar voordat jullie het weten zijn we weer terug.'

'Gaan jullie je mama halen?' vroeg Adah.

'Als ze mee wil...' Grace keek een ogenblik verdrietig.

Jakob was stilgevallen. En Adah had ook niets meer te vertellen waar Grace iets aan had. Helemaal niets. Al was het heerlijk om te weten waar Lettie was, ze maakte zich grote zorgen. Waarom wilde Grace erheen met een nagenoeg onbekende? En wat was er in Judah gevaren om te zeggen dat het mocht?

'Het duurt niet lang meer voordat we weer allemaal samen zijn,' zei Grace. 'Dat hoop ik tenminste.'

'We zullen erom bidden.' Adah keek naar Jakob en wenste met haar hele hart dat hij iets zou zeggen.

'U kijkt niet zo blij als ik had gedacht.' Grace draaide zich om in haar stoel en sloeg haar armen over elkaar. 'Geen van beiden.'

Eindelijk sprak Jakob. 'Niemand weet waarom je moeder zomaar ineens is weggegaan, Gracie.' Hij haalde diep adem. 'Het lijkt mij dat ze zelf moet beslissen wanneer ze weer thuis wil komen.'

'Denkt u dat echt?' vroeg Grace.

Jakob trok aan zijn baard en knikte.

'We zouden niet graag zien dat je teleurgesteld werd,' zei Adah.

'Waarom bekijken jullie het niet van de vrolijke kant? Misschien helpt het als ze weet hoe erg we haar allemaal missen.' Ineens stond Grace op, ze keek alsof ze zou gaan huilen. 'Ik moet terug naar Mandy en de jongens. Pa zal zo wel met het avondgebed beginnen.'

'*Jah*, het is tijd.' Jakob reikte naar de Bijbel.

'Bidt u voor ons?' zei Grace voordat ze de gang in glipte.

'Bij voortduring, kind,' fluisterde Adah.

Ze zou de slaap vanavond moeilijk kunnen vatten, wist

Adah. Ze dacht aan haar lievelingspsalm. Terwijl Jakob in de Bijbel bladerde om te kijken waar hij gebleven was, zei ze de tekst in gedachten op en sloot de waarheid van de woorden in haar hart: *De Heere zal des daags Zijn goedertierenheid gebieden, en des nachts zal Zijn lied bij mij zijn; het gebed tot de God mijns levens.*

Epiloog

De volgende dag pakte ik voor het morgenrood een paar dingen in een kleine koffer die ik van *Mammi* Adah had geleend. Omdat ik Mandy of pa niet wakker wilde maken, keek ik alleen even bij mijn slapende zusje en sloop de trap af, verlangend om vroeg aan de reis te beginnen, zoals Heather gisteravond had voorgesteld toen we het bespraken.

In de keuken koos ik twee stevige bananen van de tros en sneed wat pompoenbrood dat ik gisteren vers had gebakken – een armzalige vervanging van een warm ontbijt, maar ik wist niet of en wanneer we zouden stoppen voor het middagmaal.

Buiten wachtte ik stilletjes tot Heathers auto verscheen. Aan de overkant van het weiland aan de noordkant kraaide de haan van de Riehls. In de ochtendstilte droeg het vertrouwde geluid ver als een luidspreker. En terwijl de haan de ochtendstond aankondigde, vroeg ik me af of het een goed voorteken was – de bekendmaking dat er blijde dingen kwamen – ondanks de domper die mijn grootouders op mijn vertrek hadden gezet.

Heather kwam spoedig, het blauw van haar auto ging op in de schemering. 'Ik kom de oprijlaan op met de koplampen uit,' had ze gezegd om in alle vroegte rekening te houden met de familie.

We wisselden een groet en ik stapte vlug in. Toen we achteruit naar de weg reden, keek ik naar de hoge omtrek van pa's grote huis – de plaats die ik altijd thuis had genoemd. Ik kreeg een brok in mijn keel toen ik besefte dat we dezelfde kant opgingen als mama was gegaan en het vertrouwde landschap waar ik zoveel van hield achterlieten.

Te bedenken dat ik ermee ingestemd had zo ver met Heather

mee te rijden in haar moderne auto, met wat Heather noemde een GPS. Wat dat ook wezen mocht! En ik bedoel modern, met haar kleine, draagbare telefoon die ons de weg wees. Ze zat verbazend ontspannen achter het stuur en tikte met haar lange vingers op het stuurwiel op de maat van een pittig liedje. Misschien was het de muziek die haar vrolijk maakte, de 'riedels' op de radio die vlak voor mijn neus in het dashboard genesteld zat. De meest wereldse muziek die ik ooit heb gehoord. Ze zag er zo zorgeloos uit dat ik me afvroeg of ze deze reis zag als een laatste avontuur voor haar verblijf in het kuuroord.

Binnen de kortste keren zaten we op de snelweg, waar op dit vroege uur weinig verkeer was. Ik zag de borden voor de afslag naar de stad Carlisle en miste nu al het weelderige, dikke tapijt van groen weiland, waar onze witte lammetjes met hun moeders ronddartelden. Waar het vee van Becky's vader graasde. Al die geliefde dingen verdwenen met de kilometers uit het zicht.

Lieve help, het leek wel gisteren dat ik alle nieuwe kruiden had aangeplant om te vervangen wat er in de winter was doodgegaan. In die tijd was mama nog bij ons thuis. Ze zou vast niet hebben geloofd dat ik nu op weg was naar Holmes City met een *Englisch* meisje dat ik nog maar net kende. Ondanks dat was het een zegen dat alles op zijn plaats was gevallen.

Terwijl we voortreden, piepte de zon geleidelijk boven de heuvels achter ons uit. Ik zag de gouden gloed in de spiegel die aan mijn kant van de auto uitstak. Er was nu geen weg meer terug, al kon ik de aardse geur van onze tuinen thuis nog ruiken. Ik had ze beide netjes gewied en bewaterd achtergelaten. Ook had ik alle vogelvoederplaatsen nagekeken. De zwartkopmezen waren weer bij ons ingetrokken en deden of ze thuis waren. Ik had er drie zien vechten om het zonnebloemzaad dat Yonnie en ik hadden gestrooid. Het was lief hoe ze een zaadje in hun zwarte snaveltjes hielden, hun kleine kopjes schudden en hun fluitachtige lied kwetterden: *fie-bie-ie.*

Ziet mama verschillende vogelsoorten waar ze logeert? Heeft ze een nieuwe lijst met waarnemingen aangelegd? O, ze was toch vast niet begonnen ergens anders wortel te schieten? Toen ik mezelf toestond over zulke dingen na te denken, voelde ik me zo verdrietig. Maar ik wilde Heather niet afleiden met mijn gesnotter. Nee, ze moest haar aandacht op de weg houden terwijl de borden en steden langs ons heen vlogen op onze lange reis.

Lang, dat mag je wel zeggen. Heather vertelde me dat we tot halverwege de middag moesten rijden als we af en toe stopten om te tanken en een broodje te eten of wat te drinken. Ik durfde er niet te veel op te hopen dat we mama mee naar huis konden nemen. Dan zou ik mezelf misleiden. Niettemin was ik benieuwd hoe ik me zou voelen als ze mijn uitnodiging afsloeg. Maar tegelijk was het moeilijk om er niet aan te denken hoe het leven zou zijn als ze er wel mee instemde om terug te keren. Hoelang zou het duren voordat pa en wij allemaal in de verste verte konden begrijpen wat haar had gedreven om weg te gaan? *Hoelang voordat de pijn en het verdriet afnemen?*

Zuchtend legde ik mijn hoofd tegen de steun en deed mijn ogen dicht, terwijl ik probeerde me voor te stellen hoe mama zou kijken als ze me zag. *Blij?*

Als alles goed ging, zou onze familie weer compleet zijn. Wat een vreugdevolle hereniging!

U bent er toch wel klaar voor, mama? U verlangt toch wel naar huis…

Woord van dank

Gewoon *dankjewel* zeggen is maar het topje van de spreekwoordelijke ijsberg van dankbaarheid die ik hier wil uitspreken. Hoewel het verhaal van Heather Nelson geheel verzonnen is, is haar besluit om te kiezen voor een natuurgeneeswijze gebaseerd op mijn jarenlange belangstelling voor en onderzoek naar het onderwerp, waaronder interviews met en waardevolle informatie van vele behulpzame bronnen, onder wie Joel Fuhrman, arts; David Frahm, gediplomeerd natuurarts en medeoprichter van Health*Quarters* Ministries; Gabriel Cousens, holistisch arts; en Judith Chandler, gespecialiseerd verpleegkundige. Ik steun echter geen geneeswijze in het bijzonder – conventioneel, holistisch of anderszins.

Mijn voortdurende dank aan David Horton, die deze nieuwe trilogie met veel plezier begeleidt; en Rochelle Glöege, mijn tekstredacteur die wat ik geschreven heb zo elegant verfijnt. Mijn inhoudelijk redacteur Julie Klassen en ik hebben veel lol gehad toen we tijdens een signeersessie in het schilderachtige stadje Baltic rondsnuffelden en aten bij het befaamde Miller's Dutch Kitch'n. Hartelijk bedankt, Julie!

Veel waardering voor Hank en Ruth Hershberger, die mijn vragen over de Amish tradities in Ohio zo vriendelijk beantwoordden. Wat de Pennsylvania Amish betreft hebben mijn raadslieden in Lancaster County zichzelf regelmatig overtroffen, waar ik heel dankbaar voor ben. Een knuffel voor Carolene Robinson, die op elk moment van de dag alles uit haar handen laat vallen om mijn medische vragen te beantwoorden. Ik ben blij met je!

Dank aan mijn trouwe recensenten Ann Parrish en Barbara Birch. Ook kan ik me niet voorstellen een enkele roman te schrijven zonder het gebed van mijn toegewijde ouders.

Zoals altijd dank aan mijn echtgenoot en proeflezer Dave, voor alle uren die hij heeft opgeofferd en zijn lieve steun en bemoediging!

Ten slotte, alle lof en eer aan onze hemelse Vader voor alles wat op deze bladzijden als goed beschouwd kan worden. *Soli Deo Gloria!*

7